Inhoud

Contents

Inhaltsübersicht

Sommario

Sumario

0 500

1/15 000

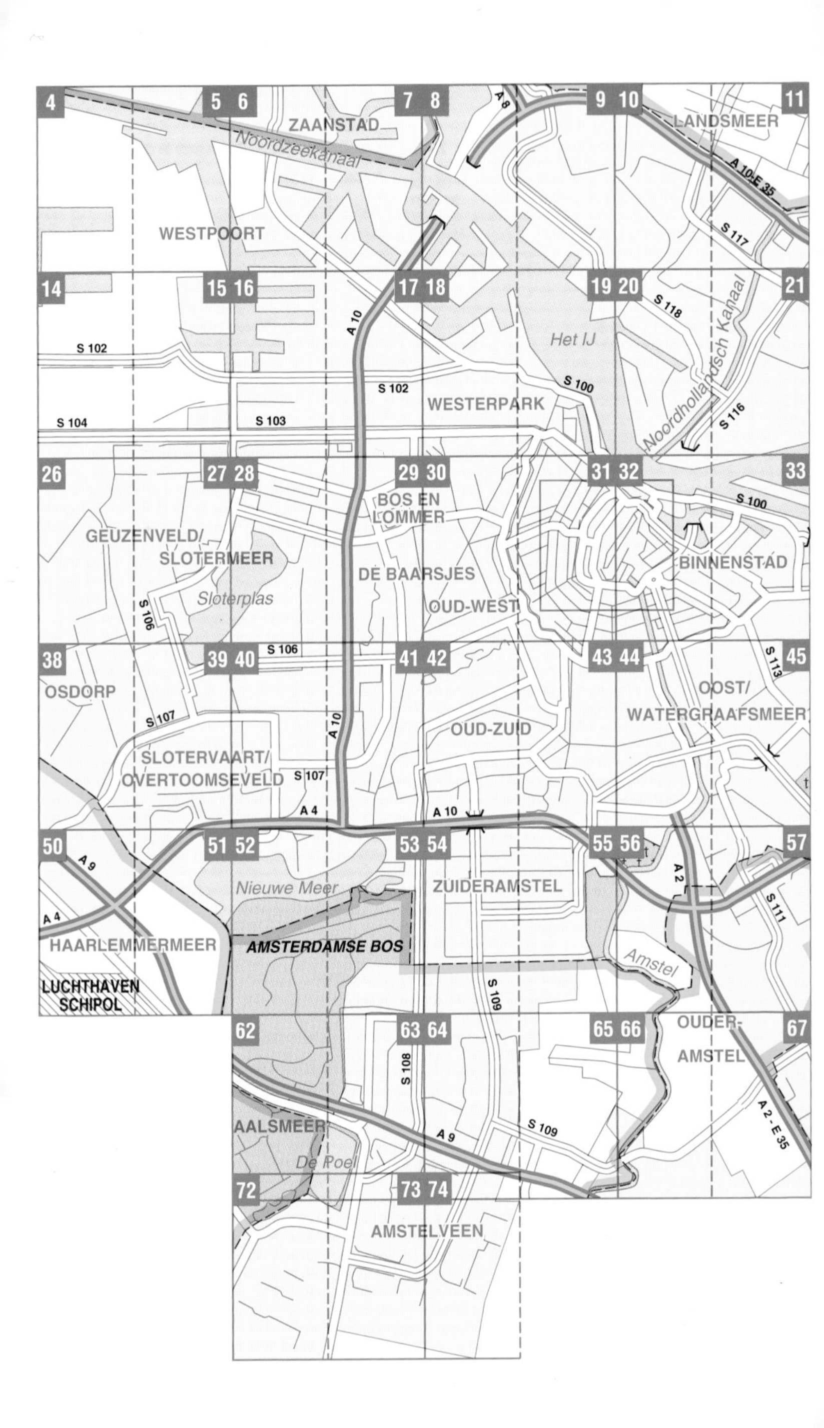

ZAANSTAD
Noordzeekanaal
LANDSMEER
A 10-E 35
S 117
WESTPOORT
A 8
S 102
S 104
S 103
A 10
S 118
Het IJ
Noordhollandsch Kanaal
S 100
S 116
WESTERPARK
BOS EN LOMMER
GEUZENVELD/ SLOTERMEER
Sloterplas
S 106
DE BAARSJES
OUD-WEST
BINNENSTAD
OSDORP
S 107
SLOTERVAART/ OVERTOOMSEVELD
OUD-ZUID
OOST/ WATERGRAAFSMEER
S 113
A 4
A 9
Nieuwe Meer
ZUIDERAMSTEL
A 2
S 111
HAARLEMMERMEER
AMSTERDAMSE BOS
Amstel
LUCHTHAVEN SCHIPOL
S 109
S 108
OUDER-AMSTEL
A 2 - E 35
AALSMEER
De Poel
AMSTELVEEN

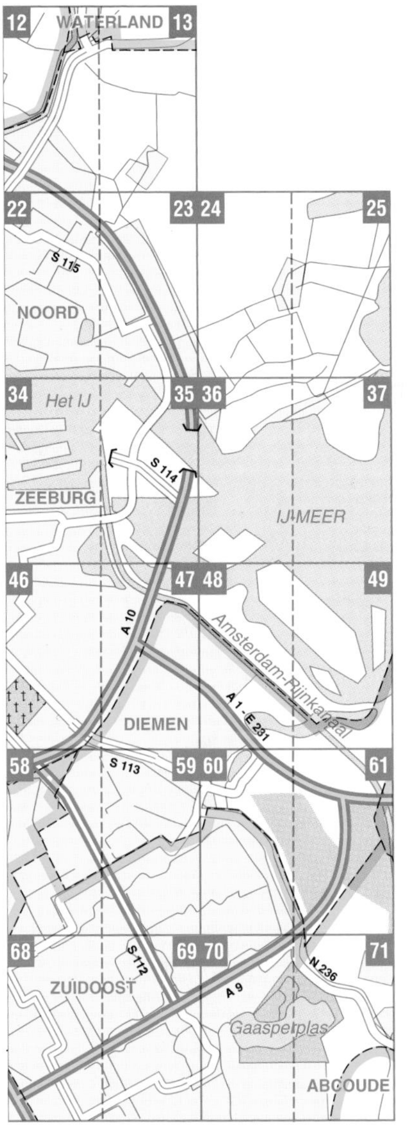

Overzichtskaart -
Belangrijke verkeersaders

Tableau d'assemblage -
Grands axes de circulation

Key to map pages -
Main traffic artery

Übersicht -
Hauptverkehrsstraßen

Quadro d'insieme -
Grandi direttrici stradali

Mapa índice -
Grandes vías de circulación

Centrum

Centre

Zentrum

Centro

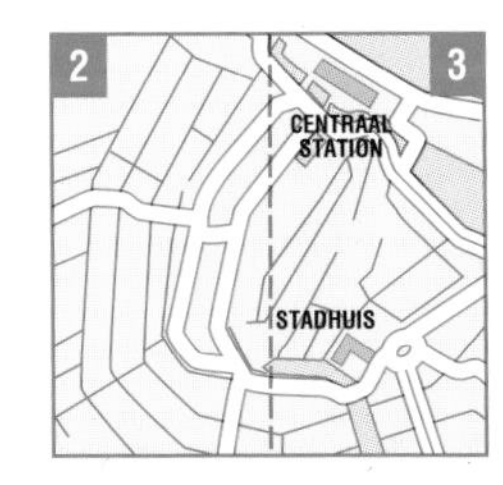

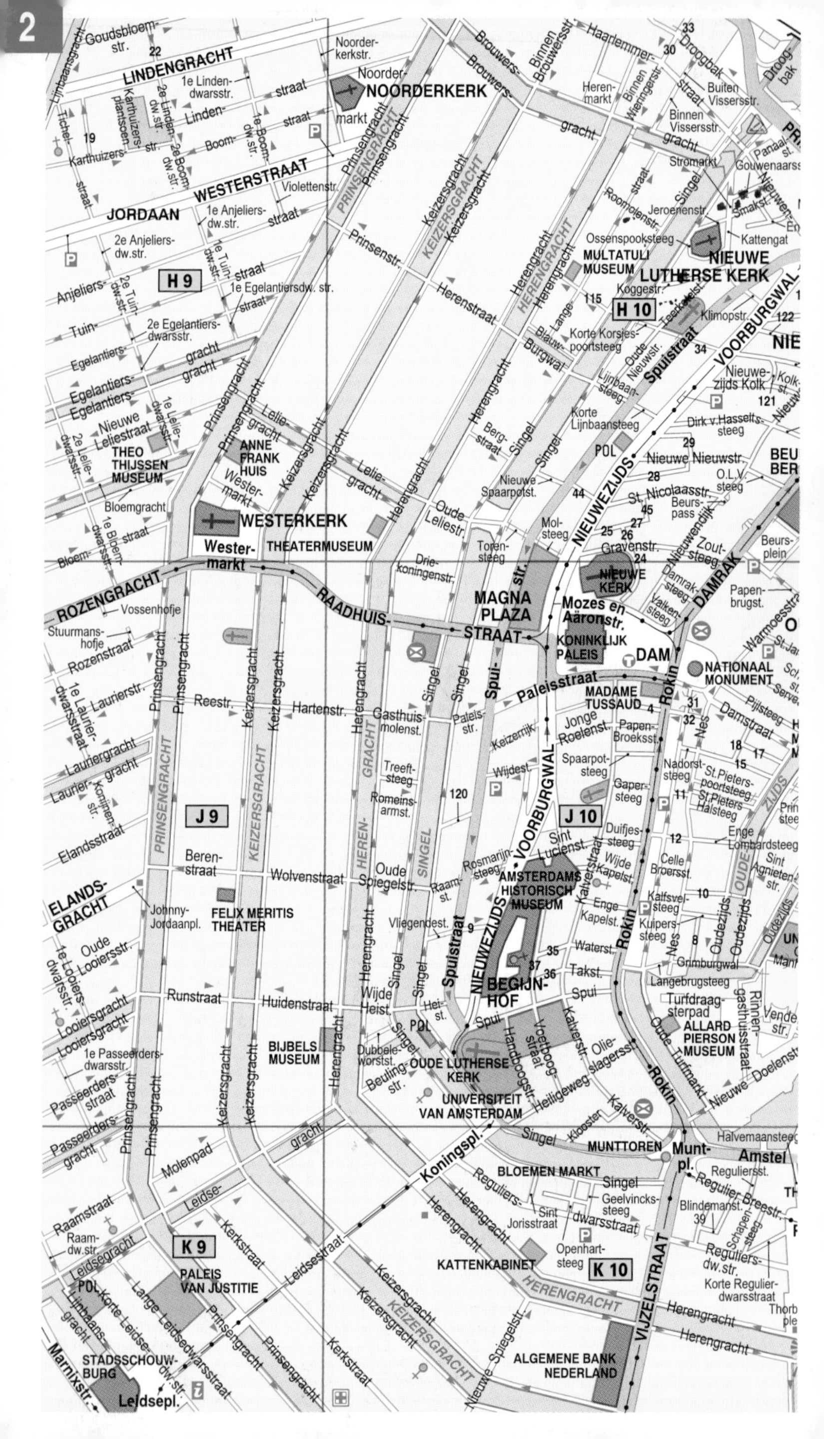

2
Goudsbloemstr.
LINDENGRACHT
1e Lindendwarsstr.
2e Lindendw.str.
Karthuizersplantsoen
Linden-
straat
Noorderkerkstr.
Noordermarkt
NOORDERKERK
Boomstr.
1e Boomdw.str.
2e Boomdw.str.
Karthuizersstraat
Tichelstraat
WESTERSTRAAT
Violettenstr.
JORDAAN
1e Anjeliersdw.str.
2e Anjeliersdw.str.
Anjeliersstraat
1e Tuindw.str.
2e Tuindw.str.
Tuinstraat
H 9
1e Egelantiersdw. str.
2e Egelantiersdwarsstr.
Egelantiersstraat
Egelantiersgracht
Nieuwe Leliestraat
1e Leliedwarsstr.
2e Leliedwarsstr.
THEO THIJSSEN MUSEUM
Bloemgracht
1e Bloemdwarsstr.
Bloemstraat
ROZENGRACHT
Vossenhofje
Stuurmanshofje
Rozenstraat
1e Laurierdwarsstraat
Lauriergracht
Konijnenstr.
Elandsstraat
ELANDSGRACHT
Johnny-Jordaanpl.
1e Looiersdwarsstr.
Oude Looiersstr.
Looiersgracht
1e Passeerdersdwarsstr.
Passeerdersstraat
Passeerdersgracht
Raamstraat
Raamdw.str.
Leidsegracht
Lijnbaansgracht
Korte Leidsedw.str.
Lange Leidsedwarsstraat
Marnixstr.
STADSSCHOUWBURG
Leidsepl.
K 9
PALEIS VAN JUSTITIE
PRINSENGRACHT
Prinsengracht
Prinsenstr.
KEIZERSGRACHT
Keizersgracht
Leliegracht
ANNE FRANK HUIS
Westermarkt
WESTERKERK
THEATERMUSEUM
RAADHUISSTRAAT
Reestr.
Hartenstr.
J 9
Berenstraat
Wolvenstraat
FELIX MERITIS THEATER
Runstraat
Huidenstraat
BIJBELS MUSEUM
Molenpad
Leidsestraat
Kerkstraat
Koningspl.
HERENGRACHT
Herengracht
Herenstraat
Oude Leliestr.
Driekoningenstr.
Gasthuismolenst.
Oude Spiegelstr.
Wijde Heist.
Heist.
Singel
SINGEL
Brouwersgracht
Binnen Brouwersstr.
Haarlemmerstraat
Herenmarkt
Binnen Wieringerstr.
Droogbak
Buiten Vissersstr.
Binnen Vissersstr.
Stromarkt
Panaal st.
Gouwenaarssteeg
Smakst.
Nieuwendijk
Roomolenstr.
Jeroenenstr.
Kattengat
Ossenspooksteeg
MULTATULI MUSEUM
NIEUWE LUTHERSE KERK
Koggestr.
Teerketelst.
Klimopstr.
H 10
Lange Korte Korsjespoortsteeg
Blauwburgwal
Oude Nieuwstr.
Lijnbaansteeg
Korte Lijnbaansteeg
Spuistraat
VOORBURGWAL
NIEUWEZIJDS
Nieuwezijds Kolk
Kolkst.
Bergstraat
Nieuwe Spaarpotst.
POL
Dirk v.Hasseltssteeg
Nieuwe Nieuwstr.
O.L.V.steeg
St. Nicolaasstr.
Beurspass
Molsteeg
Torensteeg
Gravenstr.
NIEUWE KERK
Nieuwendijk
Zoutsteeg
Damraksteeg
Valkensteeg
DAMRAK
Beursplein
Papenbrugst.
Warmoesstraat
MAGNA PLAZA
Mozes en Aäronstr.
KONINKLIJK PALEIS
DAM
NATIONAAL MONUMENT
Paleisstraat
MADAME TUSSAUD
Rokin
Damstraat
Pijlsteeg
Paleisstr.
Keizerrijk
Jonge Roelenst.
Papenbroeksst.
Spaarpotsteeg
Wijdest.
Gapersteeg
Nadorststeeg
St.Pieterspoortsteeg
St.Pieters Halsteeg
Treeftsteeg
Romeinsarmst.
J 10
Duifjessteeg
Sint Luciensst.
Rosmarijnsteeg
Kalverstraat
Wijde Kapelst.
Enge Lombardsteeg
Sint Agnietenstr.
Celle Broersst.
Raamst.
AMSTERDAMS HISTORISCH MUSEUM
Enge Kapelst.
Kalfsvelsteeg
Kuiperssteeg
Nes
Oudezijds
OUDEZIJDS
Vliegendest.
Waterst.
Takst.
Grimburgwal
Langebrugsteeg
Spui
BEGIJNHOF
Turfdraagsterpad
Rinnengasthuisstraat
ALLARD PIERSON MUSEUM
Vendelstr.
Voetboogstraat
Handboogstr.
Oliesl.
Heiligeweg
Slagerssl.
Oude Turfmarkt
Nieuwe Doelenstr.
Dubbele worstst.
Beulingstr.
OUDE LUTHERSE KERK
UNIVERSITEIT VAN AMSTERDAM
Kloveniersburgwal
MUNTTOREN
Muntpl.
Halvemaansteeg
Amstel
Kalverstr.
Kloosterst.
BLOEMEN MARKT
Reguliersst.
Regulier Breestr.
Geelvincksteeg
Blindemanst.
Schapensteeg
Reguliersdw.str.
Korte Reguliersdwarsstraat
Sint Jorisstraat
Reguliersdwarsstraat
Openhartsteeg
K 10
KATTENKABINET
VIJZELSTRAAT
Thorbecke pl.
Nieuwe Spiegelstr.
ALGEMENE BANK NEDERLAND

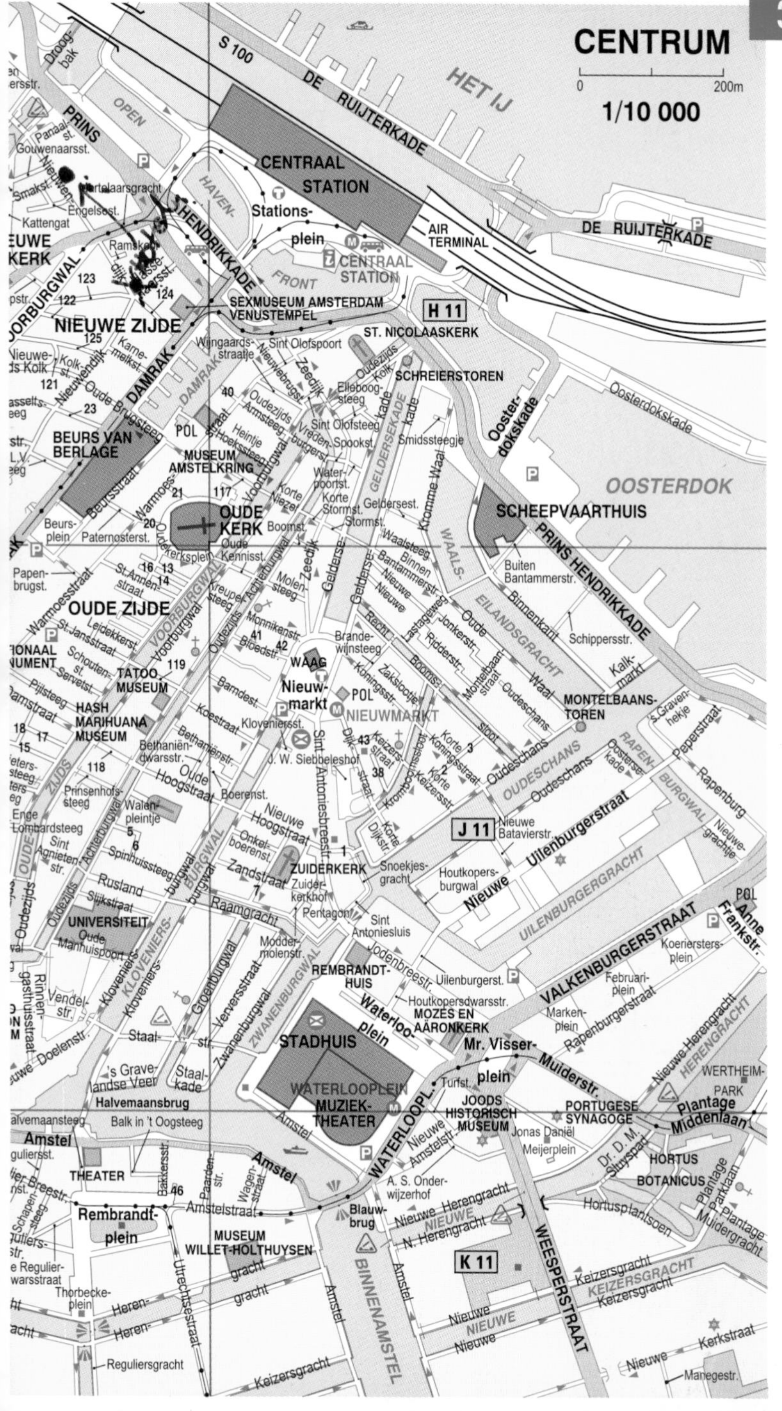
CENTRUM
0
200m
1/10 000
HET IJ
DE RUIJTERKADE
S 100
CENTRAAL STATION
Stations-plein
AIR TERMINAL
DE RUIJTERKADE
PRINS HENDRIKKADE
OPEN
HAVEN-
FRONT
CENTRAAL STATION
SEXMUSEUM AMSTERDAM VENUSTEMPEL
H 11
ST. NICOLAASKERK
SCHREIERSTOREN
Oosterdokskade
Oosterdokskade
OOSTERDOK
SCHEEPVAARTHUIS
PRINS HENDRIKKADE
NIEUWE ZIJDE
NIEUWE KERK
DAMRAK
BEURS VAN BERLAGE
Beursstraat
Beurs-plein
Paternosterst.
Warmoesstraat
MUSEUM AMSTELKRING
OUDE KERK
Oudekerksplein
OUDE ZIJDE
Zeedijk
Geldersekade
GELDERSEKADE
Kromme Waal
WAALS-EILANDSGRACHT
Binnenkant
Schipperstr.
Kalkmarkt
MONTELBAANS-TOREN
OUDESCHANS
Oudeschans
WAAG
Nieuwmarkt
NIEUWMARKT
POL
TATOO MUSEUM
HASH MARIHUANA MUSEUM
Sint Antoniesbreestr.
Kloveniersst.
J. W. Siebbeleshof
Oude Hoogstraat
Nieuwe Hoogstraat
ZUIDERKERK
Zuiderkerkhof
Pentagon
Sint Antoniesluis
Snoekjesgracht
Houtkopersburgwal
J 11
Nieuwe Uilenburgerstraat
UILENBURGERGRACHT
VALKENBURGERSTRAAT
Rapenburg
Peperstraat
RAPENBURGWAL
Anne Frankstr.
UNIVERSITEIT
Oude Manhuispoort
KLOVENIERSBURGWAL
Groenburgwal
Raamgracht
Zandstraat
REMBRANDTHUIS
Jodenbreestr.
Uilenburgerst.
MOZES EN AÄRONKERK
Waterlooplein
STADHUIS
WATERLOOPLEIN
MUZIEKTHEATER
Mr. Visserplein
JOODS HISTORISCH MUSEUM
PORTUGESE SYNAGOGE
Jonas Daniël Meijerplein
Muiderstr.
Plantage Middenlaan
WERTHEIM-PARK
HORTUS BOTANICUS
Nieuwe Herengracht
HERENGRACHT
Halvemaansbrug
Amstel
Amstelstraat
THEATER
Rembrandtplein
MUSEUM WILLET-HOLTHUYSEN
Blauwbrug
BINNENAMSTEL
Amstel
Utrechtsestraat
Reguliersgracht
Thorbecke-plein
Keizersgracht
KEIZERSGRACHT
K 11
WEESPERSTRAAT
Nieuwe Kerkstraat
Manegestr.
Staalstr.
Staalkade
Zwanenburgwal
Doelenstr.
Vendelstr.
Rusland
Spinhuissteeg
Walenpleintje
Prinsenhofssteeg
Oudezijds Voorburgwal
Oudezijds Achterburgwal
Damstraat
Oude Brugsteeg
Nieuwendijk
Kattengat
Engelsest.
Gouwenaarsst.
Droogbak
Dr. D. M. Sluyspad
Hortusplantsoen
Plantage Parklaan
Plantage Muidergracht
Nieuwe Amstelstr.
A. S. Onderwijzerhof
Turfst.
Koeriersterspl.
Februariplein
Markenplein
Rapenburgerstraat

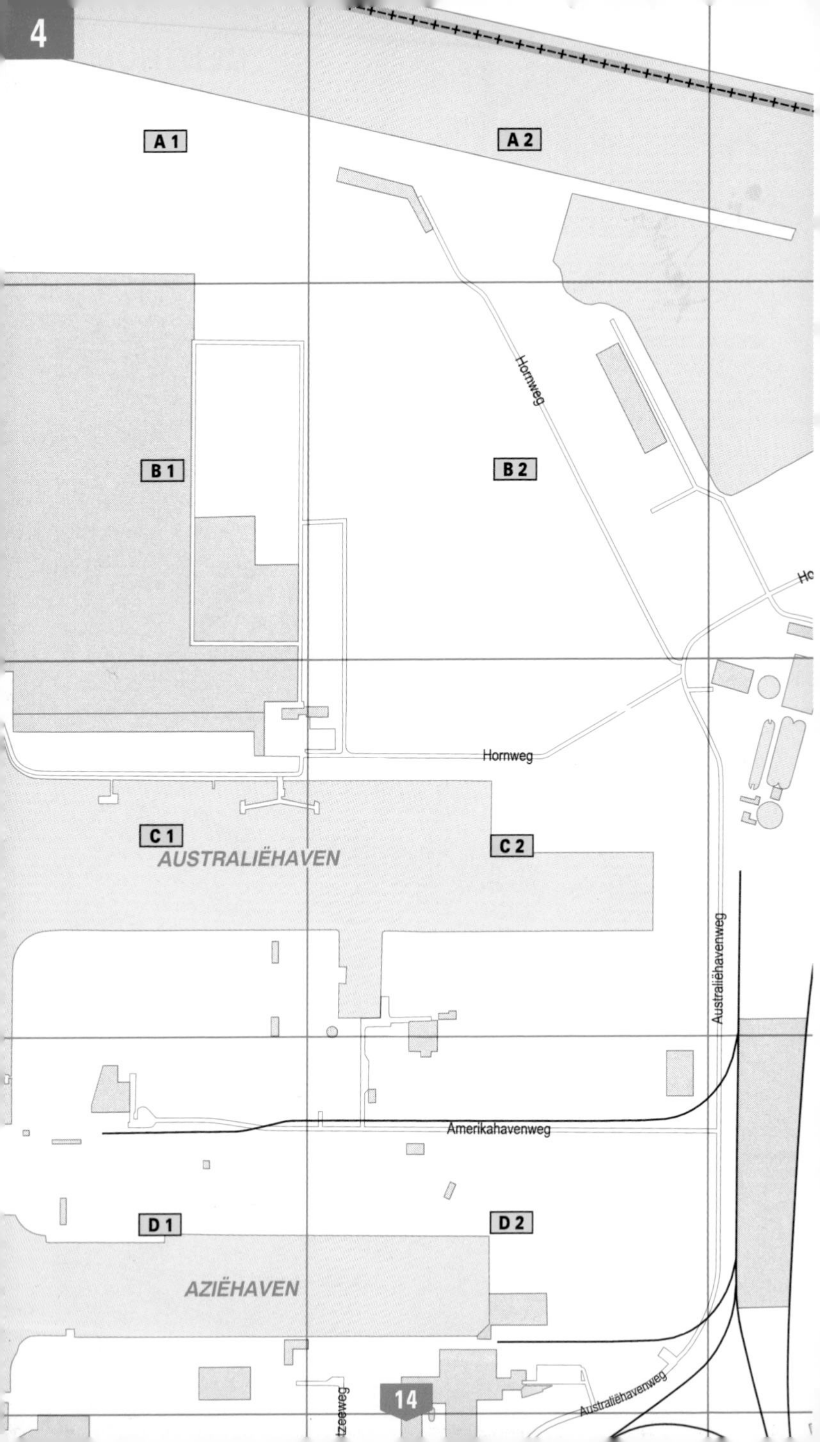
A 1
A 2
B 1
B 2
C 1
C 2
D 1
D 2
Hornweg
Hornweg
AUSTRALIËHAVEN
Australiëhavenweg
Amerikahavenweg
AZIËHAVEN
Australiëhavenweg
14

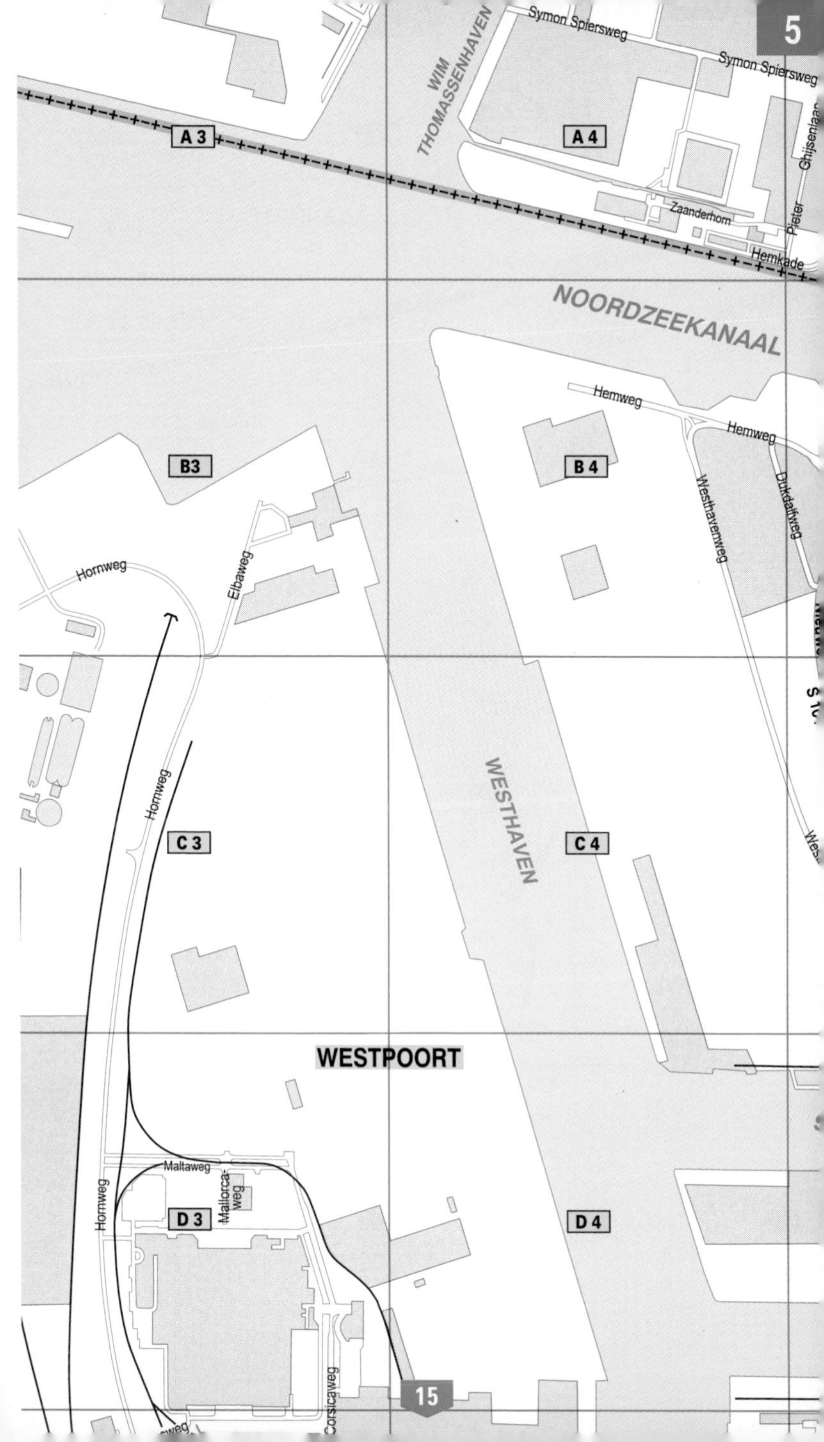
Symon Spiersweg
Symon Spiersweg
WIM THOMASSENHAVEN
A 3
A 4
Ghijsenlaan
Zaanderhorn
Pieter
Hemkade
NOORDZEEKANAAL
Hemweg
Hemweg
B3
B 4
Westhavenweg
Dukdalfweg
Hornweg
Elbaweg
Hornweg
C 3
WESTHAVEN
C 4
WESTPOORT
Maltaweg
Mallorca-weg
Hornweg
D 3
D 4
Corsicaweg

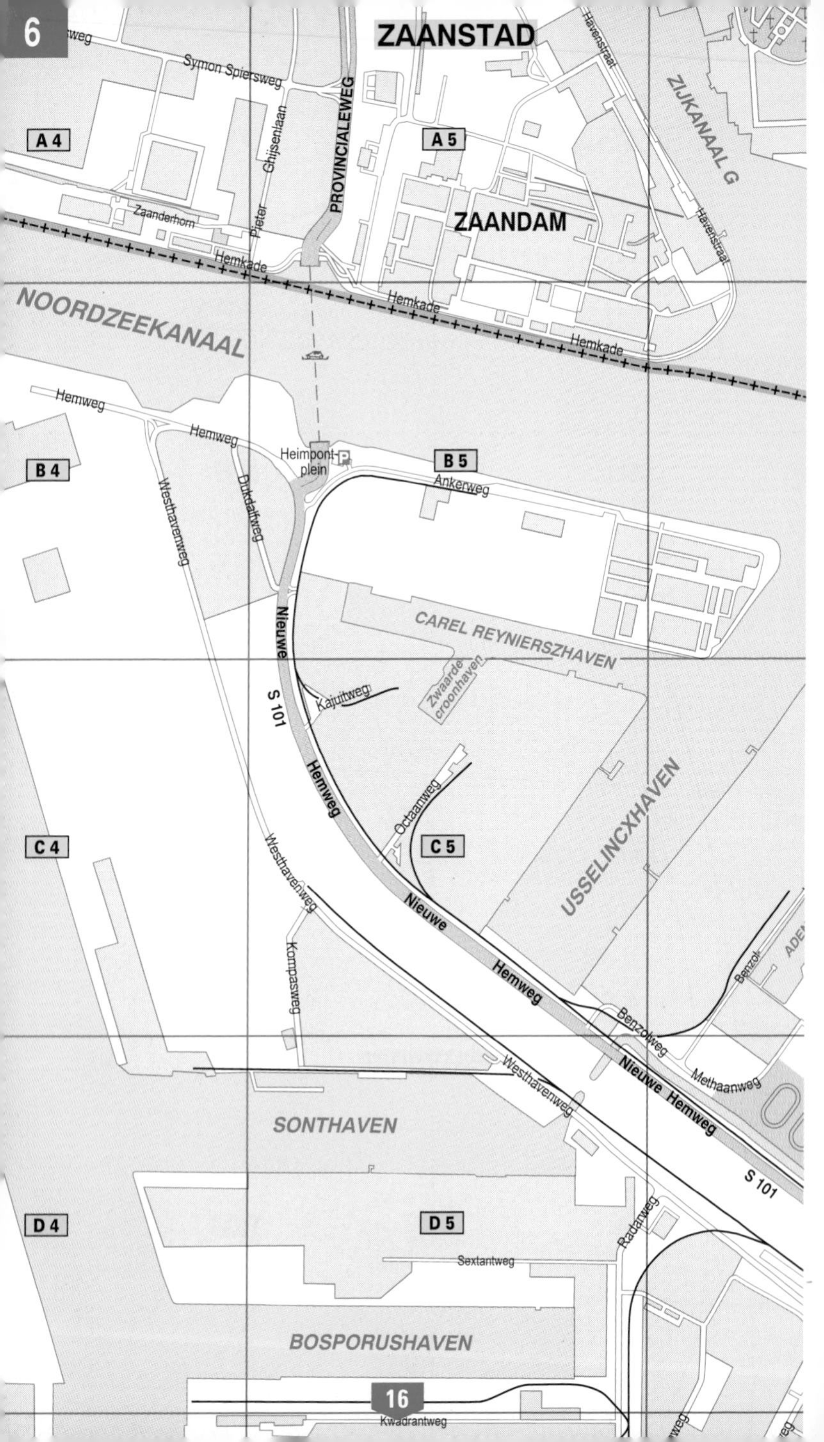
ZAANSTAD
Symon Spiersweg
A 4
A 5
Ghijsenlaan
Pieter
PROVINCIALEWEG
Zaanderhorn
Hemkade
ZAANDAM
Havenstraat
ZIJKANAAL G
NOORDZEEKANAAL
Hemweg
Heimont-plein
B 4
B 5
Ankerweg
Westhavenweg
Duikdalfweg
Nieuwe
CAREL REYNIERSZHAVEN
S 101
Kajuitweg
Zwaarde croonhaven
Hemweg
Octaanweg
C 4
C 5
USSELINCXHAVEN
Kompasweg
Benzolweg
Methaanweg
Nieuwe Hemweg
SONTHAVEN
Radarweg
D 4
D 5
Sextantweg
BOSPORUSHAVEN
Kwadrantweg

16

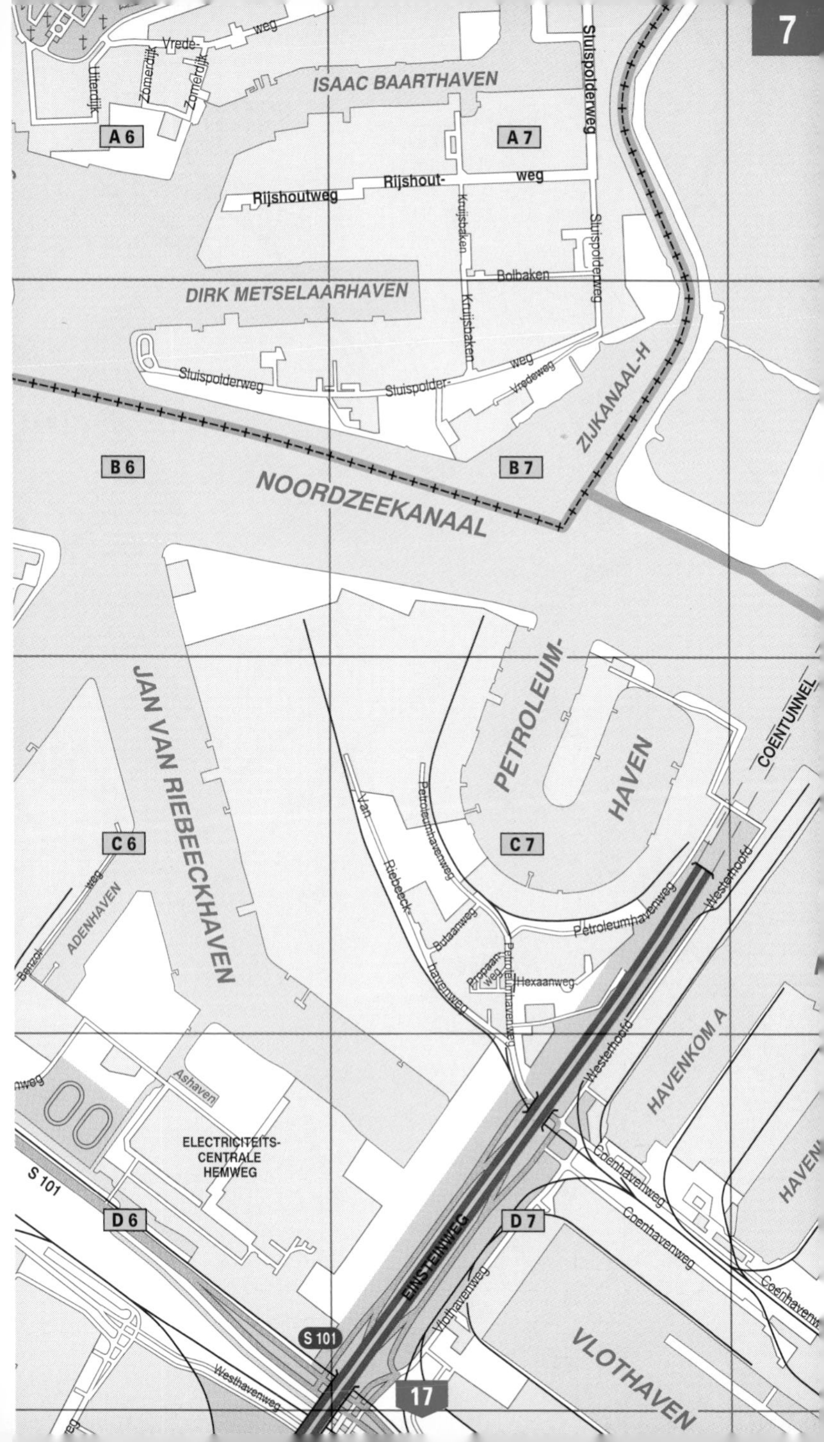
Vrede-weg
Uiterdijk
Zomerdijk
Zomerdijk
ISAAC BAARTHAVEN
Stuispolderweg
A 6
A 7
Rijshoutweg
Rijshout-weg
Kruisbaken
Stuispolderweg
Bolbaken
DIRK METSELAARHAVEN
Kruisbaken
Stuispolderweg
Stuispolder-weg
Vredeweg
ZIJKANAAL-H
B 6
B 7
NOORDZEEKANAAL
JAN VAN RIEBEECKHAVEN
PETROLEUM-HAVEN
COENTUNNEL
Van Riebeeck-havenweg
Petroleumhavenweg
C 6
C 7
Westerhoofd
ADENHAVEN
Butaanweg
Petroleumhavenweg
Propaanweg
Hexaanweg
Petroleumhavenweg
HAVENKOM A
Westerhoofd
Ashaven
ELECTRICITEITS-CENTRALE HEMWEG
Coenhavenweg
Coenhavenweg
S 101
D 6
D 7
EINSTEINWEG
Vlothavenweg
Coenhavenweg
VLOTHAVEN
S 101
Westhavenweg
17

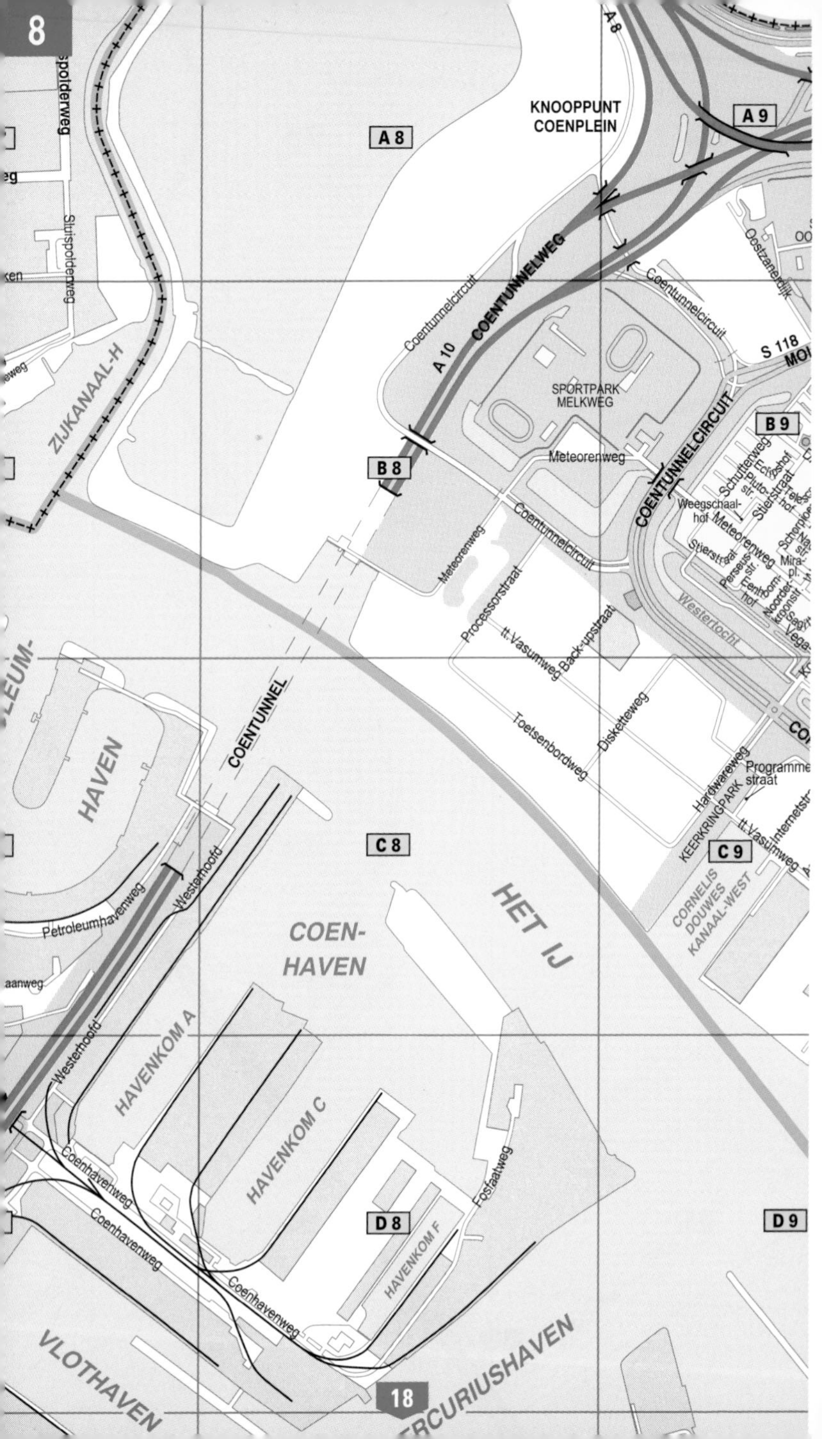
KNOOPPUNT
COENPLEIN
A 8
A 9
A 10
COENTUNNELWEG
Coentunnelcircuit
SPORTPARK
MELKWEG
Meteorenweg
COENTUNNELCIRCUIT
S 118
B 8
B 9
Processorstraat
Back-upstraat
Toetsenbordweg
Disketteweg
Hardwareweg
KEERKRINGPARK
Programmestraat
C 8
C 9
CORNELIS
DOUWES
KANAAL-WEST
HET IJ
COEN-
HAVEN
COENTUNNEL
Westerhoofd
Petroleumhavenweg
HAVEN
ZIJKANAAL-H
Sluispolderweg
HAVENKOM A
HAVENKOM C
HAVENKOM F
Coenhavenweg
Fosfaatweg
D 8
D 9
VLOTHAVEN
Westertocht
Oostzanerdijk

18

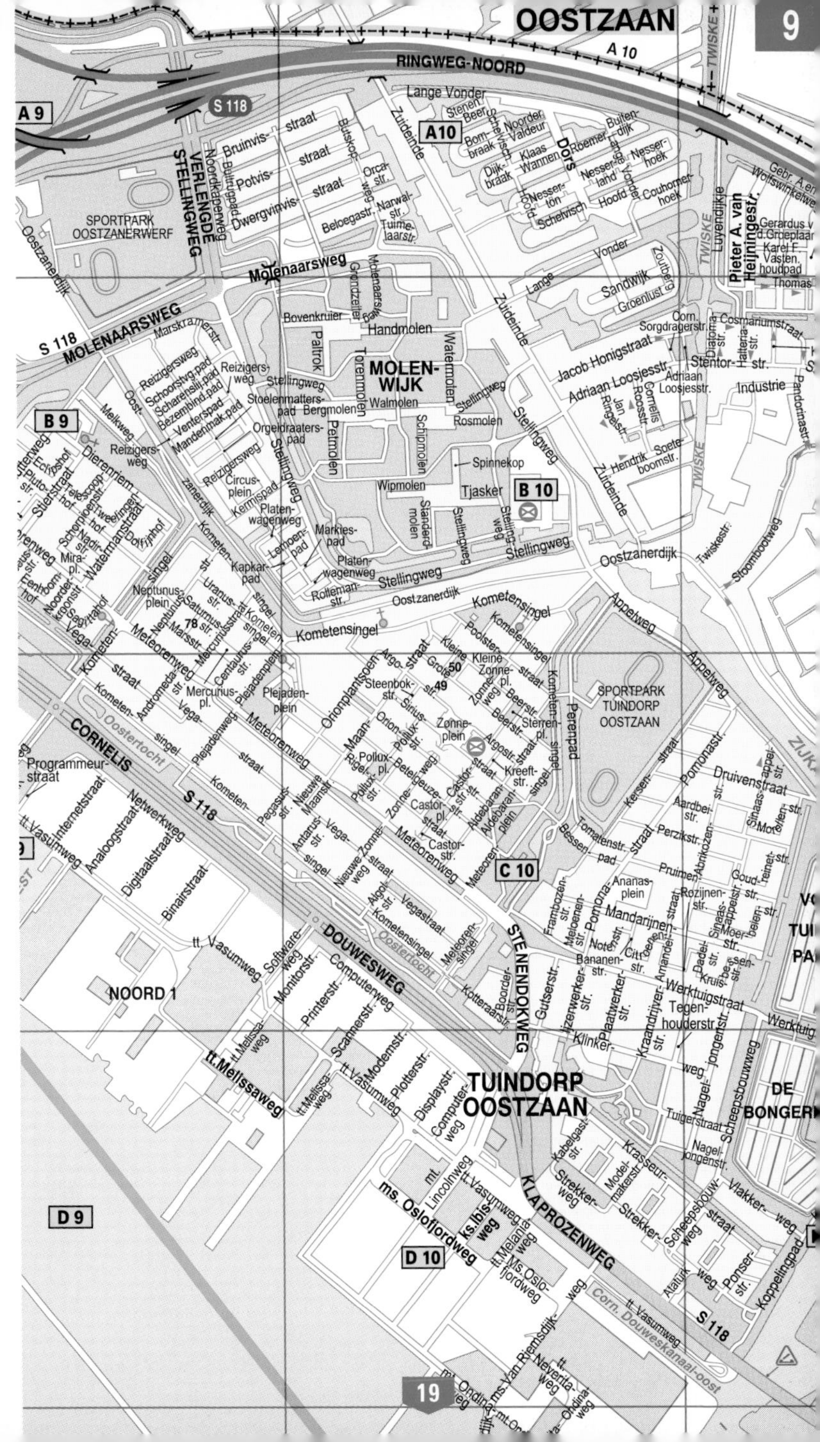
RINGWEG-NOORD
A 10
A 9
S 118
VERLENGDE STELLINGWEG
SPORTPARK OOSTZANERWERF
Oostzanerdijk
Bruinvisstraat
Potvisstraat
Dwergvinvisstraat
Butskop
Orcastr.
Narwalstr.
Beloegastr.
Tuimelaarstr.
Zuideinde
Lange Vonder
Dors
Molenaarsweg
MOLENAARSWEG
MOLEN-WIJK
Handmolen
Bovenkruier
Paltrok
Torenmolen
Watermolen
Stellingweg
Walmolen
Bergmolen
Rosmolen
Petmolen
Schipmolen
Spinnekop
Wipmolen
Tjasker
Standerdmolen
Jacob Honigstraat
Adriaan Loosjesstr.
Industrie
Stentorstr.
Cosmariumstraat
Sorgdragerstr.
Pieter A. van Heijningestr.
Luyendijkje
TWISKE
Sandwijk
Groenlust
Oostzanerdijk
Twiskestr.
Stoombootweg
Kometensingel
Appelweg
SPORTPARK TUINDORP OOSTZAAN
Meteorenweg
Vegastraat
Orionplantsoen
Zonneplein
Plejadenplein
Perenpad
Pomonastr.
Druivenstraat
Kersenstraat
Perzikstr.
Mandarijnenstr.
Werktuigstraat
CORNELIS DOUWESWEG
Oostertocht
Programmeurstraat
Internetstraat
Netwerkweg
Analoogstraat
Digitaalstraat
Binairstraat
tt. Vasumweg
NOORD 1
Softwareweg
Computerweg
Monitorstr.
Printerstr.
Scannerstr.
Modemstr.
Plotterstr.
Displaystr.
tt.Melissaweg
STENENDOKWEG
TUINDORP OOSTZAAN
Gutserstr.
Klinkerweg
Nageljongenstr.
Scheepsbouwweg
DE BONGERD
Tuigerstraat
Kabelgaststr.
Krasseurstr.
Strekkerweg
Modelmakerstr.
Scheepsbouwstraat
Vlakkerweg
Koppelingpad
Ponserstr.
Atatürkweg
KLAPROZENWEG
Corn. Douweskanaal-oost
ms. Oslofjordweg
ks.Ibisweg
Lincolnweg
tt.Melaniaweg
ms.Van Riemsdijkweg
tt. Neveritaweg
B 9
B 10
C 10
D 9
D 10
A10
19

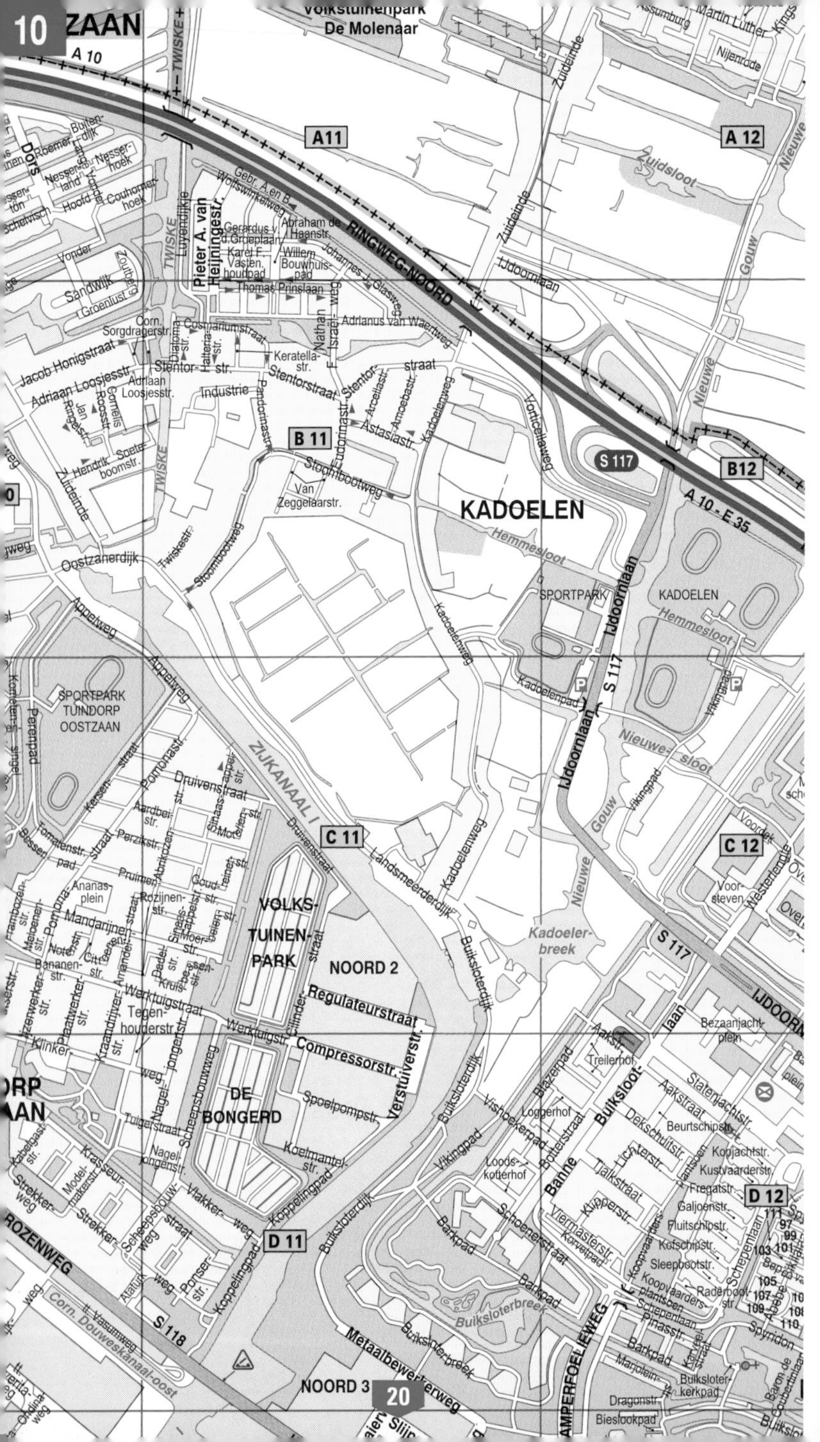
10
ZAAN
A 10
Volkstuinenpark
De Molenaar
A11
A 12
Zuidsloot
RINGWEG-NOORD
Zuideinde
IJdoornlaan
Gouw
Nieuwe
Dors
Roemer
Buiten-dijk
Nesser-land
Nesser-hoek
Couhoren-hoek
Hoofd
Vonder
Sandwijk
Groenlust
Zouteweg
TWISKE
Luyendijkje
Pieter A. van Heijningestr.
Gebr. A.en B. Woltswinkelweg
Abraham de Haanstr.
Gerardus v. d.Groeplaan
Karel F. Vasten-houdpad
Willem Bouwhuis-pad
Johannes L.Glasweg
Thomas Prinslaan
Corn. Sorgdragerstr.
Costrariumstraat
Diatoma str.
Halteria-str.
Keratella-str.
Nathan F. Israël-weg
Adrianus van Waertweg
Jacob Honigstraat
Stentor-str.
Stentorstraat
Adriaan Loosjesstr.
Industrie
Jan Ringerstr.
Cornelis Roosstr.
Hendrik Soete-boomstr.
Pandorinastr.
Eudorinastr.
Arcellastr.
Amoebastr.
Astasiastr.
Kadoelenweg
Vorticellaweg
B 11
S 117
B12
Stoombootweg
Van Zeggelaarstr.
KADOELEN
A 10 - E 35
Zuideinde
Hemmesloot
Oostzanerdijk
Twiskestr.
SPORTPARK
KADOELEN
Appelweg
SPORTPARK TUINDORP OOSTZAAN
Kadoelenpad
Vikingpad
Perenpad
Korenbloemsingel
ZIJKANAAL I
Nieuwe-sloot
Pomonastr.
Druivenstraat
Aardbei-str.
Sinaasappelstr.
Kersenstraat
Tomatenstr.
Bessenpad
Perzikstr.
Motjelenstr.
Landsmeerderdijk
C 11
C 12
Voordek
Voorsteven
Westertengte
Ananas-plein
Pruimenstr.
Abrikozenstr.
Goudreinetstr.
Rozijnenstr.
VOLKS-TUINEN-PARK
NOORD 2
Kadoelerbreek
Mandarijnenstr.
Meloenenstr.
Citroenenstr.
Frambozenstr.
Notenstr.
Bananenstr.
Amandelstr.
Dadelstr.
Kruisbessenstr.
Moerbeienstr.
S 117
Buiksloterdijk
Regulateurstraat
Werktuigstraat
Tegen-houderstr.
IJzerwerkerstr.
Plaatwerkerstr.
Kraandrijverstr.
Werktuigstr.
Cilinderstraat
Compressorstr.
Verstuiverstr.
Bezaanjachtplein
Aakstr.
Treilerhof
Buiksloot-laan
Klinkerweg
Nageljongenstr.
Scheepsbouwweg
DE BONGERD
Spoelpompstr.
Blazerpad
Loggerhof
Vishoekerpad
Botterstraat
Statenjachtstr.
Aakstraat
Dekschuitstr.
Beurtschipstr.
Tuigerstraat
Koelmantelstr.
Vikingpad
Loodskotterhof
Banne
Lichterstr.
Tjalkstraat
Kuipperstr.
Kustvaarderstr.
Fregatstr.
D 12
Kabelgaststr.
Modelmakerstr.
Krasseurstr.
Strekkerweg
Strekkerstr.
Scheepsbouwweg
Vlakkerweg
Koppelingpad
D 11
Barkpad
Schoenerstraat
Viermasterstr.
Korvetpad
Galjoenstr.
Fluitschipstr.
Kofschipstr.
Sleepbootstr.
Koopvaarders-plantsoen
Raderbootstr.
Schepenlaan
ROZENWEG
Ponserweg
Atatukweg
Koppelingpad
S 118
Corn. Douweskanaal-oost
Buiksloterbreek
AMPERFOELIEWEG
Pinasstr.
Barkpad
Marjoleinpad
Buiksloterkerkpad
Spyridon
Metaalbewerkerweg
NOORD 3
20
Dragonstr.
Bieslookpad
Baron de Coubertinlaan

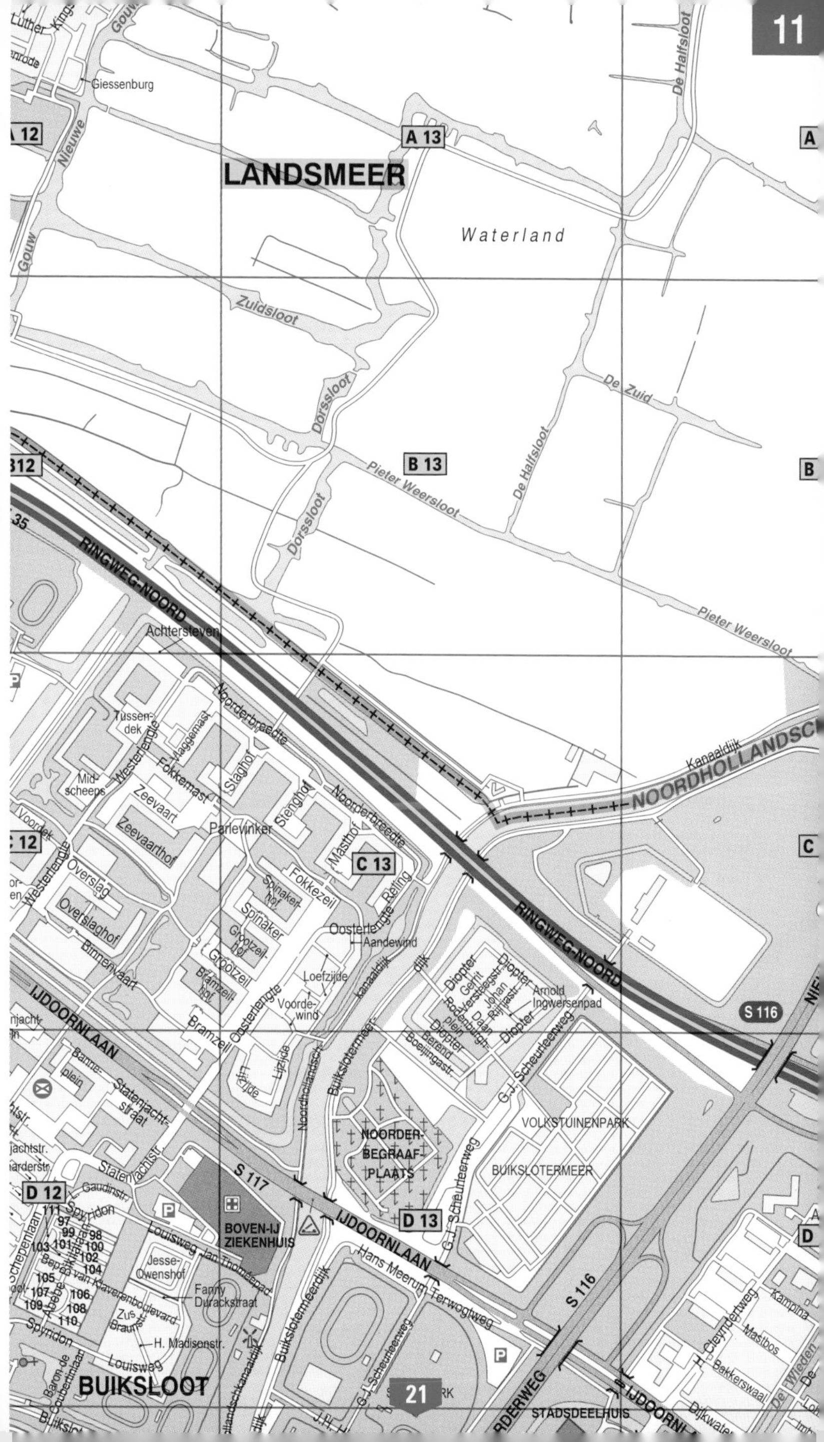
LANDSMEER
Waterland
Giessenburg
Nieuwe Gouw
Gouw
Zuidsloot
Dorssloot
De Halfsloot
De Zuid
Pieter Weersloot
RINGWEG-NOORD
NOORDHOLLANDSCH
Kanaaldijk
Achtersteven
Noorderbreedte
Tussendek
Westerlengte
Vlaggemast
Fokkemast
Staghof
Midscheeps
Zeevaart
Zeevaarthof
Parlevinker
Stenghof
Masthof
Voordek
Overslag
Overslaghof
Binnenvaart
Spinakerhof
Spinaker
Fokkezeil
Oosterlengte
Reling
Aandewind
Grootzeilhof
Grootzeil
Loefzijde
Bramzeilhof
Bramzeil
Voordewind
Lijzijde
IJDOORNLAAN
Bannepleïn
Statenjachtstraat
Statenjachtstr.
Noordhollandsch kanaaldijk
Buikslotermeerdijk
Diopter
Gerrit Versteegstr.
Johan Rijnastr.
Arnold Ingwersenpad
Rodenburghplein
Daan
Berend Boeijingastr.
G.J. Scheurleerweg
VOLKSTUINENPARK
BUIKSLOTERMEER
NOORDER-BEGRAAF-PLAATS
S 116
S 117
BOVEN-IJ ZIEKENHUIS
Gaudinstr.
Spyridon
Louisweg
Jan Thomeepad
Jesse Owenshof
Fanny Durackstraat
Bep van Klaverenboulevard
Zus Braunstr.
H. Madisonstr.
Abebe Bikilagang
Schepenenlaan
Baron de Coubertinlaan
BUIKSLOOT
Hans Meerum Terwogtweg
H. Cleyndertweg
Kampina
Mastbos
Bakkerswaal
De Wieden
Dijkwater
STADSDEELHUIS
A 12
A 13
B12
B 13
C 12
C 13
D 12
D 13
A
B
C
D
21

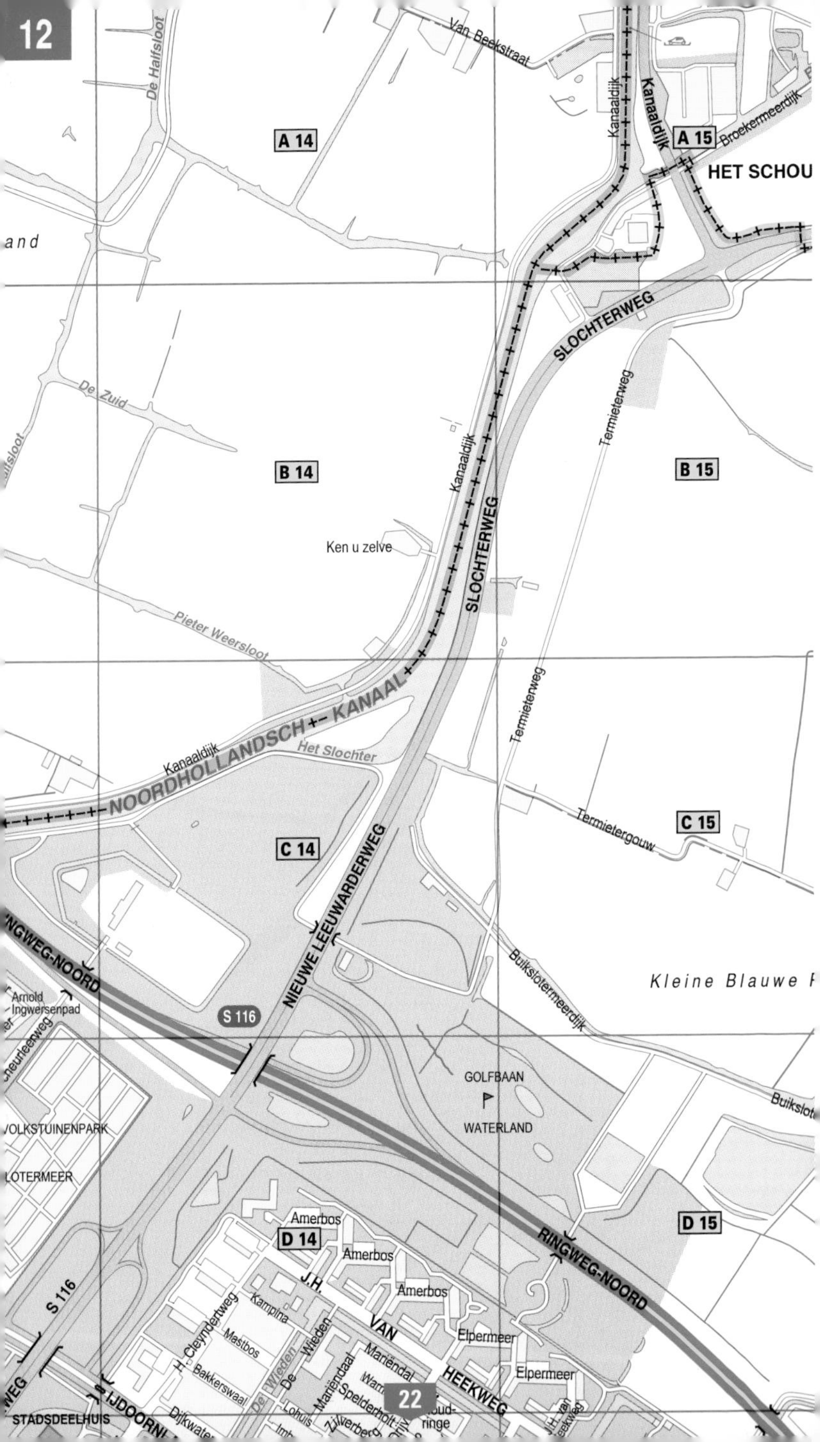

Van Beekstraat
De Halfsloot
A 14
A 15
Kanaaldijk
Broekermeerdijk
HET SCHOU
and
SLOCHTERWEG
De Zuid
Termieterweg
B 14
B 15
Ken u zelve
Pieter Weersloot
NOORDHOLLANDSCH KANAAL
Het Slochter
Kanaaldijk
Termieterweg
C 14
C 15
Termietergouw
NIEUWE LEEUWARDERWEG
RINGWEG-NOORD
Arnold Ingwersenpad
S 116
Buikslotermeerdijk
Kleine Blauwe
GOLFBAAN
WATERLAND
Buikslot
VOLKSTUINENPARK
LOTERMEER
Amerbos
D 14
D 15
J.H. VAN HEEKWEG
Kampina
Elpermeer
H. Cleyndertweg
Mastbos
Wieden
Mariendaal
Bakkerswaal
De Wieden
STADSDEELHUIS
IJDOORN
Dijkwater
Lohuis
Zilverberg
Spelderholt
Oudringe

22

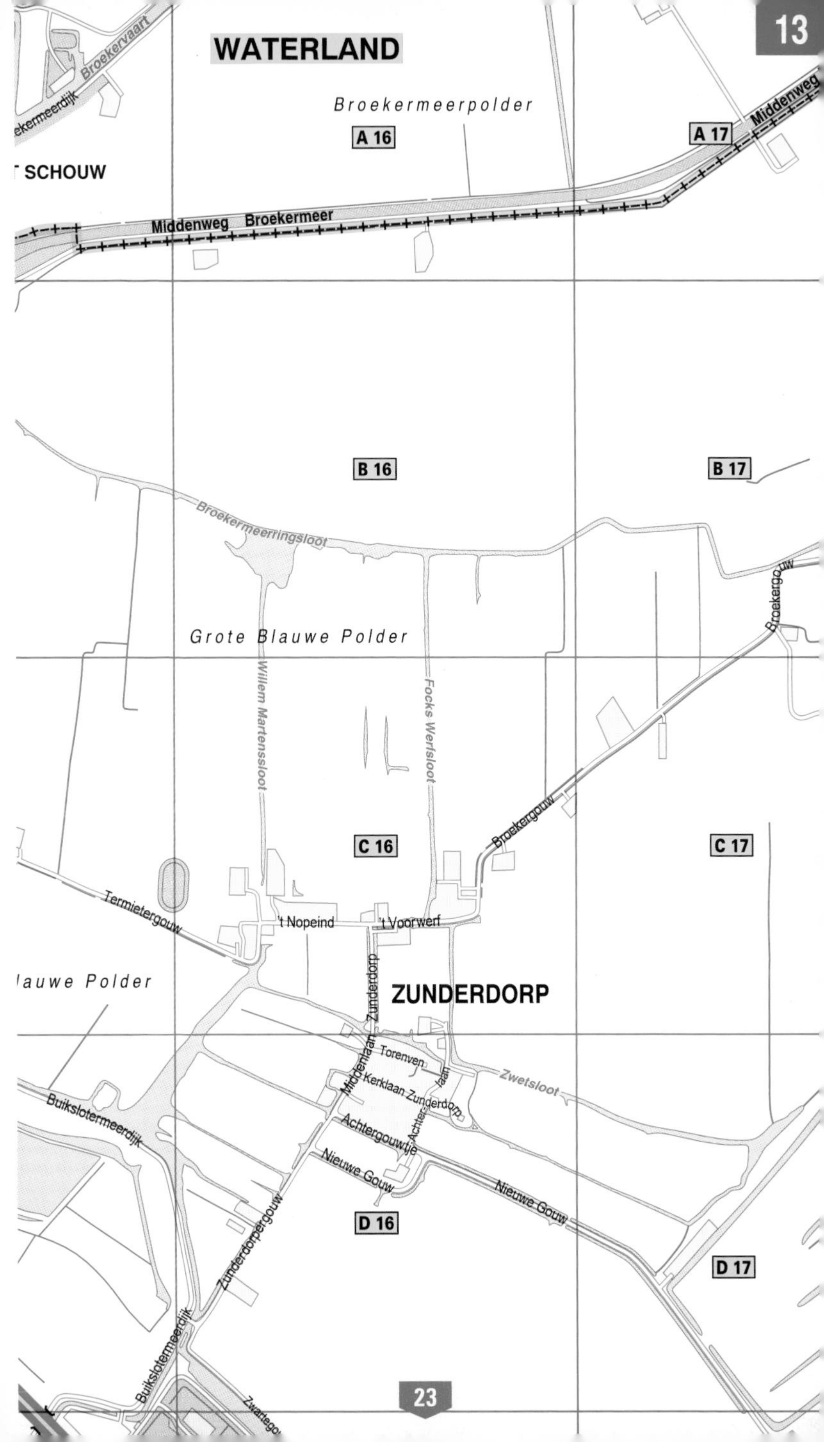
WATERLAND
Broekervaart
Broekermeerdijk
Broekermeerpolder
A 16
A 17
Middenweg
T SCHOUW
Middenweg Broekermeer
B 16
B 17
Broekermeerringsloot
Broekergouw
Grote Blauwe Polder
Willem Martenssloot
Focks Werfsloot
Broekergouw
C 16
C 17
Termietergouw
't Nopeind
't Voorwerf
lauwe Polder
Zunderdorp
ZUNDERDORP
Middenlaan
Torenven
Kerklaan Zunderdorp
Achter-
laan
Zwetsloot
Buikslotermeerdijk
Achtergouwtje
Nieuwe Gouw
Nieuwe Gouw
Zunderdorpergouw
D 16
D 17
Buikslotermeerdijk
Zwartegouw

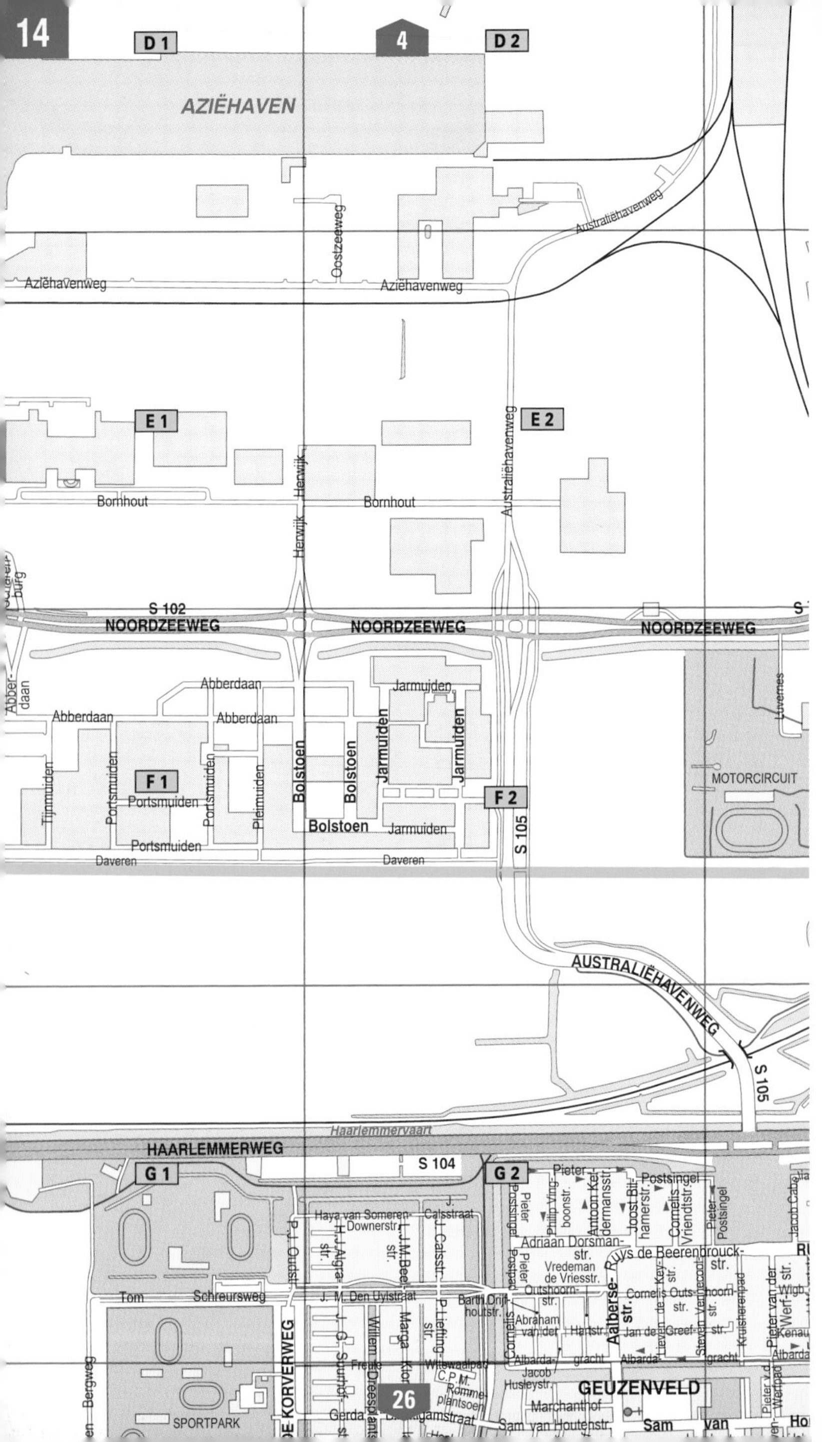

D 1
4
D 2
AZIËHAVEN
Australiëhavenweg
Oostzeeweg
Aziëhavenweg
Aziëhavenweg
E 1
E 2
Australiëhavenweg
Henwijk
Bornhout
Bornhout
Herwijk
S 102
NOORDZEEWEG
NOORDZEEWEG
NOORDZEEWEG
Abberdaan
Abberdaan
Abberdaan
Jarmuiden
Luvernes
Tijnmuiden
Portsmuiden
Portsmuiden
Pleimuiden
Bolstoen
Bolstoen
Jarmuiden
Jarmuiden
F 1
F 2
Portsmuiden
Bolstoen
Jarmuiden
Portsmuiden
MOTORCIRCUIT
S 105
Daveren
Daveren
AUSTRALIËHAVENWEG
S 105
Haarlemmervaart
HAARLEMMERWEG
G 1
S 104
G 2
Pieter
Postsingel
Haya van Someren-
Downerstr.
J. Calsstraat
Adriaan Dorsman-
str.
Ruys de Beerenbrouck-
str.
Vredeman
de Vriesstr.
Tom
Schreursweg
J. M. Den Uylstraat
Outshoorn-
str.
Cornelis Outs-
hoorn-
str.
Aalberse-
str.
Jan de Greef-
str.
Hartstr.
Albarda-
gracht
Albarda-
gracht
Jacob
Husleystr.
GEUZENVELD
Marchanthof
Sam van Houtenstr.
Sam
van
SPORTPARK
Bergweg
DE KORVERWEG
C.P.M.
Romme-
plantsoen

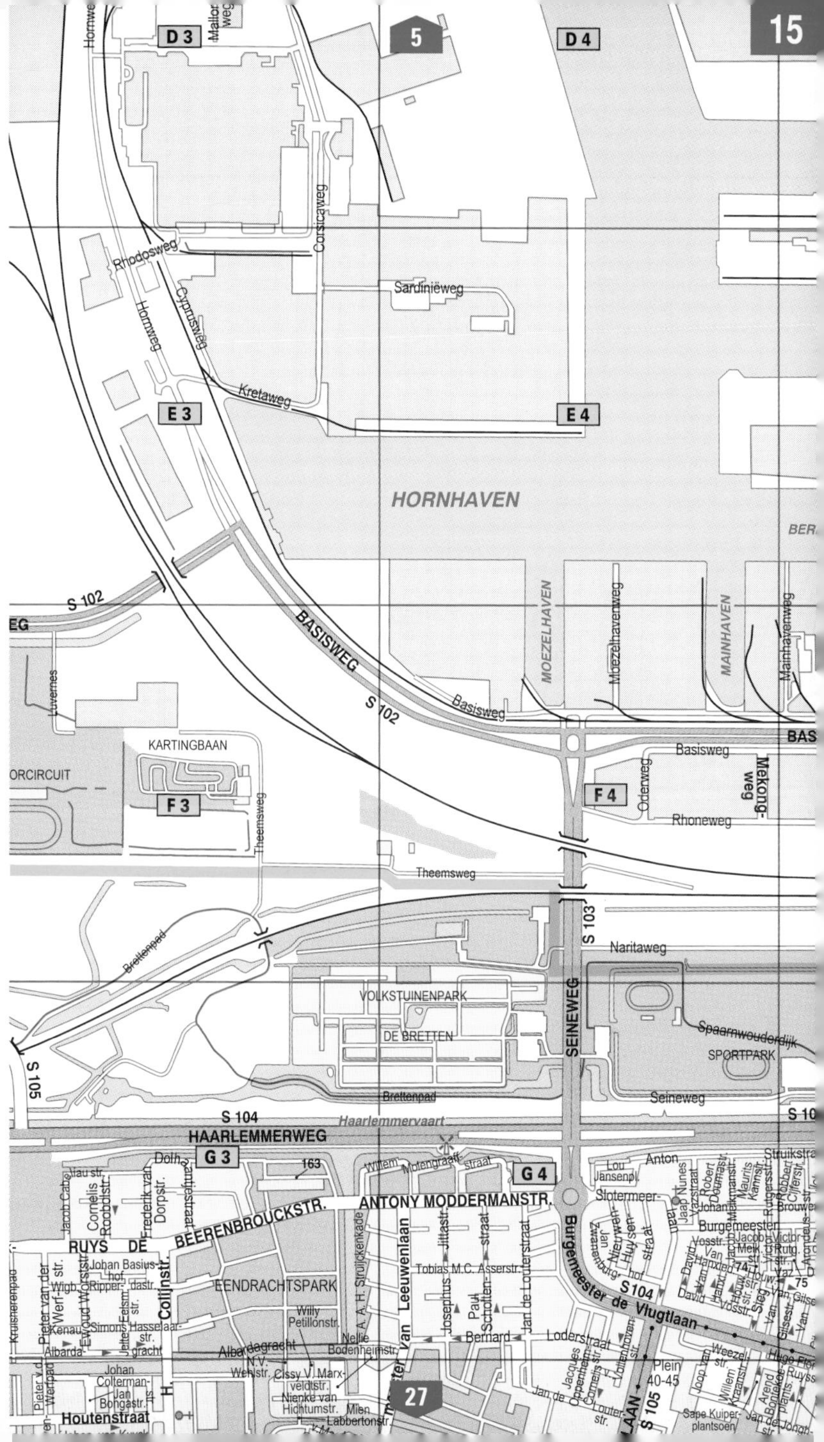
D 3
D 4
5
HORNHAVEN
Rhodosweg
Corsicaweg
Sardiniëweg
Hornweg
Cypruswe g
Kretaweg
E 3
E 4
S 102
BASISWEG
Basisweg
MOEZELHAVEN
Moezelhavenweg
MAINHAVEN
Mainhavenweg
KARTINGBAAN
Luvernes
F 3
F 4
Oderweg
Mekong-weg
Rhoneweg
Theemsweg
S 103
Naritaweg
SEINEWEG
Spaarnwouderdijk
SPORTPARK
Seineweg
VOLKSTUINENPARK
DE BRETTEN
Brettenpad
S 105
S 104
Haarlemmervaart
HAARLEMMERWEG
G 3
G 4
Willem Molengraaffstraat
ANTONY MODDERMANSTR.
BEERENBROUCKSTR.
RUYS DE
EENDRACHTSPARK
Burgemeester de Vlugtlaan
Slotermeerlaan
Jan de Louterstraat
Loderstraat
Houtenstraat
Plein 40-45
Coltjnstr.
27

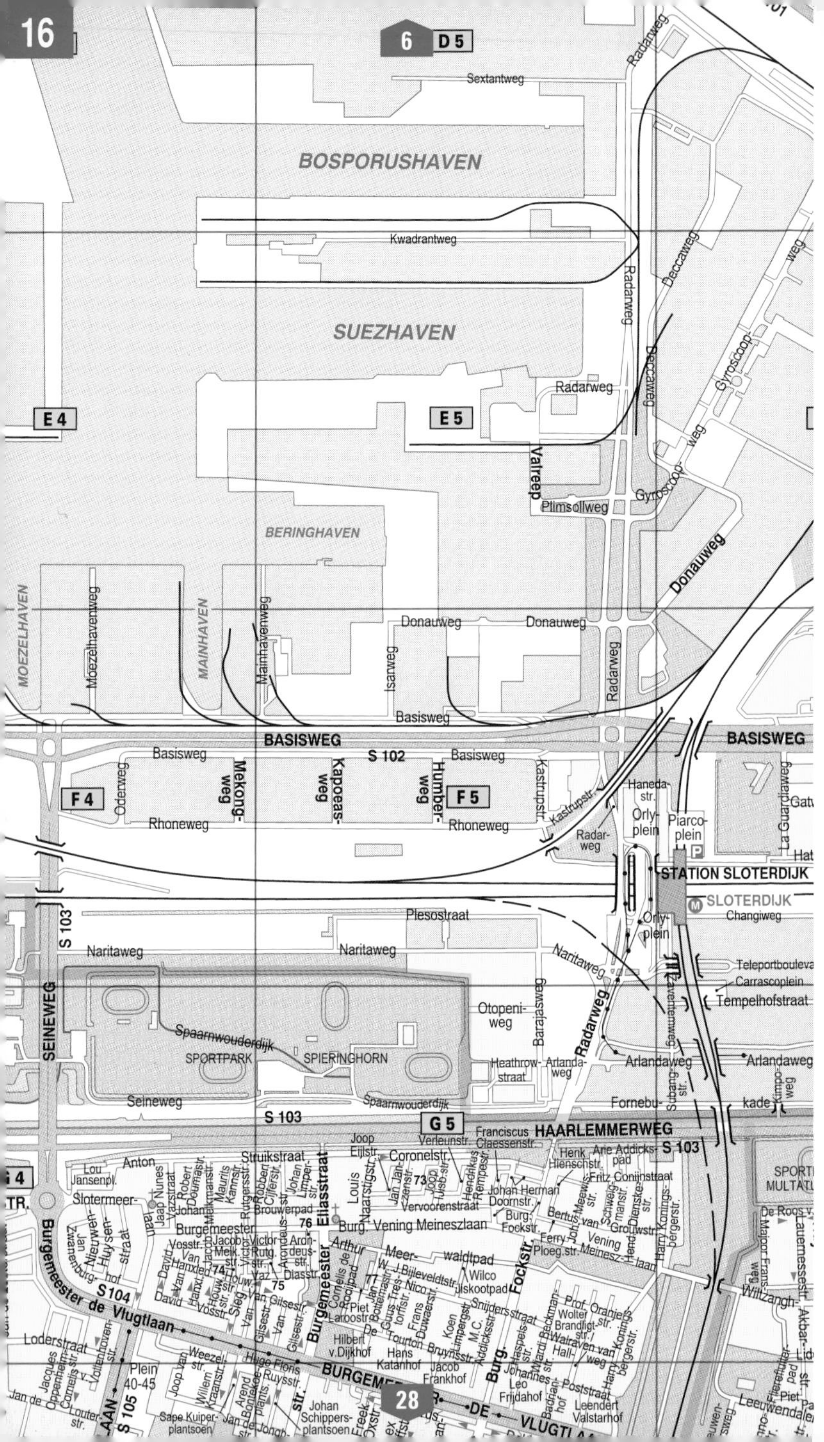
6
D 5
28
E 4
E 5
F 4
F 5
G 5
BOSPORUSHAVEN
SUEZHAVEN
BERINGHAVEN
MOEZELHAVEN
MAINHAVEN
Sextantweg
Kwadrantweg
Radarweg
Deccaweg
Gyroscoop-weg
Valreep
Plimsollweg
Donauweg
Moezelhavenweg
Mainhavenweg
Isarweg
Basisweg
BASISWEG
S 102
Oderweg
Mekong-weg
Kapoeas-weg
Humber-weg
Rhoneweg
Kastrupstr.
Haneda-str.
Orly-plein
Piarco-plein
La Guardiaweg
STATION SLOTERDIJK
SLOTERDIJK
Changiweg
Plesostraat
Naritaweg
S 103
SEINEWEG
Seineweg
Teleportboulevard
Carrascoplein
Tempelhofstraat
Otopeni-weg
Barajasweg
Spaarnwouderdijk
SPORTPARK
SPIERINGHORN
Heathrow-straat
Arlanda-weg
Arlandaweg
Zaventemweg
Subang-str.
Fornebu-kade
HAARLEMMERWEG
Joop Eijlstr.
Verleunstr.
Francisus Claessenstr.
Coronelstr.
Struikstraat
Eliasstraat
Lou Jansenpl.
Anton
Slotermeer-laan
Burgemeester
Brouwerpad
Burg. Vening Meineszlaan
Vervoorenstraat
Johan Herman Doornstr.
Burg. Fockstr.
Henk Hienschstr.
Arie Addicks-pad
Fritz Conijnstraat
Bertus van Grouwstr.
Ferry Ploeg.str.
Harry Koningsbergerstr.
Meer-waldtpad
Wilco Jiskootpad
Snijdersstraat
Prof. Oranjestr.
Burgemeester de Vlugtlaan
S 104
S 105
Loderstraat
Plein 40-45
Hugo Floris
BURGEMEESTER DE VLUGTLAAN
Sape Kuiper-plantsoen
Johan Schippers-plantsoen
Hilbert v.Dijkhof
Hans Katanhof
Jacob Frankhof
Leo Frijdahof
Leendert Valstarhof
Poststraat
Walraven van Hallweg
De Roos
Wiltzanghlaan
Akbar-str.
Leeuwendalersweg
73
74
75
76
77

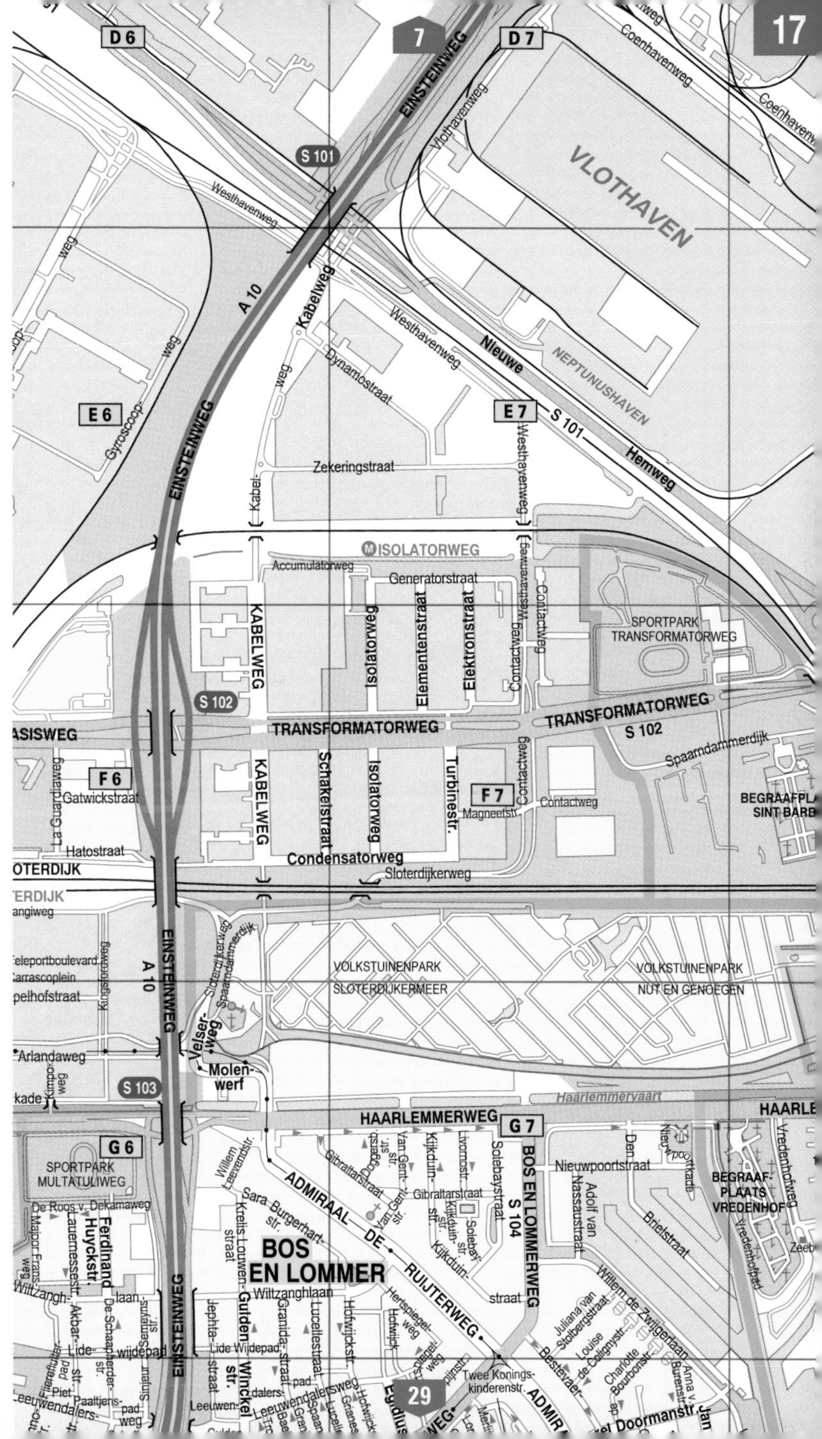

D 6
7
D 7
EINSTEINWEG
Coenhavenweg
Vlothavenweg
VLOTHAVEN
S 101
Westhavenweg
A 10
Kabelweg
Westhavenweg
Nieuwe
NEPTUNUSHAVEN
Dynamostraat
E 6
E 7
S 101
Hemweg
Gyroscoop-weg
EINSTEINWEG
Zekeringstraat
Kabel-
Westhavenweg
ISOLATORWEG
Accumulatorweg
Generatorstraat
KABELWEG
Isolatorweg
Elementenstraat
Elektronstraat
Contactweg
SPORTPARK
TRANSFORMATORWEG
S 102
TRANSFORMATORWEG
TRANSFORMATORWEG
S 102
Spaarndammerdijk
F 6
Gatwickstraat
La Guardiaweg
KABELWEG
Schakelstraat
Isolatorweg
Turbinestr.
F 7
Magneetstr.
Contactweg
BEGRAAFPLA
SINT BARB
Hatostraat
Condensatorweg
Sloterdijkerweg
EINSTEINWEG
A 10
Teleportboulevard
Carrascoplein
Arlandaweg
Velser-weg
Molen-werf
VOLKSTUINENPARK
SLOTERDIJKERMEER
VOLKSTUINENPARK
NUT EN GENOEGEN
S 103
Haarlemmervaart
HAARLEMMERWEG
HAARLE
G 7
G 6
SPORTPARK
MULTATULIWEG
ADMIRAAL DE RUIJTERWEG
BOS EN LOMMERWEG
S 104
Gibraltarstraat
Solebaystraat
Nieuwpoortstraat
Adolf van Nassaustraat
Brielstraat
BEGRAAF-
PLAATS
VREDENHOF
Vredenhofweg
BOS
EN LOMMER
Wiltzanghlaan
Ferdinand Huyckstr.
EINSTEINWEG
Willem de Zwijgerlaan
Bestevaer-
Twee Koningskinderenstr.
29
Doormanstr.

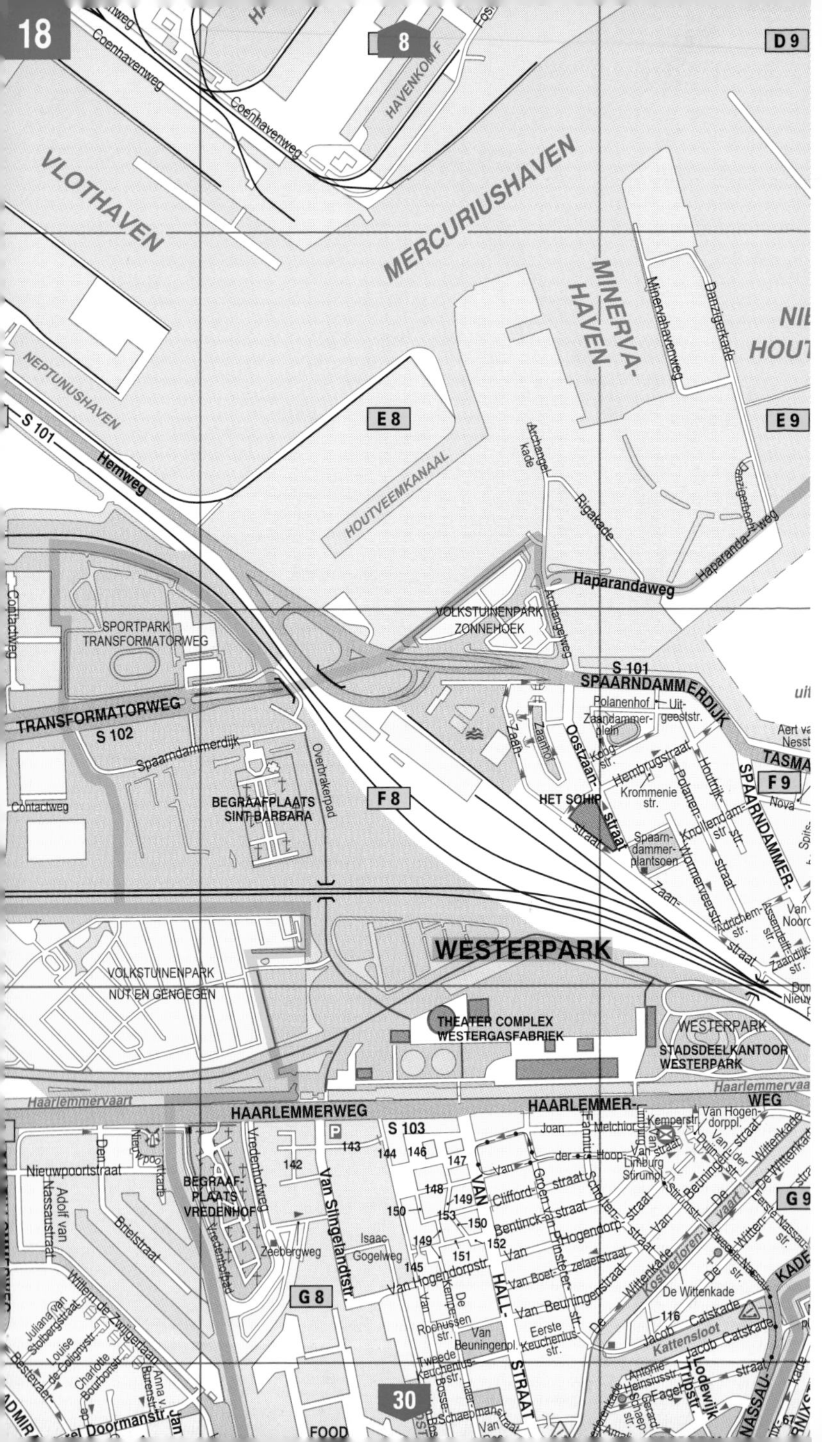
8
D 9
Coenhavenweg
HAVENKOM F
VLOTHAVEN
MERCURIUSHAVEN
MINERVA-HAVEN
Minervahavenweg
Danzigerkade
NIEUWE HOUTHAVEN
NEPTUNUSHAVEN
E 8
E 9
S 101
Hemweg
HOUTVEEMKANAAL
Archangelkade
Rigakade
Danzigerbocht
Haparandaweg
Haparandaweg
Contactweg
SPORTPARK TRANSFORMATORWEG
VOLKSTUINENPARK ZONNEHOEK
Archangelweg
S 101
SPAARNDAMMERDIJK
TRANSFORMATORWEG
S 102
Spaarndammerdijk
Overbrakerpad
BEGRAAFPLAATS SINT BARBARA
Contactweg
F 8
Polanenhof
Zaandammerplein
Oostzaanstraat
HET SCHIP
Hembrugstraat
Krommenie str.
Polanenstraat
Houtrijkstr.
Knollendamstr.
SPAARNDAMMERSTRAAT
F 9
TASMA
Spaarndammerplantsoen
Wormerveerstr.
Zaanstraat
Assendelftstr.
Zaandijkstr.
WESTERPARK
VOLKSTUINENPARK NUT EN GENOEGEN
THEATER COMPLEX WESTERGASFABRIEK
WESTERPARK
STADSDEELKANTOOR WESTERPARK
Haarlemmervaart
HAARLEMMERWEG
HAARLEMMERWEG
S 103
Joan Melchior
Kemperstr.
Van Hogendorppl.
Den Nieuwpoortkade
Nieuwpoortstraat
Adolf van Nassaustraat
BEGRAAF-PLAATS VREDENHOF
Vredenhofweg
Van Slingelandtstr.
VAN HALLSTRAAT
Clifford-straat
Bentinck-straat
Hogendorpstraat
Frans van Mierisstraat
Groen van Prinstererstr.
Van Limburg Stirumstr.
Van Beuningenstraat
Wittenkade
De Wittenkade
G 9
Brielstraat
Zeebergweg
Isaac Gogelweg
Van Hogendorpstr.
Van Boetzelaerstraat
Van Beuningenstraat
Kostverlorenvaart
De Wittenkade
Eerste Nassaustr.
Tweede Nassaustr.
Jacob Catskade
Kattensloot
KADE
G 8
Willem de Zwijgerlaan
Juliana van Stolbergstraat
Louise de Colignystr.
Charlotte de Bourbonstr.
Anna v. Burenstr.
Bestevaerstr.
Roehussen str.
Van Beuningenpl.
Eerste Keucheniusstr.
Tweede Keucheniusstr.
Jacob Tripstr.
Lodewijk
Schaepmanstr.
Doormanstr.
FOOD
NASSAU-

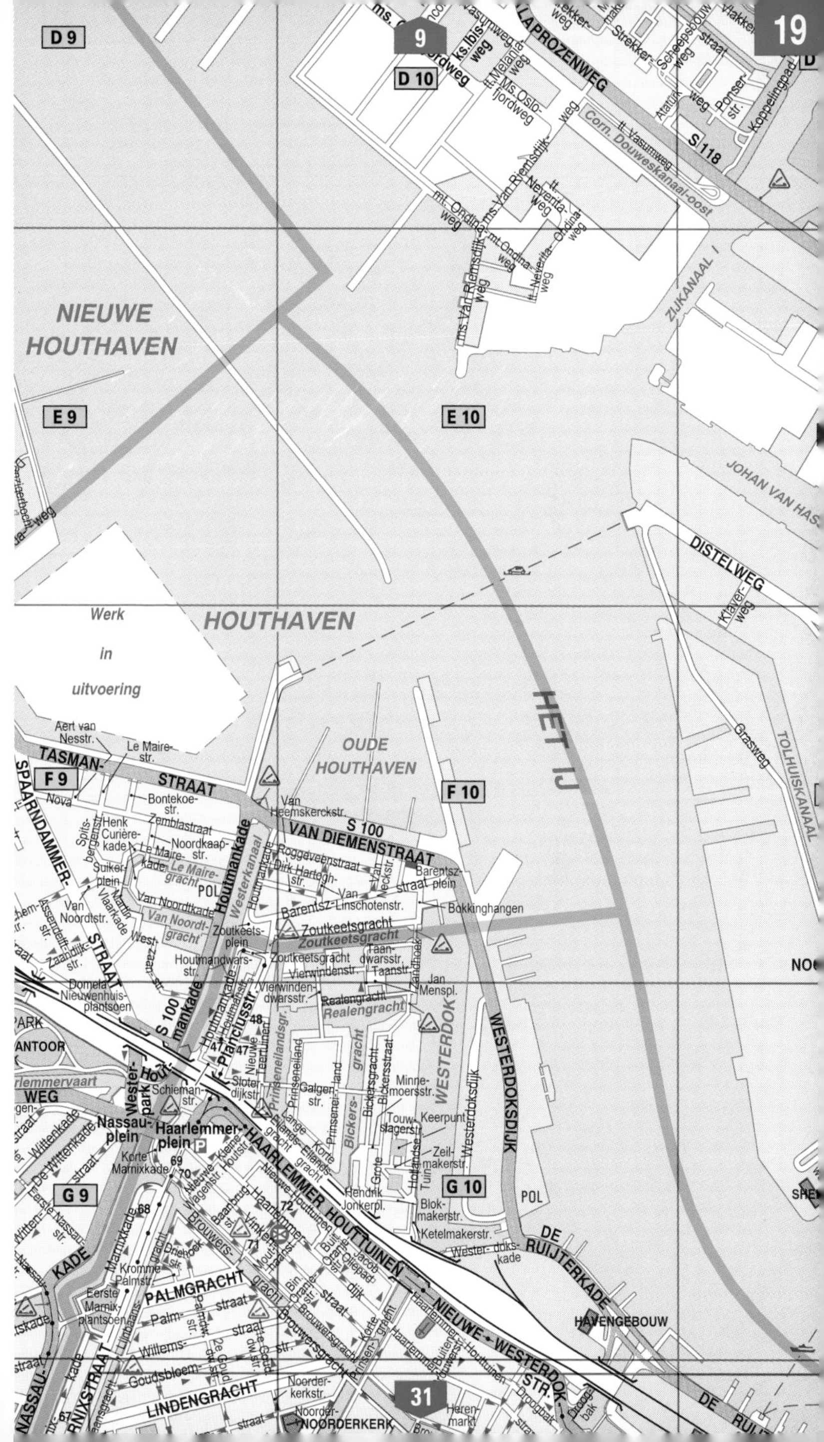
D 9
9
D 10
NIEUWE
HOUTHAVEN
E 9
E 10
HOUTHAVEN
Werk
in
uitvoering
OUDE
HOUTHAVEN
HET IJ
F 9
F 10
G 9
G 10
31
TASMAN-
STRAAT
VAN DIEMENSTRAAT
S 100
SPAARNDAMMER-
STRAAT
Houtmankade
WESTERDOK
WESTERDOKSDIJK
DE RUIJTERKADE
HAVENGEBOUW
HAARLEMMER HOUTTUINEN
NIEUWE WESTERDOK-
STR.
PALMGRACHT
LINDENGRACHT
NOORDERKERK
DISTELWEG
TOLHUISKANAAL
ZIJKANAAL I
JOHAN VAN HAS
Corn. Douweskanaal-oost
S 118
Haarlemmer-
plein
Nassau-
plein
Zoutkeetsgracht
Realengracht
Barentsz-
plein
Bokkinghangen
Grasweg
POL

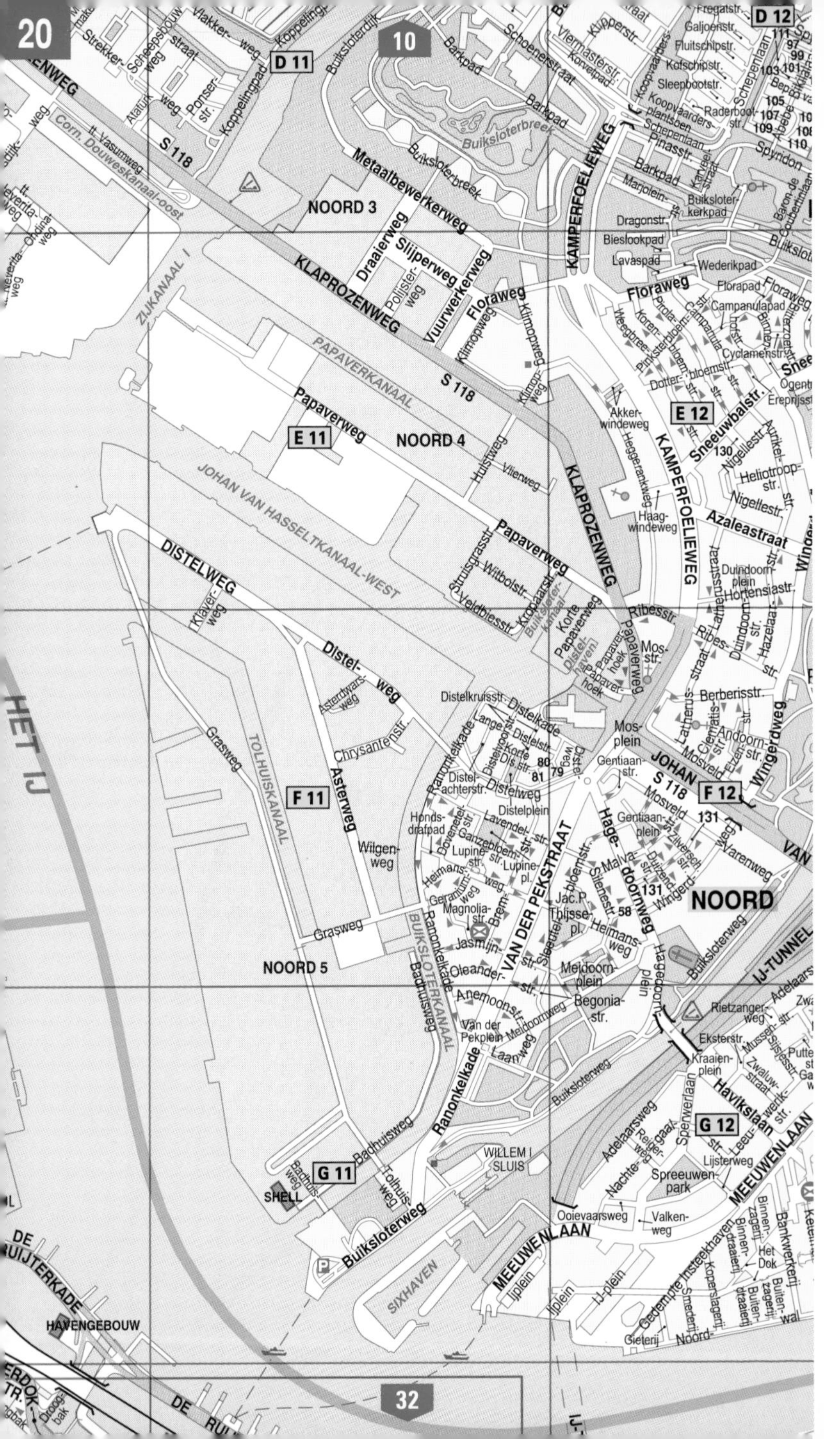
10
D 11
D 12
E 11
E 12
F 11
F 12
G 11
G 12
32
NOORD 3
NOORD 4
NOORD 5
NOORD
HET IJ
KLAPROZENWEG
S 118
Corn. Douweskanaal-oost
Metaalbewerkerweg
Draaierweg
Slijperweg
Vuurwerkerweg
Pollisterweg
Floraweg
Klimopweg
Buiksloterdijk
Buiksloterbreek
Barkpad
Schoenerstraat
Koppelingpad
Ponserstr.
Scheepsbouwweg
Vlakkerstraat
Atatürkweg
Strekkerweg
Zijkanaal I
Papaverkanaal
Papaverweg
JOHAN VAN HASSELTKANAAL-WEST
DISTELWEG
Klaverweg
Distelweg
Asterdwarsweg
Chrysantenstr.
Asterweg
Wilgenweg
Grasweg
Tolhuiskanaal
Hulstweg
Vlierweg
Struisgrasstr.
Witbolstr.
Veldbiesstr.
Kropaarstr.
Buiksloterkanaal
Korte Papaverweg
Distelhaven
Papaverhoek
Mosstr.
Mosplein
Ribesstr.
KAMPERFOELIEWEG
Akkerwindeweg
Heggerankweg
Haagwindeweg
Azaleastraat
Sneeuwbalstr.
Heliotroopstr.
Nigellestr.
Duindoornplein
Hortensiastr.
Latherusstraat
Berberisstr.
Andoornstr.
Wingerdweg
Mosveld
JOHAN
Gentiaanstr.
Gentiaanplein
Varenweg
Distelkruisstr.
Distelkade
Ranonkelkade
Distelachterstr.
Distelplein
Lavendelstr.
Hondsdrafpad
Ganzebloemstr.
Lupinestr.
Lupinepl.
Heimansweg
Geraniumweg
Magnoliastr.
Bremstr.
Jasmijnstr.
Oleanderstr.
Anemoonstr.
VAN DER PEKSTRAAT
Hagedoornweg
Hagedoornplein
Jac.P. Thijssepl.
Meidoornplein
Meidoornweg
Begoniastr.
Van der Pekplein
Laanweg
Badhuisweg
Buiksloterweg
WILLEM I SLUIS
SHELL
SIXHAVEN
MEEUWENLAAN
IJplein
IJ-plein
IJ-TUNNEL
Rietzangerweg
Adelaarsweg
Eksterstr.
Kraaienplein
Havikslaan
Sperwerlaan
Reigerweg
Nachtegaalstr.
Spreeuwenpark
Lijsterweg
Ooievaarsweg
Valkenweg
Gedempte Insteekhaven
Kopersiagerij
Bankwerkerij
Binnenzagerij
Buitenzagerij
Het Dok
Buitenwal
Gieterij
Smederij
DE RUIJTERKADE
HAVENGEBOUW
Dragonstr.
Bieslookpad
Lavaspad
Wederikpad
Florapad
Campanulapad
Cyclamenstr.
Marjoleinstr.
Buiksloterkerkpad
Pinasstr.
Spyridon
Schepenlaan
Koopvaardersplantsoen
Sleepbootstr.
Kofschipstr.
Fluitschipstr.
Galjoenstr.
Fregatstr.
Vlemasterstr.
Kuipersstr.
Korvetpad
Raderbootstr.
Karvelstraat

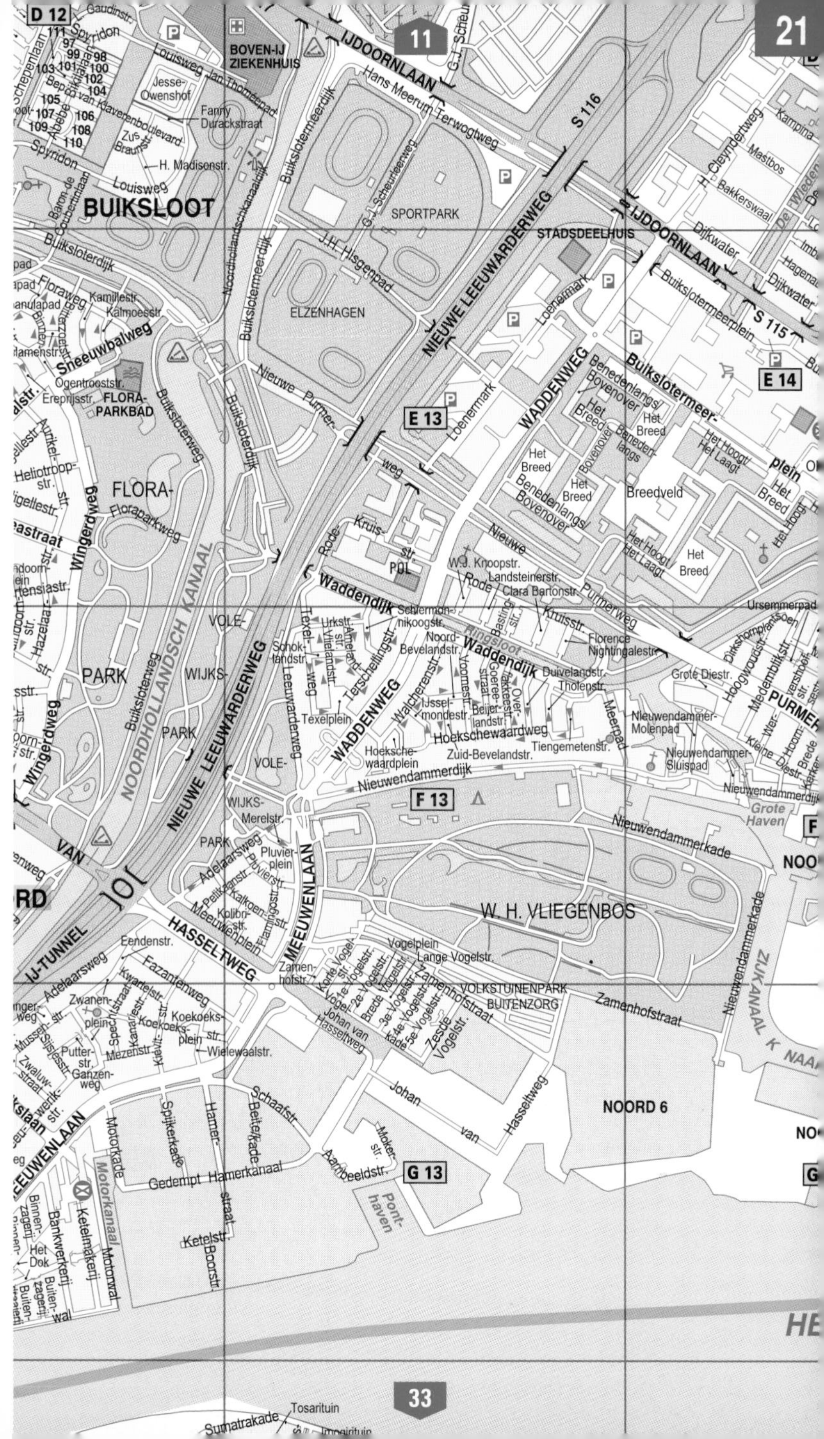

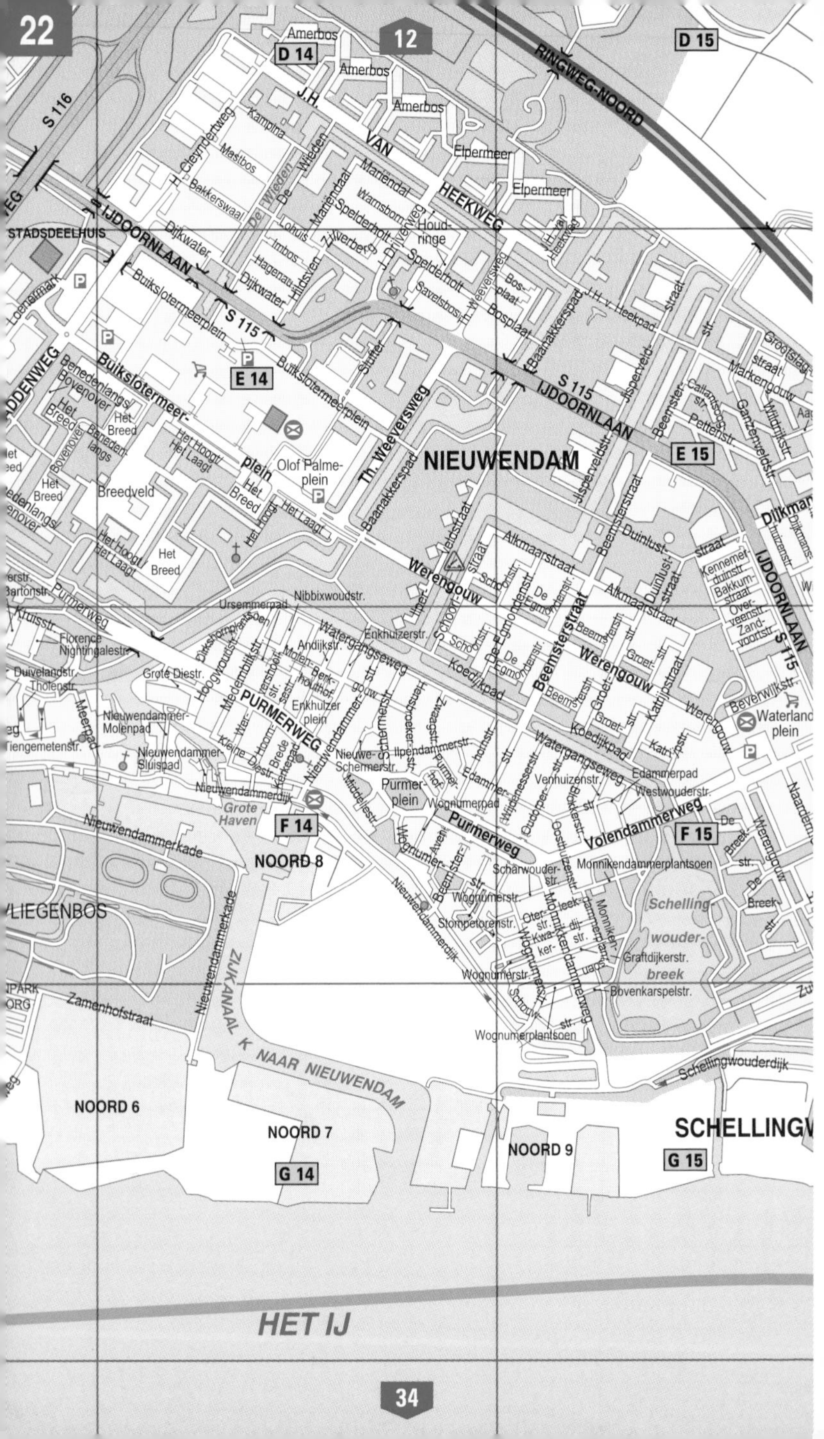
12
D 14
D 15
E 14
E 15
F 14
F 15
G 14
G 15
RINGWEG-NOORD
S 116
S 115
IJDOORNLAAN
STADSDEELHUIS
J.H. VAN HEEKWEG
Amerbos
Elpermeer
Kampina
H. Cleyndertweg
Mastbos
Bakkerswaal
De Wieden
Mariëndaal
Wamsborn
Spelderholt
J. Drijverweg
Houdringe
Zilverberg
Lohuis
Imbos
Hagenau
Hildsven
Dijkwater
Savelsbos
Bosplaat
Th. Weeversweg
Baanakkerspad
J.H. v Heekpad
IJsperveldstr.
Beemsterstr.
Groenslag-straat
Markengouw
Ganzenveldstr.
Wildrijkstr.
Callantsoogstr.
Pettenstr.
Loenermark
Buikslotermeerplein
Buikslotermeer-plein
Stuffer
Benedenlangs
Bovenover
Het Breed
Het Hoogt/Het Laagt
Breedveld
Olof Palme-plein
NIEUWENDAM
Werengouw
Alkmaarstraat
Beemsterstraat
Duinluststraat
Schoorlstr.
De Egmondenstr.
Kennemerduinstr.
Bakkumstraat
Overveenstr.
Zandvoortstr.
Dijkmanshuizenstr.
Purmerweg
Florence Nightingalestr.
Duivelandstr.
Tholenstr.
Grote Diestr.
Ursemmerpad
Nibbixwoudstr.
Dirkshornplantsoen
Hoogwoudstr.
Medemblikstr.
Watergangseweg
Enkhuizerstr.
Andijkstr.
Koedijkpad
PURMERWEG
Enkhuizer plein
Meerpad
Nieuwendammer-Molenpad
Tiengemetenstr.
Nieuwendammer-Sluispad
Kleine Diestr.
Nieuwendammerdijk
Grote Haven
Ilpendammerstr.
Nieuwe-Schermerstr.
Purmerplein
Wognumerpad
Edammerpad
Venhuizenstr.
Westwouderstr.
Volendammerweg
Beverwijkstr.
Waterlandplein
Monnikendammerplantsoen
Scharwouderstr.
Nieuwendammerkade
NOORD 8
VLIEGENBOS
Schellingwouderbreek
Graftdijkerstr.
Bovenkarspelstr.
Wognumerstr.
Stompetorenstr.
Monnikendammerweg
Wognumerplantsoen
Zamenhofstraat
ZIJKANAAL K NAAR NIEUWENDAM
Schellingwouderdijk
NOORD 6
NOORD 7
NOORD 9
SCHELLINGW
HET IJ

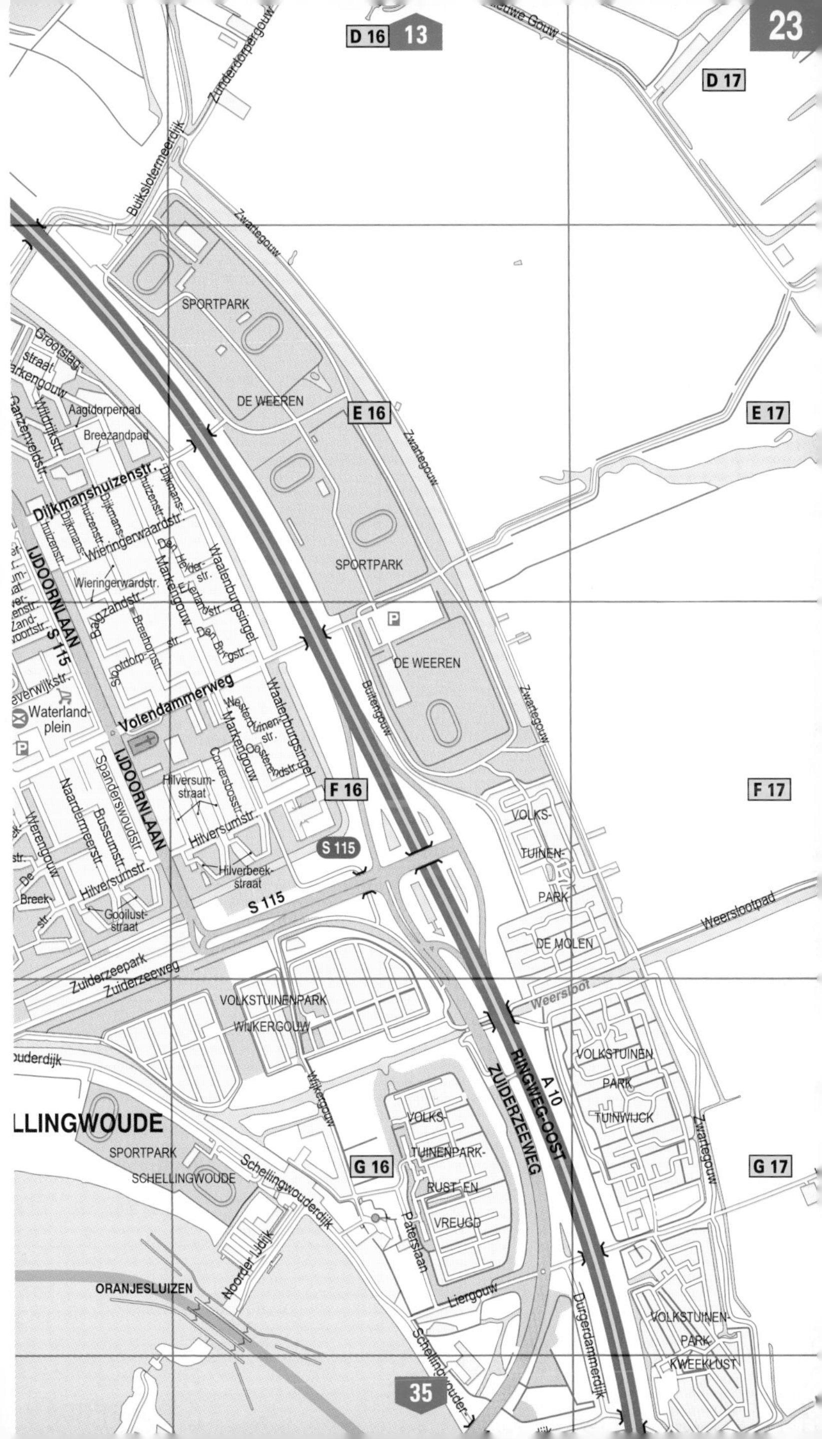
D 16
13
D 17
E 16
E 17
F 16
F 17
G 16
G 17
35
Zunderdorpergouw
Buikslotermeerdijk
Zwartegouw
SPORTPARK
DE WEEREN
SPORTPARK
DE WEEREN
Buitengouw
VOLKS-
TUINEN-
PARK
DE MOLEN
Weersloot
Weerslootpad
VOLKSTUINEN
PARK
TUINWIJCK
VOLKSTUINEN-
PARK
KWEEKLUST
Durgerdammerdijk
RINGWEG-OOST
A 10
ZUIDERZEEWEG
VOLKS-
TUINENPARK-
RUST EN
VREUGD
Paterslaan
Liergouw
Schellingwouderdijk
VOLKSTUINENPARK
WIJKERGOUW
Wijkergouw
LLINGWOUDE
SPORTPARK
SCHELLINGWOUDE
Noorder IJdijk
ORANJESLUIZEN
Zuiderzeepark
Zuiderzeeweg
S 115
IJDOORNLAAN
Volendammerweg
Dijkmanshuizenstr.
Wieringerwaardstr.
Waalenburgsingel
Markengouw
Waterland-
plein
Hilversumstraat
Hilversumstr.
Hilverbeek-
straat
Gooilust-
straat
Naardermeerstr.
Bussumstr.
Spanderswoudstr.
Werengouw
Aagtdorperpad
Breezandpad
Grootslag-
straat
Wildrijkstr.
Ganzenveldstr.
Balgzandstr.
Breehornstr.
Slootdorpstr.
Den Burgstr.
Den Helderstr.
Conversbosstr.
Oostenburgstr.

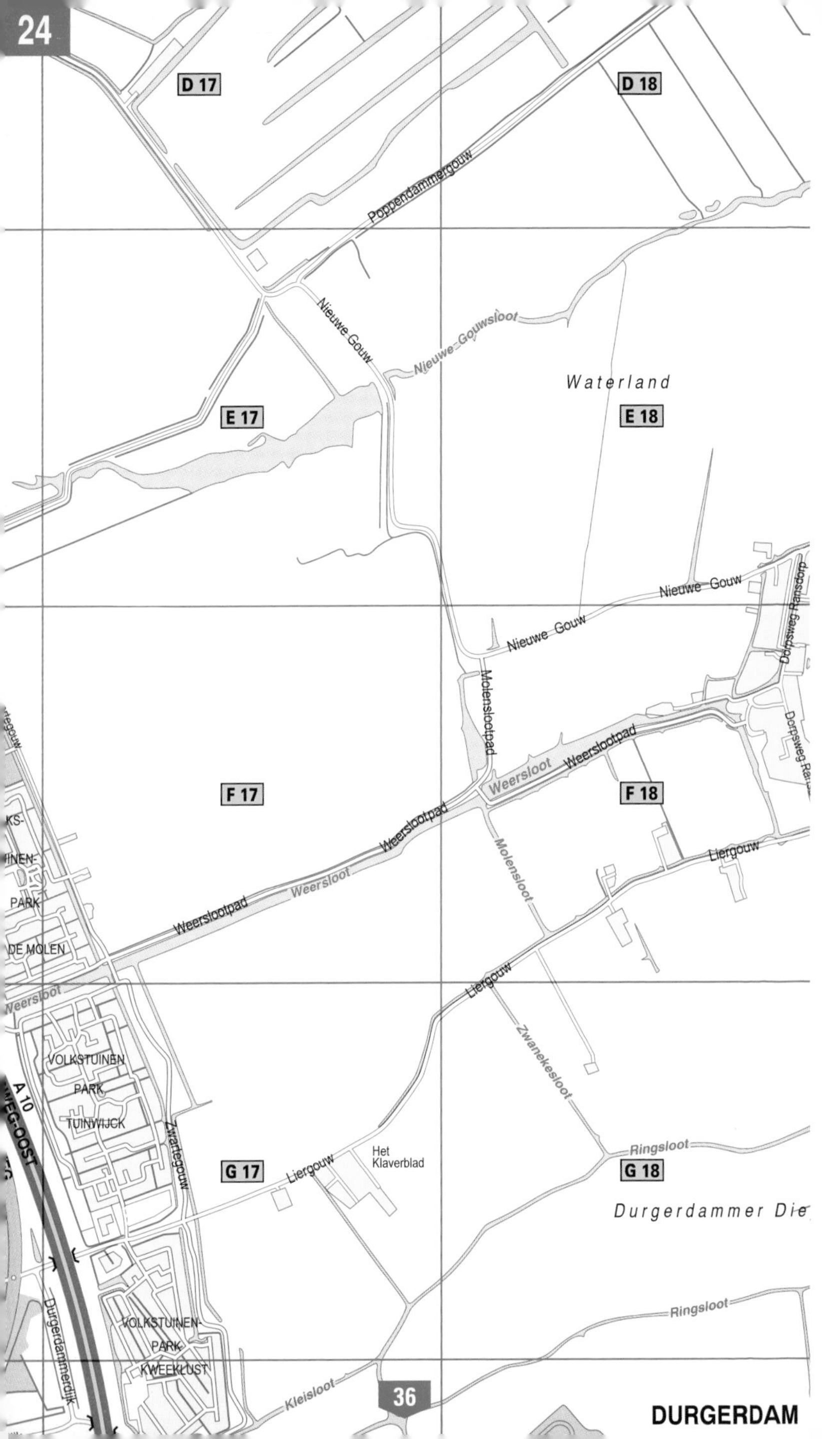
D 17
D 18
Poppendammergouw
Nieuwe Gouw
Nieuwe Gouwsloot
Waterland
E 17
E 18
Nieuwe Gouw
Nieuwe Gouw
Dorpsweg Ransdorp
Molenslootpad
Weersloot
Weerslootpad
F 17
F 18
Dorpsweg Ran
Weerslootpad
Weersloot
Weerslootpad
Molensloot
Liergouw
PARK
DE MOLEN
Weersloot
Liergouw
Zwanekesloot
VOLKSTUINEN
PARK
TUINWIJCK
A 10
Zwartegouw
G 17
Liergouw
Het
Klaverblad
Ringsloot
G 18
Durgerdammer Die
Ringsloot
Durgerdammerdijk
VOLKSTUINEN-
PARK
KWEEKLUST
Kleisloot
DURGERDAM

36

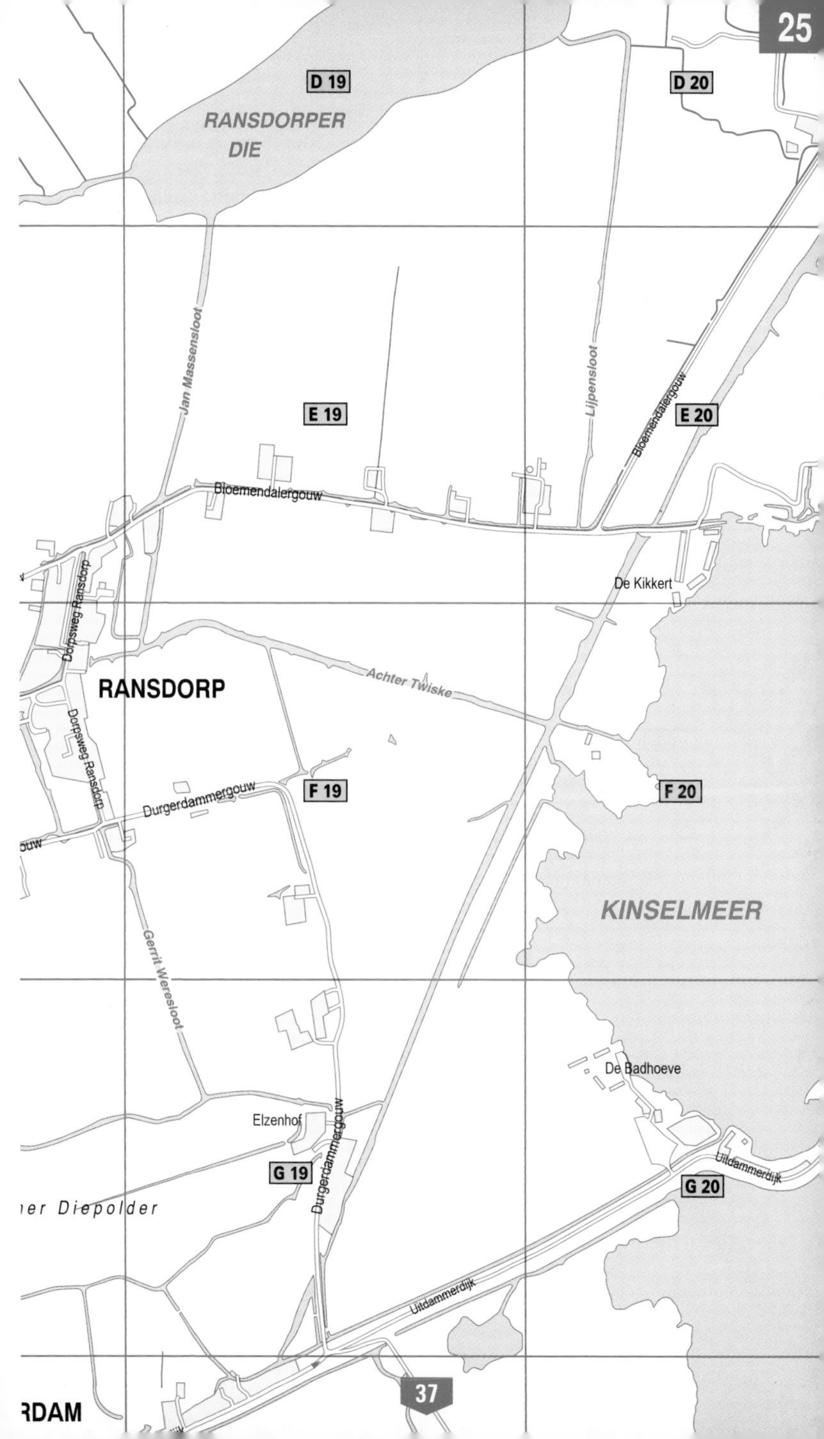
D 19
RANSDORPER
DIE
D 20
Jan Massensloot
Lijpensloot
Bloemendalergouw
E 19
E 20
Bloemendalergouw
De Kikkert
Dorpsweg Ransdorp
RANSDORP
Achter Twiske
Dorpsweg Ransdorp
Durgerdammergouw
F 19
F 20
KINSELMEER
Gerrit Weresloot
De Badhoeve
Elzenhof
Durgerdammergouw
G 19
Uitdammerdijk
G 20
Diepolder
Uitdammerdijk
37

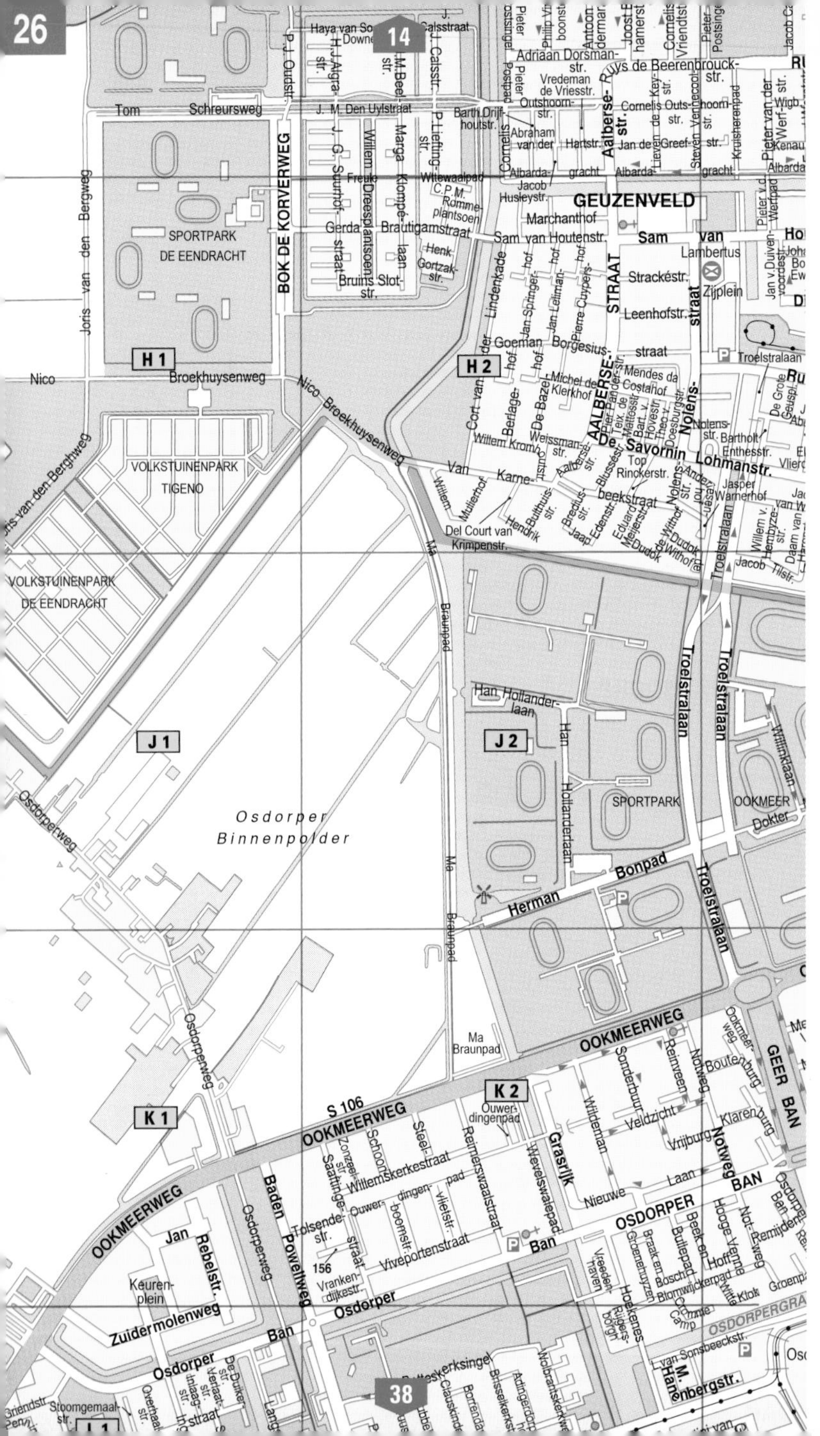
14
GEUZENVELD
SPORTPARK
DE EENDRACHT
VOLKSTUINENPARK
TIGENO
VOLKSTUINENPARK
DE EENDRACHT
Osdorper
Binnenpolder
SPORTPARK
OOKMEER
BOK DE KORVERWEG
Tom Schreursweg
Joris van den Bergweg
Nico Broekhuysenweg
Ma Braunpad
Han Hollanderlaan
Herman Bonpad
Troelstralaan
OOKMEERWEG
S 106
Osdorperweg
Baden Powellweg
Jan Rebelstr.
Keurenplein
Zuidermolenweg
Osdorper Ban
OSDORPER BAN
GEER BAN
Notweg
Grasrijk
Van Karnebeekstraat
De Savornin Lohmanstr.
Sam van Houtenstr.
Lambertus Zijlplein
Marchanthof
Lindenkade
Albardagracht
Aalberse-str.
Adriaan Dorsman-str.
J. M. Den Uylstraat
Brautigamstraat
Gerda
H 1
H 2
J 1
J 2
K 1
K 2
156
38

15
ANTONY MODDERMANSTR.
BEERENBROUCKSTR.
RUYS DE
EENDRACHTSPARK
Willy Petillonstr.
Nellie Bodenheimstr.
Albardagracht
Tobias M.C. Asserstr.
Jan de Louterstraat
Paul Scholten-straat
Bernard
Loderstraat
Burgemeester de Vlugtlaan
S104
Plein 40-45
S 105
Houtenstraat
Dirk Sonoystr.
LODEWIJK
VAN
DEYSSEL-
STR.
Nicolaas Ruychaverstr.
BURGEMEESTER
RÖELLSTRAAT
H 3
H 4
STADSDEELKANTOOR GEUZENVELD-SLOTERMEER
SLOTERMEERLAAN
Burgemeester Eliasstraat
Dr. H. Colijnstr.
De Savornin Lohmanstraat
Descartesstr.
Diderotstr.
Rousseaustr.
Confucius-plein
Socratesstraat
Epicurusstr.
Parmenidesstr.
Plutarchusstr.
Platostraat
Aristotelesstr.
Noordzijde
NOORDZIJDE
Sloterparkbadlaan
Bierens de Haan-str.
Wessel Gansfortstr.
Burg. v. Leeuwenlaan
GEUZENVELD/SLOTERMEER
J 3
SLOTERPARK
J 4
ALLENDELAAN
PRESIDENT
OOKMEERWEG
SLOTERPARK
SLOTERPLAS
GEER BAN
Meer en Vaart
Oeverpad
K 3
K 4
Vrijzicht
Ruimzicht
OSDORP
Osdorpplein
MEER
S 106
SLOTERPARK
Plantijnpad
Christoffel Plantijngracht
Comeniusstraat
Colenbranderhof
Hemsterhuisstraat
39

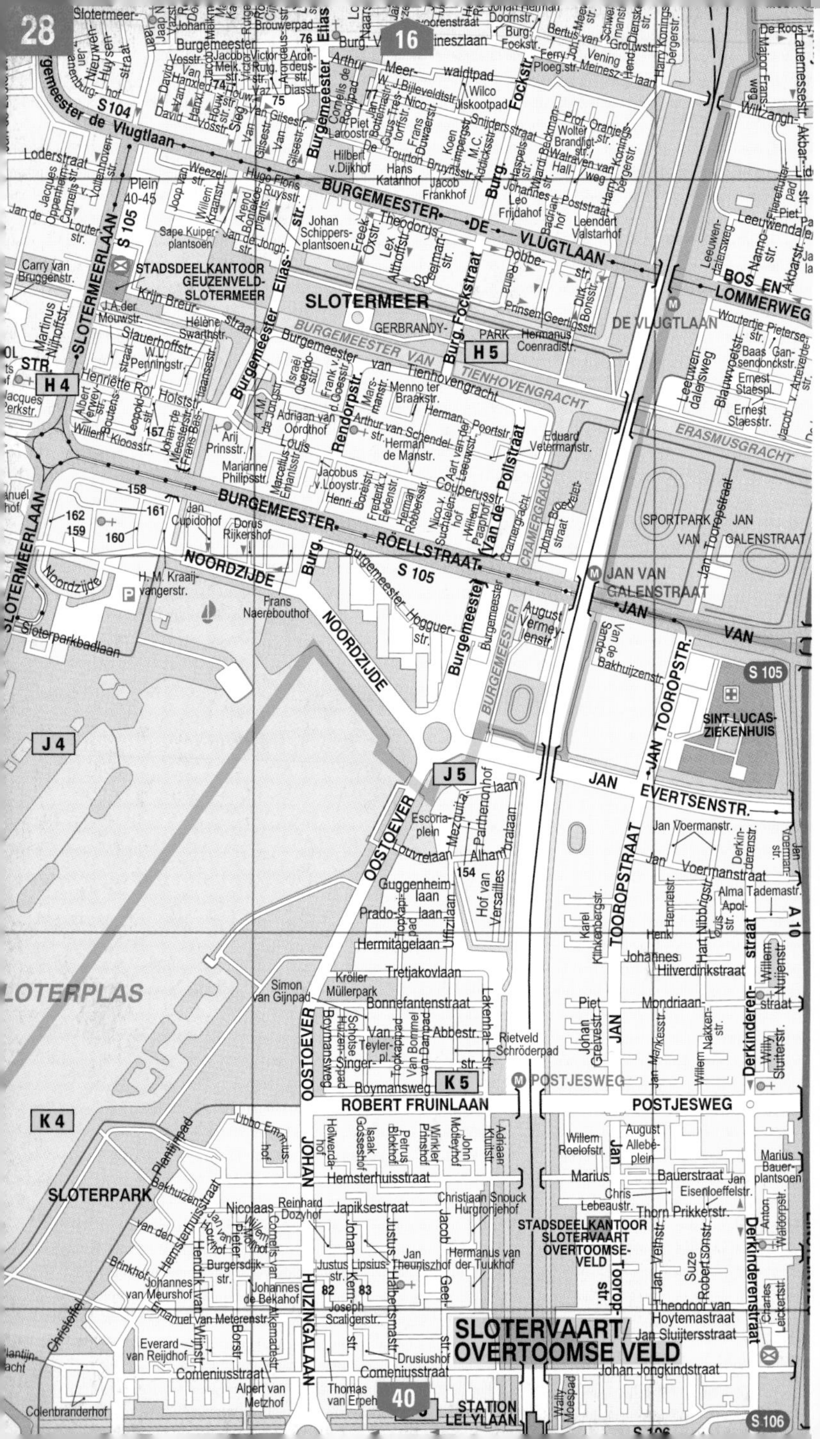

28
16
40
SLOTERMEER
SLOTERVAART/
OVERTOOMSE VELD
SLOTERPLAS
SLOTERPARK
BURGEMEESTER DE VLUGTLAAN
Burgemeester de Vlugtlaan
BURGEMEESTER RÖELLSTRAAT
BURGEMEESTER VAN TIENHOVENGRACHT
SLOTERMEERLAAN
BOS EN LOMMERWEG
ERASMUSGRACHT
JAN VAN GALENSTRAAT
JAN EVERTSENSTR.
JAN TOOROPSTR.
JAN TOOROPSTRAAT
NOORDZIJDE
OOSTOEVER
ROBERT FRUINLAAN
POSTJESWEG
JOHAN HUIZINGALAAN
STADSDEELKANTOOR GEUZENVELD-SLOTERMEER
STADSDEELKANTOOR SLOTERVAART OVERTOOMSE-VELD
SINT LUCAS-ZIEKENHUIS
SPORTPARK JAN VAN GALENSTRAAT
GERBRANDY-PARK
DE VLUGTLAAN
STATION LELYLAAN
S 104
S 105
S 106
A 10
H 4
H 5
J 4
J 5
K 4
K 5
Burg. Fockstr.
Burg. Fockstraat
Burgemeester Elias-str.
Burgemeester Hogguer-str.
Burgemeester van de Pollstraat
Cramergracht
Sloterparkbadlaan
Hemsterhuisstraat
Comeniusstraat
Derkinderenstraat
Johan Jongkindstraat
Hoytemastraat
Jan Sluijtersstraat
Mondriaan-straat
Voermanstraat
Tretjakovlaan
Bonnefantenstraat
Hermitagelaan
Guggenheimlaan
Pradolaan
Uffizilaan
Louvrelaan
Escoriaplein
Parthenonhof
Hof van Versailles
Rietveld Schröderpad
Abbestr.
Boymansweg
Japiksestraat
Plantijnpad
Christoffel
Colenbranderhof
Thomas van Erpehof
Alpert van Metzhof
Everard van Reijdhof
Emanuel van Meterenstr.
Jacob Geelstr.
Drusiushof
Joseph Scaligerstr.

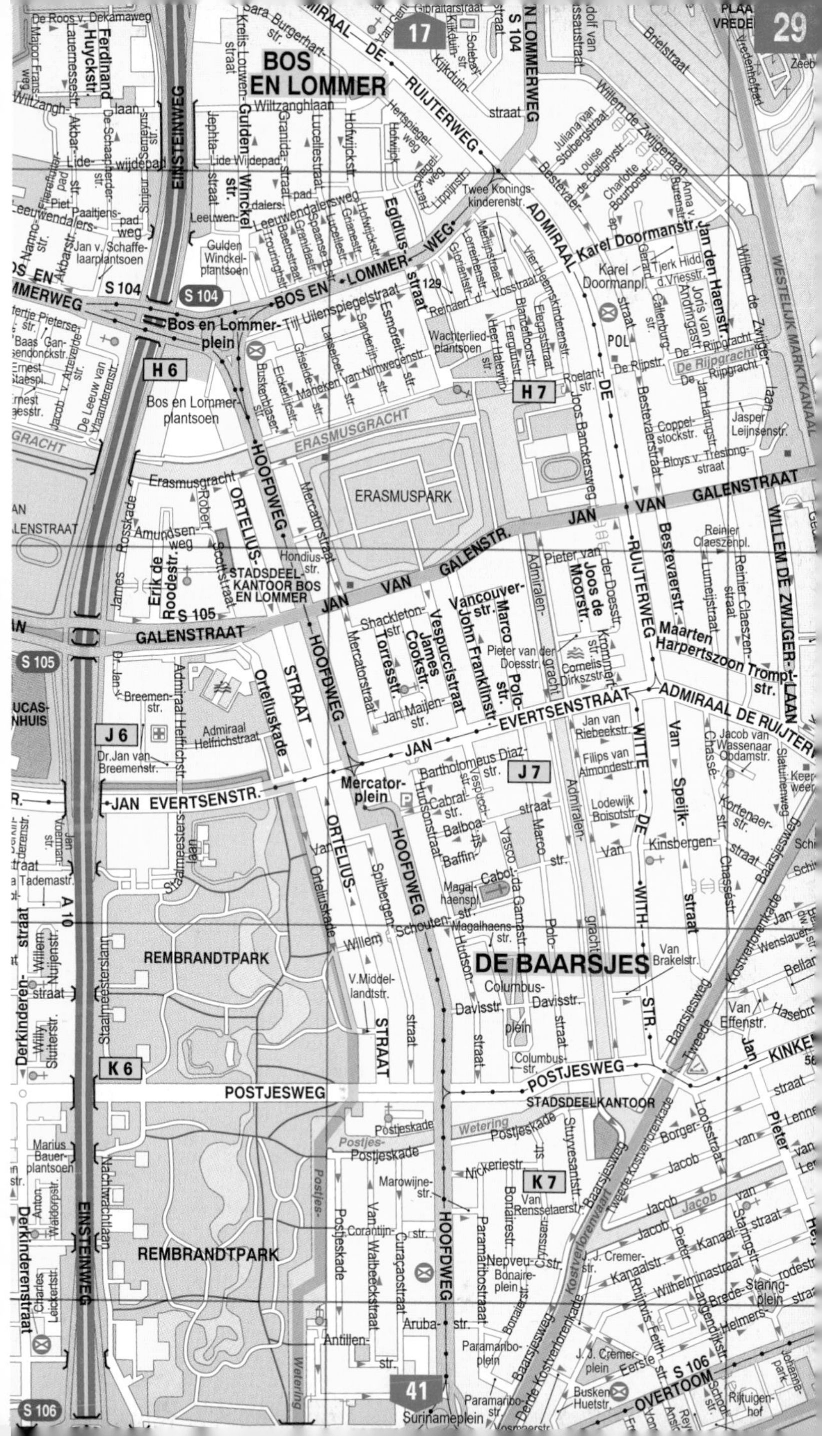
17
BOS EN LOMMER
ADMIRAAL DE RUIJTERWEG
BOS EN LOMMERWEG
EINSTEINWEG
Bos en Lommerplein
Bos en Lommerplantsoen
Erasmusgracht
ERASMUSGRACHT
ERASMUSPARK
HOOFDWEG
ORTELIUSSTRAAT
JAN VAN GALENSTRAAT
JAN EVERTSENSTRAAT
Mercatorplein
Mercatorstraat
STADSDEEL KANTOOR BOS EN LOMMER
Karel Doormanstr.
Jan den Haenstr.
Bestevaerstr.
Willem de Zwijgerlaan
WESTELIJK MARKTKANAAL
WILLEM DE ZWIJGERLAAN
Admiraal Helfrichstraat
Admiralengracht
Witte de Withstr.
Van Speijkstraat
Kinsbergenstr.
Chasséstr.
Baarsjesweg
Kostverlorenkade
Maarten Harpertszoon Tromp-str.
REMBRANDTPARK
DE BAARSJES
Columbusplein
POSTJESWEG
STADSDEELKANTOOR
Postjeskade
Wetering
Jan Kinkerstraat
Jacob van Lennepstraat
OVERTOOM
Surinameplein
Derkinderenstraat
H 6
H 7
J 6
J 7
K 6
K 7
S 104
S 105
S 106
A 10
41

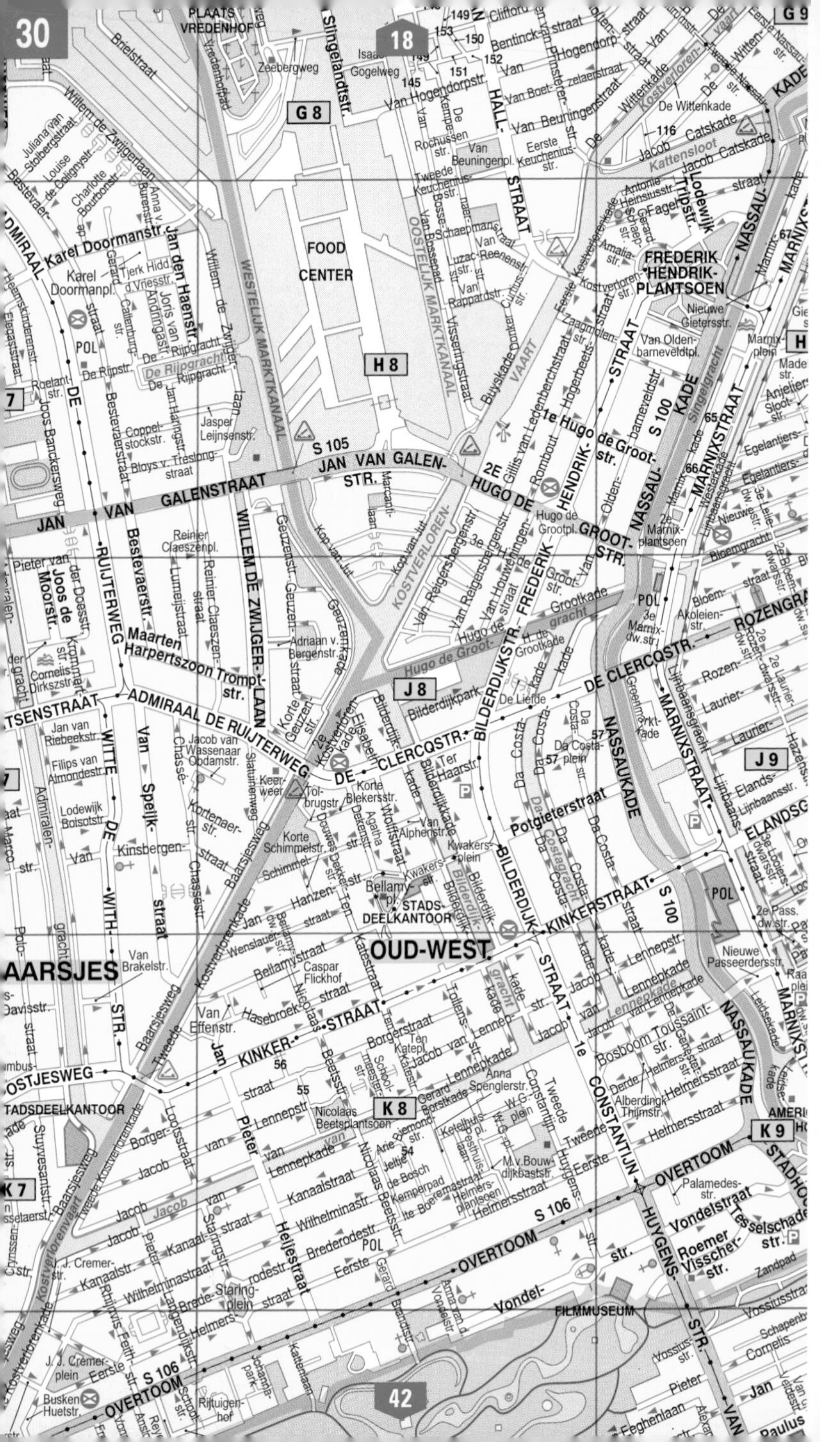

18
42
G 8
H 8
J 8
K 8
G 9
J 9
K 9
K 7
PLAATS VREDENHOF
Slingelandtstr.
Zeebergweg
Gogelweg
Brielstraat
Van Hogendorpstr.
Bentinck-straat
Hogendorp-straat
Van Boetzelaerstraat
Van Beuningenstraat
Van Beuningenpl.
Eerste Keucheniusstr.
Tweede Keucheniusstr.
De Wittenkade
Kattensloot
Jacob Catskade
Kostverlorenvaart
Frederik Hendrikplantsoen
Nassaukade
Marnixstraat
Lodewijk Tripstr.
Nieuwe Gietersstr.
Van Oldenbarneveldtpl.
Marnixplein
Singelgracht
Egelantiersgracht
Bloemgracht
Rozengracht
Elandsgracht
FOOD CENTER
Westelijk Marktkanaal
Oostelijk Marktkanaal
Vissersstraat
Buyskade
Karel Doormanstr.
Karel Doormanpl.
Jan den Haenstr.
Joris van Andringastr.
De Rijpgracht
Admiraal de Ruijterweg
Jan van Galenstraat
S 105
Willem de Zwijgerlaan
Bestevaerstraat
Joos Banckersweg
Reinier Claeszenpl.
Reinier Claeszenstraat
Geuzenstr.
Geuzenkade
Kop van Jut
Van Reigersbergenstr.
Van Houweningenstr.
Hugo de Grootgracht
Hugo de Grootkade
Hugo de Grootpl.
2e Hugo de Grootstr.
1e Hugo de Grootstr.
Frederik Hendrikstraat
Gillis van Ledenberchstraat
Hogerbeetsstr.
Bilderdijkstr.
Bilderdijkpark
Bilderdijkkade
Bilderdijkgracht
De Clercqstr.
De Liefde
Da Costakade
Da Costaplein
Da Costagracht
Potgieterstraat
Kinkerstraat
Maarten Harpertszoon Trompstr.
Witte de Withstr.
Van Speijkstraat
Chasséstraat
Jacob van Lennepkade
Jacob van Lennepstraat
Lennepkade
Bosboom Toussaintstr.
Helmersstraat
Tollensstr.
Borgerstraat
Nicolaas Beetsstr.
Nicolaas Beetsplantsoen
Bellamystraat
Bellamypl.
STADSDEELKANTOOR
OUD-WEST
AARSJES
Hasebroekstr.
Kanaalstraat
Wilhelminastraat
Brederodestr.
Eerste Helmersstraat
Tweede Constantijn Huygensstr.
1e Constantijn Huygensstraat
Overtoom
S 106
S 100
Vondelstraat
Vondelpark
FILMMUSEUM
Tesselschadestr.
Roemer Visscherstr.
J. J. Cremerplein
Busken Huetstr.
Rijtuigenhof
Stadhouderskade
Kostverlorenkade
Postjesweg
POL

19
43
G 9
H 9
H 10
J 9
J 10
K 9
K 10
DE RUIJTERKADE
HAVENGEBOUW
CENTRAAL STATION
Stationsplein
NIEUWE WESTERDOKSTR.
PRINS HENDRIKKADE
PALMGRACHT
LINDENGRACHT
WESTERSTRAAT
JORDAAN
NOORDERKERK
NIEUWE LUTHERSE KERK
NIEUWE ZIJDE
DAMRAK
BEURS VAN BERLAGE
OUDE KERK
OUDE ZIJDE
WESTERKERK
Westermarkt
RAADHUISSTR.
ROZENGRACHT
MAGNA PLAZA
NIEUWE KERK
KONINKLIJK PALEIS
DAM
NATIONAAL MONUMENT
WAAG
Nieuwmarkt
Paleisstraat
Rokin
Nieuwezijds Voorburgwal
NIEUWEZIJDS VOORBURGWAL
Spuistraat
Singel
Herengracht
Keizersgracht
Prinsengracht
ELANDSGRACHT
FELIX MERITIS THEATER
BEGIJNHOF
UNIVERSITEIT VAN AMSTERDAM
STADHUIS
WATERLOOPLEIN
MUZIEKTHEATER
Amstel
Muntplein
Koningsplein
Blauwbrug
Rembrandtplein
PALEIS VAN JUSTITIE
STADSSCHOUWBURG
AMERICAN HOTEL
Leidseplein
ALGEMENE BANK NEDERLAND
VIJZELSTRAAT
VIJZELGRACHT
MUSEUM VAN LOON
Magere Brug
MARNIXSTRAAT
STADHOUDERSKADE
WETERINGSCHANS
RIJKSMUSEUM
VAN GOGH
Frederiksplein
SARPHATISTRAAT
NEDERLANDSE BANK
Utrechtsestraat
Weteringplantsoen

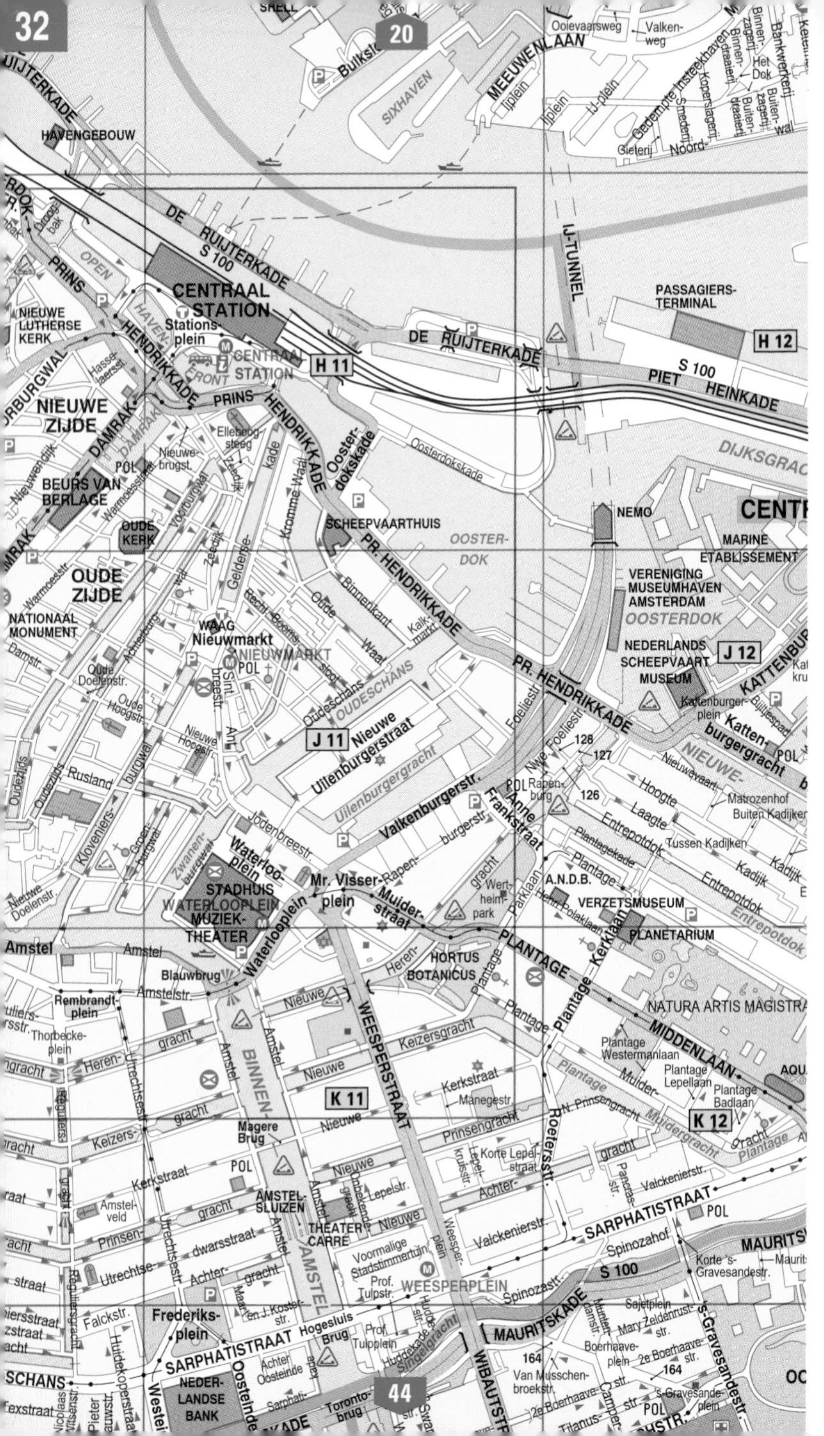
20
SHELL
Bulkstr.
SIXHAVEN
MEEUWENLAAN
IJplein
Ooievaarsweg
Valkenweg
IJ-plein
Gedempte Insteekhaven
Smederij
Koperslagerij
Gieterij
Noord-
Het Dok
Binnenzagerij
Binnendraaierij
Buitenzagerij
Buitendraaierij
Bankwerkerij
Buitenwal
RUIJTERKADE
HAVENGEBOUW
DE RUIJTERKADE
S 100
OPEN HAVEN
CENTRAAL STATION
Stationsplein
FRONT
PRINS HENDRIKKADE
NIEUWE LUTHERSE KERK
Hasselaerssteeg
H 11
DE RUIJTERKADE
IJ-TUNNEL
PASSAGIERSTERMINAL
H 12
S 100
PIET HEINKADE
DIJKSGRACHT
NIEUWE ZIJDE
DAMRAK
Ellebogsteeg
Nieuwebrugst.
Zeedijk
Oosterdokskade
Kromme Waal
POL
BEURS VAN BERLAGE
Warmoesstraat
Nieuwendijk
Voorburgwal
OUDE KERK
SCHEEPVAARTHUIS
OOSTERDOK
NEMO
CENTR
MARINE ETABLISSEMENT
VERENIGING MUSEUMHAVEN AMSTERDAM
OOSTERDOK
NEDERLANDS SCHEEPVAART MUSEUM
J 12
KATTENBURG
Kattenburgerplein
Bijltjespad
Kattenburgergracht
PR. HENDRIKKADE
OUDE ZIJDE
Warmoesstr.
Geldersekade
Recht Boomssloot
Oude Waal
Binnenkant
Kalkmarkt
NATIONAAL MONUMENT
WAAG
Nieuwmarkt
NIEUWMARKT
Damstr.
Oude Doelenstr.
Achterburgwal
Sint Antoniesbreestr.
Oude Hoogstr.
Oudeschans
OUDESCHANS
J 11
Nieuwe Uilenburgerstraat
Uilenburgergracht
Nieuwe Hoogstr.
Foeliestr.
Nwe. Foeliestr.
128
127
126
Rapenburg
Nieuwe Vaart
NIEUWE VAART
Hoogte
Laagte
Matrozenhof
Buiten Kadijken
Oudezijds
Rusland
Kloveniersburgwal
Groenburgwal
Zwanenburgwal
Valkenburgerstr.
Jodenbreestr.
Anne Frankstraat
Rapenburgerstr.
Entrepotdok
Tussen Kadijken
Kadijk
Plantagekade
Plantage
Waterlooplein
STADHUIS
WATERLOOPLEIN
MUZIEKTHEATER
Mr. Visserplein
Muiderstraat
Wertheimpark
A.N.D.B.
Parklaan
Henri Polaklaan
VERZETSMUSEUM
PLANETARIUM
Nieuwe Doelenstr.
Amstel
Blauwbrug
Amstelstr.
Rembrandtplein
Herengracht
HORTUS BOTANICUS
Plantage
PLANTAGE
Kerklaan
NATURA ARTIS MAGISTRA
Thorbeckeplein
Utrechtsestr.
Regulierssteeg
BINNEN-AMSTEL
Amstel
Nieuwe
Keizersgracht
WEESPERSTRAAT
MIDDENLAAN
Plantage Westermanlaan
Plantage Lepellaan
Plantage Badlaan
Muiderstraat
AQU
K 11
Kerkstraat
Manegestr.
Magere Brug
Keizersgracht
Prinsengracht
N. Prinsengracht
Roetersstr.
Korte Lepelstraat
Lepelkruisstr.
Muidergracht
K 12
Plantage
Kerkstraat
POL
Amstelveld
Achtergracht
Pancrasstr.
Valckenierstr.
AMSTELSLUIZEN
THEATER CARRÉ
Onbekendegracht
Lepelstr.
Valckenierstr.
SARPHATISTRAAT
POL
Prinsengracht
Utrechtsedwarsstraat
Voormalige Stadstimmertuin
Weesperplein
Spinozahof
MAURITS
Korte 's-Gravesandestr.
Achtergracht
Prof. Tulpstr.
WEESPERPLEIN
Spinozastr.
S 100
Falckstr.
Frederiksplein
Hogesluis Brug
Mauritskade
J. Koster str.
Prof. Tulpplein
Huddekade
Singelgracht
MAURITSKADE
Nieuwe Amstelstr.
Sajetplein
Mary Zeldenruststr.
Boerhaaveplein
2e Boerhaavestr.
's-Gravesandestr.
SARPHATISTRAAT
Achter Oosteinde
164
Van Musschenbroekstr.
SCHANS
NEDERLANDSE BANK
Oosteinde
Sarphatikade
Torontobrug
44
WIBAUTSTR.
2e Boerhaavestr.
Camperstr.
Tilanusstr.
's-Gravesandeplein
POL
Huidekoperstraat
Weteringschans
Pieter
Vijzelstraat
Fokke
Reguliersgracht
OC

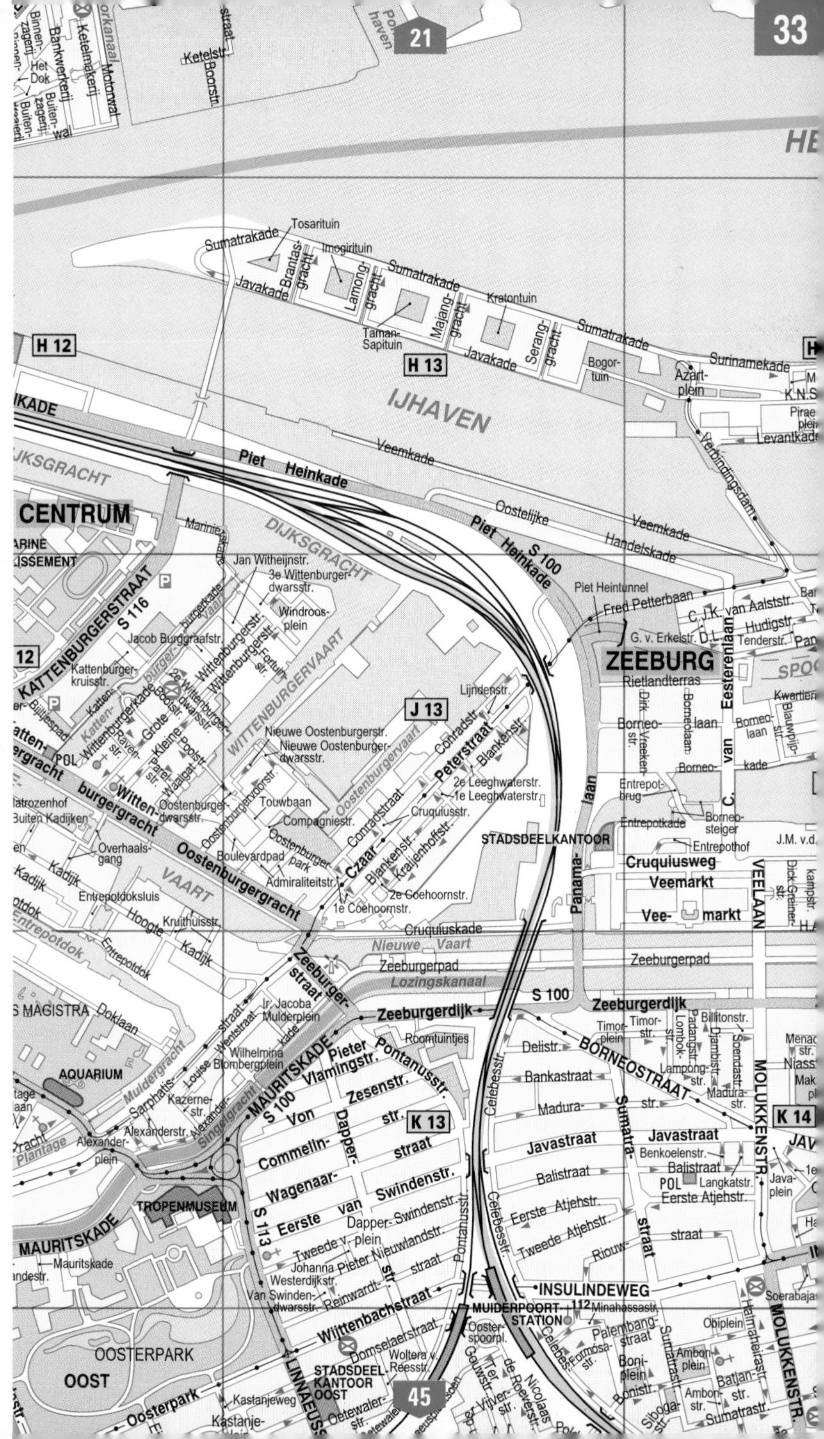
21
IJHAVEN
CENTRUM
ZEEBURG
Sumatrakade
Tosarituin
Imogirituin
Javakade
Brantasgracht
Lamonggracht
Majanggracht
Kratontuin
Seranggracht
Taman-Sapituin
Bogortuin
Surinamekade
Azartplein
Levantkade
Verbindingsdam
H 12
H 13
Piet Heinkade
Veemkade
Oostelijke Handelskade
S 100
Piet Heintunnel
Fred Petterbaan
C.J.K. van Aalststr.
Hudigstr.
Tenderstr.
G. v. Erkelstr.
Rietlandterras
Dirk Vreekenstr.
Borneolaan
C. van Eesterenlaan
Borneokade
Entrepotbrug
Entrepotkade
Borneosteiger
Entrepothof
STADSDEELKANTOOR
Panamalaan
Cruquiusweg
Veemarkt
VEELAAN
Dijksgracht
Marinierskade
Jan Witheijnstr.
3e Wittenburgerdwarsstr.
Windroosplein
KATTENBURGERSTRAAT
S 116
Jacob Burggraafstr.
Wittenburgerstr.
Fortuinstr.
WITTENBURGERVAART
Kattenburgerkruisstr.
Wittenburgerkade
Grote Bickersstr.
Kleine Wittenburgerstr.
Nieuwe Oostenburgerstr.
Nieuwe Oostenburgerdwarsstr.
J 13
Lijndenstr.
Conradstr.
Peterstraat
Blankenstr.
2e Leeghwaterstr.
1e Leeghwaterstr.
Cruquiusstr.
Kraijenhoffstr.
Oostenburgervaart
Touwbaan
Compagniestr.
Oostenburgerpark
Boulevardpad
Admiraliteitstr.
Czaar Peterstraat
Conradstraat
2e Coehoornstr.
1e Coehoornstr.
Wittenburgergracht
Oostenburgergracht
Matrozenhof
Buiten Kadijken
Overhaalsgang
Kadijk
Entrepotdoksluis
Hoogte Kadijk
Kruithuisstr.
Entrepotdok
Cruquiuskade
Nieuwe Vaart
Zeeburgerpad
Lozingskanaal
Zeeburgerstraat
Zeeburgerdijk
Ir. Jacoba Mulderplein
Roomtuintjes
Wilhelmina Blombergplein
Louise Wentstraat
Muidergracht
AQUARIUM
Sarphatistraat
Kazernestr.
Alexanderstr.
Alexanderplein
Singelgracht
Plantage
MAURITSKADE
Pieter Vlamingstr.
Pontanusstr.
Von Zesenstr.
Dapperstraat
K 13
Commelinstraat
Wagenaarstraat
Eerste van Swindenstr.
Dapperplein
Tweede v. Swindenstr.
Pieter Nieuwlandstr.
Johanna Westerdijkstr.
Reinwardtstraat
Van Swindendwarsstr.
Wittenbachstraat
Domselaerstraat
Woltera v. Reesstr.
TROPENMUSEUM
S 113
Mauritskade
OOSTERPARK
OOST
STADSDEEL KANTOOR OOST
LINNAEUSSTR.
Oosterpark
Kastanjeweg
Oetewalerstr.
45
Timorplein
Timorstr.
Delistr.
BORNEOSTRAAT
Lombokstr.
Padangstr.
Billitonstr.
Djambistr.
Soendastr.
Lampongstr.
Madurastr.
Bankastraat
Celebesstr.
Sumatrastraat
Javastraat
Benkoelenstr.
Balistraat
POL
Langkatstr.
Eerste Atjehstr.
Tweede Atjehstr.
Riouwstraat
MOLUKKENSTR.
Javaplein
K 14
INSULINDEWEG
MUIDERPOORT STATION
112
Minahassastr.
Palembangstraat
Obiplein
Halmaheirastr.
Soerabajastr.
Oosterspoorpl.
Ter Gouwstr.
de Roeverstr.
Nicolaas
Formosastr.
Boniplein
Bonistr.
Ambonplein
Ambonstr.
Batjanstr.
Sumatrastr.
Sibogastr.
Motorwal
Ketelmakerij
Bankwerkerij
Het Dok
Buitenzagerij
Ketelstr.
Boorstr.
J.M. v.d. Kampstr.
Dick Greinerstr.
Kwartierm.
Borneolaan
Blauwpijpstr.
MAGISTRA
Doklaan
Jan van Galenstr.

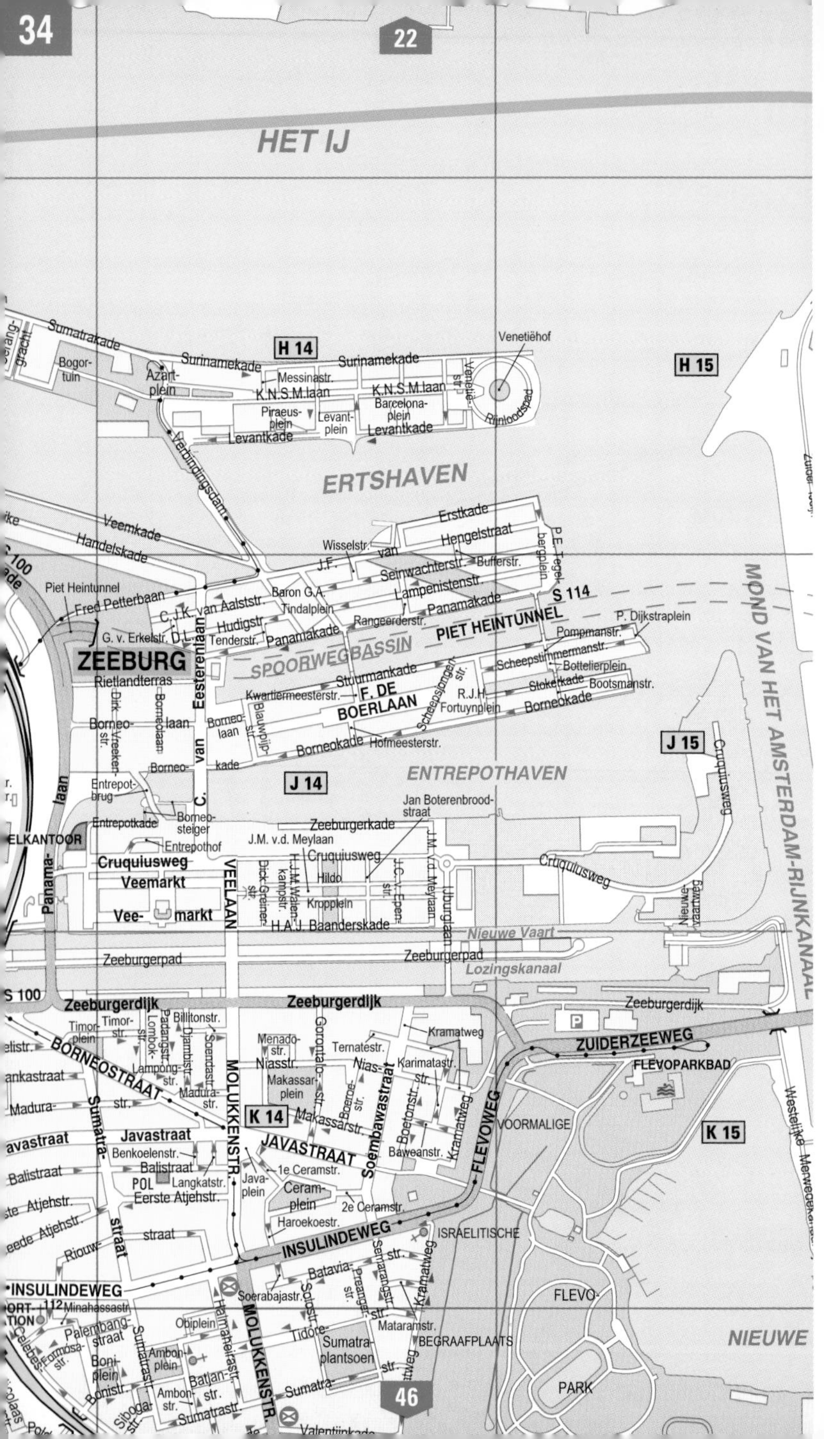
22
HET IJ
Sumatrakade
Bogor-
tuin
Azart-
plein
Surinamekade
H 14
Surinamekade
Venetiëhof
H 15
Messinastr.
K.N.S.M.laan
K.N.S.M.laan
Piraeus-
plein
Levant-
plein
Barcelona-
plein
Levantkade
Levantkade
Rijnloodspad
Verbindingsdam
ERTSHAVEN
Veemkade
Handelskade
Erstkade
Hengelstraat
Wisselstr.
J.F. van
Seinwachterstr.
Bufferstr.
P.E. Tegel-
bergplein
Lampenistenstr.
Panamakade
Piet Heintunnel
Fred Petterbaan
C.J.K. van Aalststr.
Baron G.A.
Tindalplein
S 114
MOND VAN HET AMSTERDAM-RIJNKANAAL
G. v. Erkelstr.
D.L.
Hudigstr.
Tenderstr.
Panamakade
Rangeerderstr.
PIET HEINTUNNEL
P. Dijkstraplein
Pompmanstr.
ZEEBURG
Rietlandterras
SPOORWEGBASSIN
Scheepstimmermanstr.
Bottelierplein
Sturmankade
Stokerkade
Bootsmanstr.
Kwartiermeesterstr.
F. DE
BOERLAAN
Scheepsjongenstr.
R.J.H.
Fortuynplein
Borneokade
Dirk Vreekenstr.
Borneolaan
Borneo-
str.
laan
Eesterenlaan
C. van
Borneo-
laan
Blauwpijp-
str.
Borneokade
Hofmeesterstr.
J 15
Cruquiusweg
ENTREPOTHAVEN
Borneo-
kade
J 14
Entrepot-
brug
Panama-
laan
Jan Boterenbrood-
straat
Entrepotkade
Borneo-
steiger
Zeeburgerkade
Entrepothof
J.M. v.d. Meylaan
J.M. v.d. Meylaan
Cruquiusweg
Cruquiusweg
Veemarkt
VEELAAN
H.J.M. Walen-
kampstr.
Hildo
Kropplein
J.C. v. Epen-
str.
Dick Greiner-
str.
Vee-
markt
Ijburglaan
Nieuwe-
vaartweg
H.A.J. Baanderskade
Nieuwe Vaart
Zeeburgerpad
Zeeburgerpad
Lozingskanaal
S 100
Zeeburgerdijk
Zeeburgerdijk
Zeeburgerdijk
Timor-
plein
Timor-
str.
Padangstr.
Lombok-
str.
Billitonstr.
Djambistr.
Soendastr.
Menado-
str.
Ternatestr.
Kramatweg
ZUIDERZEEWEG
BORNEOSTRAAT
Niasstr.
Nias-
Gorontalo-
str.
Karimatastr.
str.
FLEVOPARKBAD
Lampong-
str.
Madura-
str.
MOLUKKENSTR.
Makassar-
plein
Soembawastraat
Boeroe-
str.
Boetonstr.
Kramatweg
FLEVOWEG
VOORMALIGE
Madura-
str.
Makassarstr.
K 14
K 15
Westelijke Merwedekanaaldijk
Sumatra-
straat
Javastraat
JAVASTRAAT
Baweanstr.
Benkoelenstr.
Balistraat
1e Ceramstr.
Langkatstr.
Java-
plein
Ceram-
plein
POL
Eerste Atjehstr.
2e Ceramstr.
Haroekoestr.
straat
INSULINDEWEG
ISRAELITISCHE
Riouw-
Semarangstr.
Kramatweg
Batavia-
str.
INSULINDEWEG
Soerabajastr.
Solostr.
Preanger-
str.
FLEVO-
112
Minahassastr.
Halmaheirastr.
MOLUKKENSTR.
Palembang-
straat
Obiplein
Tidore-
Mataramstr.
Formosa-
str.
Sumatra-
plantsoen
BEGRAAFPLAATS
NIEUWE
Boni-
plein
Sumatrastr.
Ambon-
plein
Bonistr.
Ambon-
str.
Batjan-
str.
Sumatra-
str.
PARK
Siboga-
str.
Sumatrastr.
46
Valentijnkade

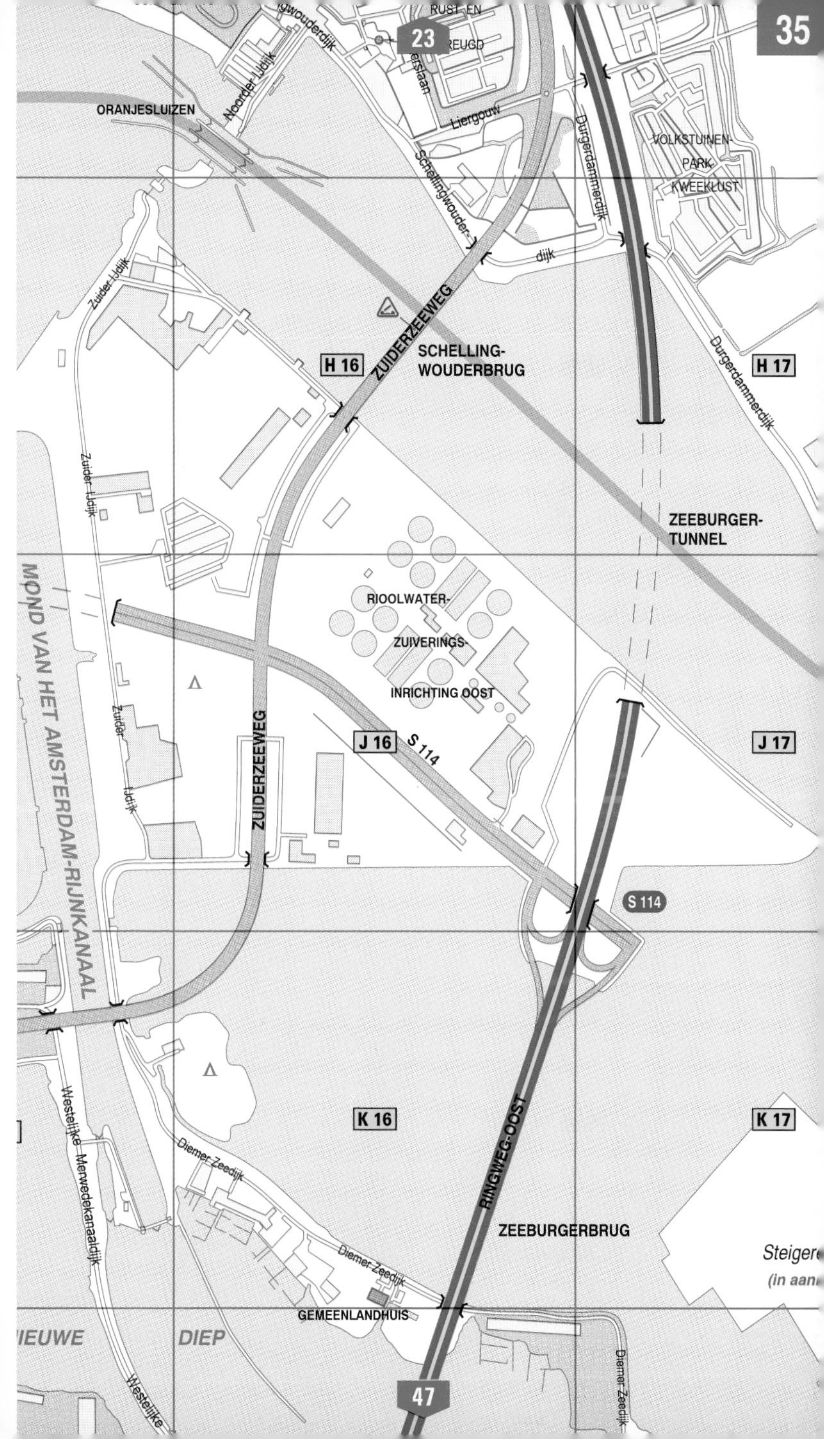

23
RUST EN
VREUGD
Schellingwouderdijk
Liergouw
Schellingwouder-dijk
Durgerdammerdijk
VOLKSTUINEN-PARK KWEEKLUST
ORANJESLUIZEN
Noorder IJdijk
Zuider IJdijk
ZUIDERZEEWEG
SCHELLING-WOUDERBRUG
H 16
H 17
ZEEBURGER-TUNNEL
MOND VAN HET AMSTERDAM-RIJNKANAAL
RIOOLWATER-
ZUIVERINGS-
INRICHTING OOST
J 16
J 17
S 114
K 16
K 17
RINGWEG-OOST
ZEEBURGERBRUG
Westelijke Merwedekanaaldijk
Diemer Zeedijk
GEMEENLANDHUIS
NIEUWE DIEP
Westelijke
47

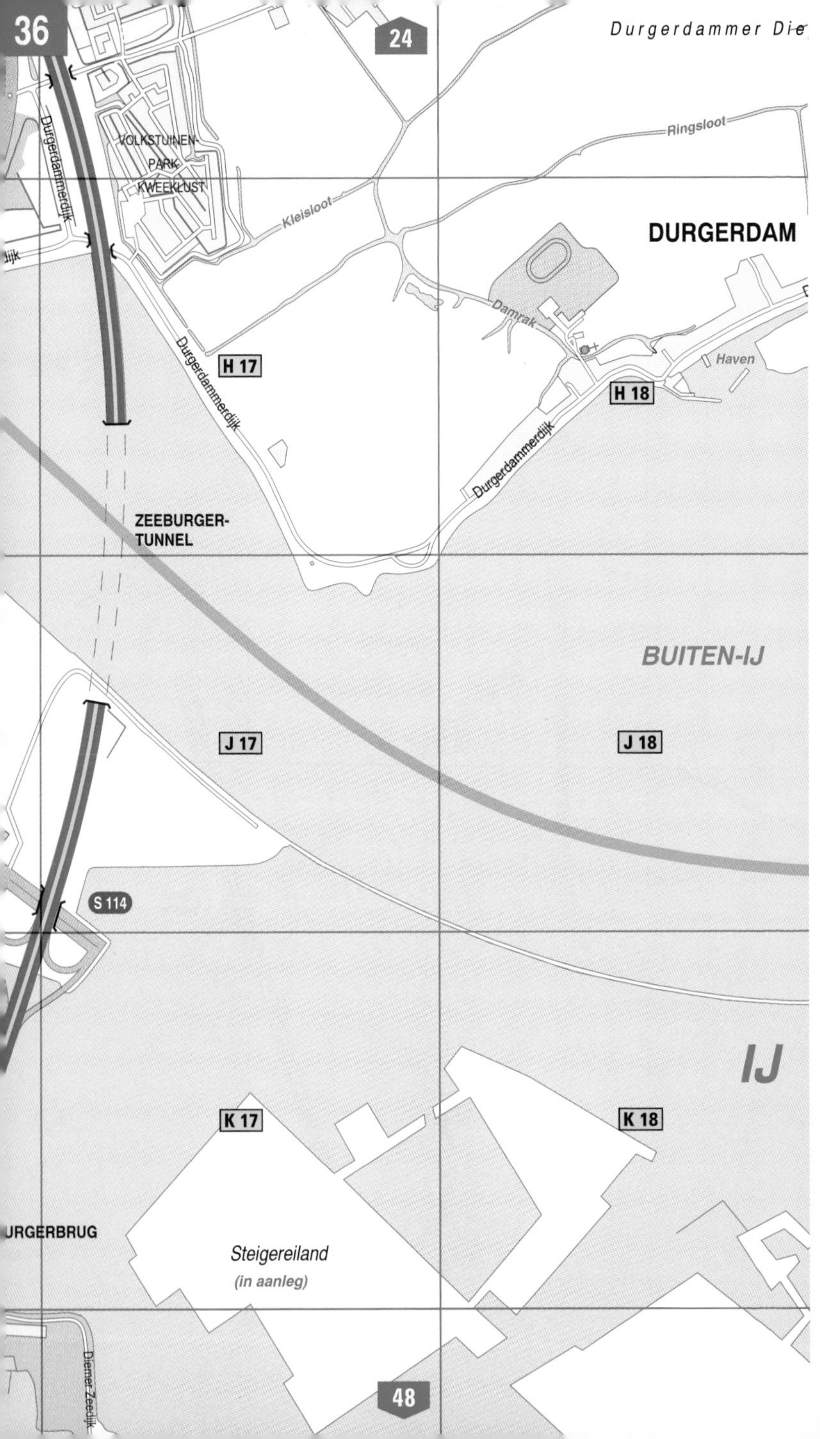
24
Durgerdammer Die
Ringsloot
VOLKSTUINEN-
PARK
KWEEKLUST
Durgerdammerdijk
Kleisloot
DURGERDAM
dijk
Damrak
Haven
H 17
H 18
Durgerdammerdijk
Durgerdammerdijk
ZEEBURGER-
TUNNEL
BUITEN-IJ
J 17
J 18
S 114
IJ
K 17
K 18
URGERBRUG
Steigereiland
(in aanleg)
Diemer Zeedijk
48

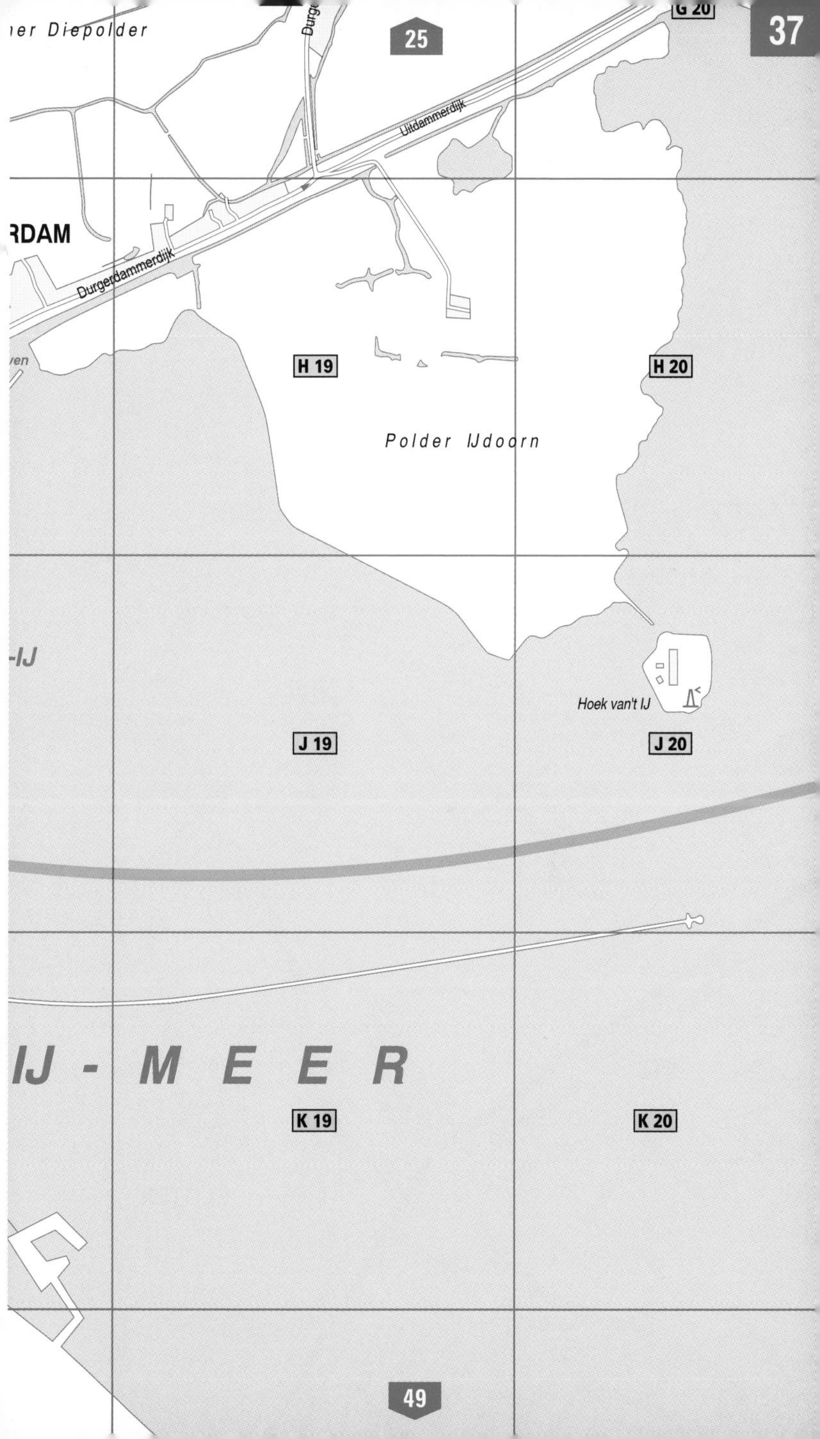

er Diepolder
25
G 20
Uitdammerdijk
RDAM
Durgerdammerdijk
H 19
H 20
Polder IJdoorn
-IJ
Hoek van't IJ
J 19
J 20
IJ - M E E R
K 19
K 20
49

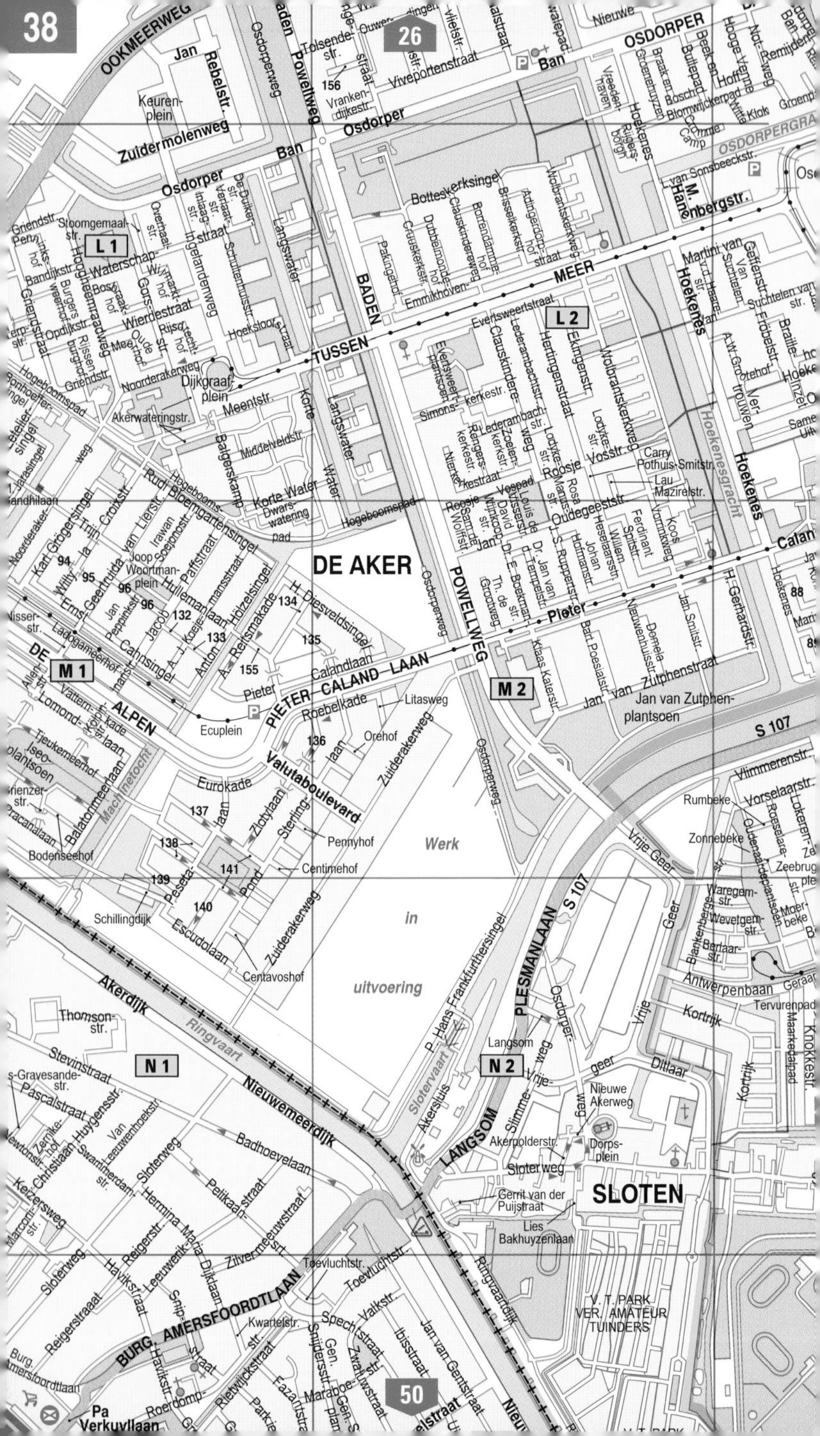
26
OOKMEERWEG
Jan Rebelstr.
Keurenplein
Zuidermolenweg
Osdorperweg
Powellweg
Tolsende-str.
Vrankendijkstr.
Viveportenstraat
Osdorper Ban
OSDORPER
Nieuwe
Vreedenhaven
Rijgersborgh
Hoekenes
Brabbelweg
Bullepad
Blomwijckerpad
Klak
Camp
OSDORPERGRACHT
van Sonsbeeckstr.
M. Hanenbergstr.
Osdorper
Stoomgemaalstr.
Griendstr.
L 1
Waterschap
Wierdestraat
Ingelandenweg
Langswater
Botteskerksingel
Dubbelmonde-hof
Clauskinderweg
Emmikhoven
Pakingehof
Wolbrantskerkweg
BADEN
TUSSEN
MEER
Evertsweertstraat
L 2
Clauskindereweg
Lederambachtstr.
Herlingenstraat
Ekingenstr.
Wolbrantskerkweg
Martini van Geffenstr.
Hoekenes
Fröbelstr.
Braille-str.
Hoekenesgracht
Noorderakerweg
Dijkgraafplein
Meentstr.
Akerwateringstr.
Korte Langswater
Balgerskamp
Middelveldstr.
Simonskerkestr.
Rengerskerkestr.
Zoetenkerkstr.
Niekerkestraat
Roosje Vosstr.
Carry Pothuis-Smitstr.
Lau Mazirelstr.
Hogeboomspad
Bonhoeffersingel
Rudi Bloemgartensingel
Korte Water
Dwarswatering pad
Hogeboomspad
Oudegeeststr.
Ferdinant Spitstr.
Koos Vorrinkweg
Willem Hesselarsstr.
Johan Hofmanstr.
DE AKER
Osdorperweg
POWELLWEG
Calandlaan
Karl Grögersingel
Trijn la Croixstr.
Willy Geertruida van Lierstr.
Irawan Soejonostr.
Joop Woortmanplein
Paffstraat
Hullemanlaan
Hölzelsingel
H. Diesveldsingel
94
95
96
132
133
134
135
155
Jan Peppinkstr.
Jacob Koejemansstraat
Anton Reitsmakade
Dr. Jan van der Tempelstr.
Dr. E. Boekmanstr.
Th. de Grootweg
Pieter
Bart Poesiatstr.
Demela Nieuwenhuisstr.
Jan Smitstr.
H. Gerhardstr.
Calandlaan
88
Ladogameerhof
DE ALPEN
M 1
Cahnsingel
Calandlaan
PIETER CALAND LAAN
Klaas Katerstr.
M 2
Jan van Zutphenstraat
Jan van Zutphenplantsoen
S 107
Ecuplein
Roebelkade
Litasweg
Orehof
136
Zuiderakerweg
Vattem-kade
Lomond-laan
Tjeukemeerhof
Iseoplantsoen
Balatonmeerlaan
Machinetocht
Bodenseehof
Eurokade
137
138
139
140
141
Valutaboulevard
Zlotylaan
Sterling
Pennyhof
Centimehof
Peseta
Pond
Schillingdijk
Escudolaan
Zuiderakerweg
Centavoshof
Werk
in
uitvoering
Vrije Geer
Rumbeke
Vorselaarstr.
Lokerenstr.
Zonnebeke
Oudenaardeplantsoen
Zeebrugge
Waregemstr.
Wevelgemstr.
Blankenbergestr.
Berlaarstr.
Antwerpenbaan
Tervurenpad
Maarkedalpad
Kortrijk
Knokkestr.
PLESMANLAAN
S 107
P. Hans Frankfurthersingel
Langsom
Akerdijk
Ringvaart
Thomsonstr.
N 1
Stevinstraat
's-Gravesandestr.
Pascalstraat
Christiaan Huygensstr.
Van Leeuwenhoekstr.
Swammerdamstr.
Zernikehof
Newtonstr.
Nieuwemeerdijk
Badhoevelaan
Sloterweg
Pelikaanstraat
Hermina Maria Dijktaan
Slotervaart
Akersluis
N 2
Vrije geer
Ditlaar
Nieuwe Akerweg
Dorpsplein
Akerpolderstr.
Sloterweg
Osdorper-weg
Slimmeweg
LANGSOM
Gerrit van der Puijstraat
Lies Bakhuyzenlaan
SLOTEN
Kerzersweg
Marconistr.
Sloterweg
Reigerstraat
Havikstraat
Leeuwerikstr.
Zilvermeeuwstraat
Toevluchtstr.
BURG. AMERSFOORTDLAAN
Kwartelstr.
Spechtstraat
Valkstr.
Ibisstraat
Jan van Gentstraat
Ringvaartdijk
V. T. PARK
VER. AMATEUR
TUINDERS
Snijdersstr.
Zwaluwstraat
Maraboestr.
Fazantstraat
Rietwijckstraat
Roerdompstraat
Burg. Amersfoordtlaan
Pa Verkuyllaan
50

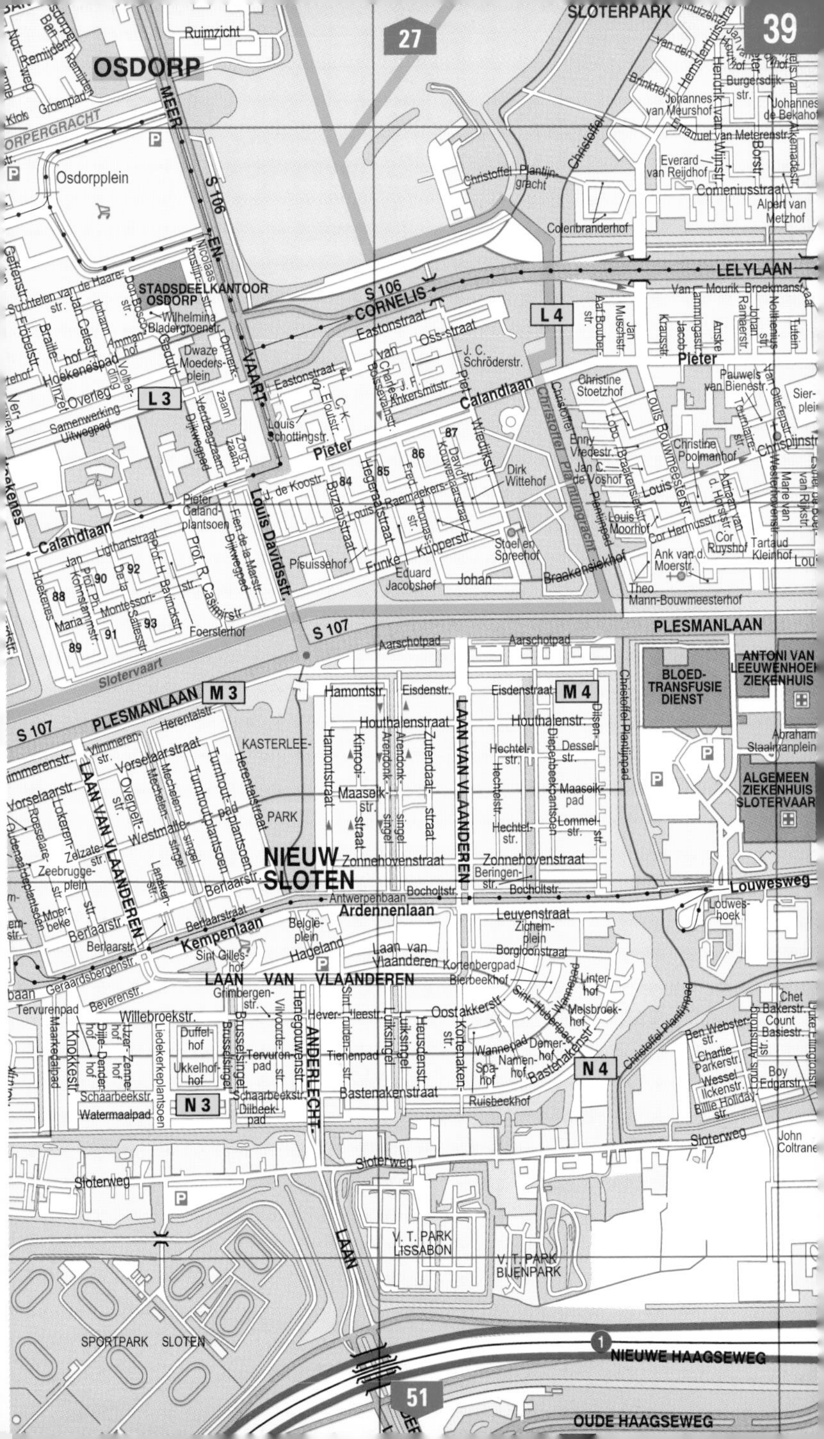

27
OSDORP
SLOTERPARK
Ruimzicht
Osdorpplein
MEER
EN-
VAART
CORNELIS
S 106
S 107
L 3
L 4
M 3
M 4
N 3
N 4
51
STADSDEELKANTOOR OSDORP
Wilhelmina Bladergroenstr.
Dwaze Moeders-plein
Hoekenespad
Overleg
Samenwerking
Uitwegpad
Calandlaan
Pieter Calandplantsoen
Louis Davidsstr.
Eastonstraat
Oss-straat
J. C. Schröderstr.
Pieter Calandlaan
Christoffel Plantijngracht
Christoffel Plantijnpad
Colenbranderhof
LELYLAAN
Comeniusstraat
Emanuel van Meterenstr.
Johannes van Meurshof
Brinkhof
Everard van Reijdhof
Alpert van Metzhof
Dirk Wittehof
Stoel en Spreehof
Braakensiekhof
Theo Mann-Bouwmeesterhof
Louis Bouwmeesterstr.
Louis Moorhof
Cor Hermusstr.
Tartaud Kleinhof
Christine Stoetzhof
Christine Poolmanhof
Pisuissehof
Eduard Jacobshof
Foersterhof
Slotervaart
PLESMANLAAN
BLOED-TRANSFUSIE DIENST
ANTONI VAN LEEUWENHOEK ZIEKENHUIS
Abraham Staalmanplein
ALGEMEEN ZIEKENHUIS SLOTERVAART
Aarschotpad
Hamontstr.
Eisdenstr.
Houthalenstraat
LAAN VAN VLAANDEREN
KASTERLEE-PARK
Hamontstraat
Kinrooi-
Maaseik-straat
Zutendaal-straat
Zonnehovenstraat
Bocholtstr.
NIEUW SLOTEN
Antwerpenbaan
Ardennenlaan
Leuvenstraat
Zichem-plein
Borgloonstraat
Kortenbergpad
Bierbeekhof
Louwesweg
Loudweshoek
Kempenlaan
België-plein
Hageland
Sint Gilles-hof
Vorselaarstraat
Turnhoutplantsoen
Herentalsstraat
Westmalle-singel
Zeebrugge-plein
Berlaarstr.
Geraardsbergenstr.
Beverenstr.
Tervurenpad
Willebroekstr.
Duffelhof
Ukkelhof
Brusselsingel
Schaarbeekstr.
Watermaalpad
Dilbeekpad
ANDERLECHT-
Hegegouwenstr.
Tienenpad
Luiksingel
Heusdenstr.
Bastenakenstraat
Oostakkerstr.
Sint-Hubertpad
Ruisbeekhof
Melsbroekhof
Lintershof
Chet Bakerstr.
Count Basiestr.
Ben Websterstr.
Charlie Parkerstr.
Wessel Ilckenstr.
Billie Holidaystr.
Boy Edgarstr.
Louis Armstrongstr.
John Coltrane
Sloterweg
LAAN
V. T. PARK LISSABON
V. T. PARK BIJENPARK
SPORTPARK SLOTEN
NIEUWE HAAGSEWEG
OUDE HAAGSEWEG

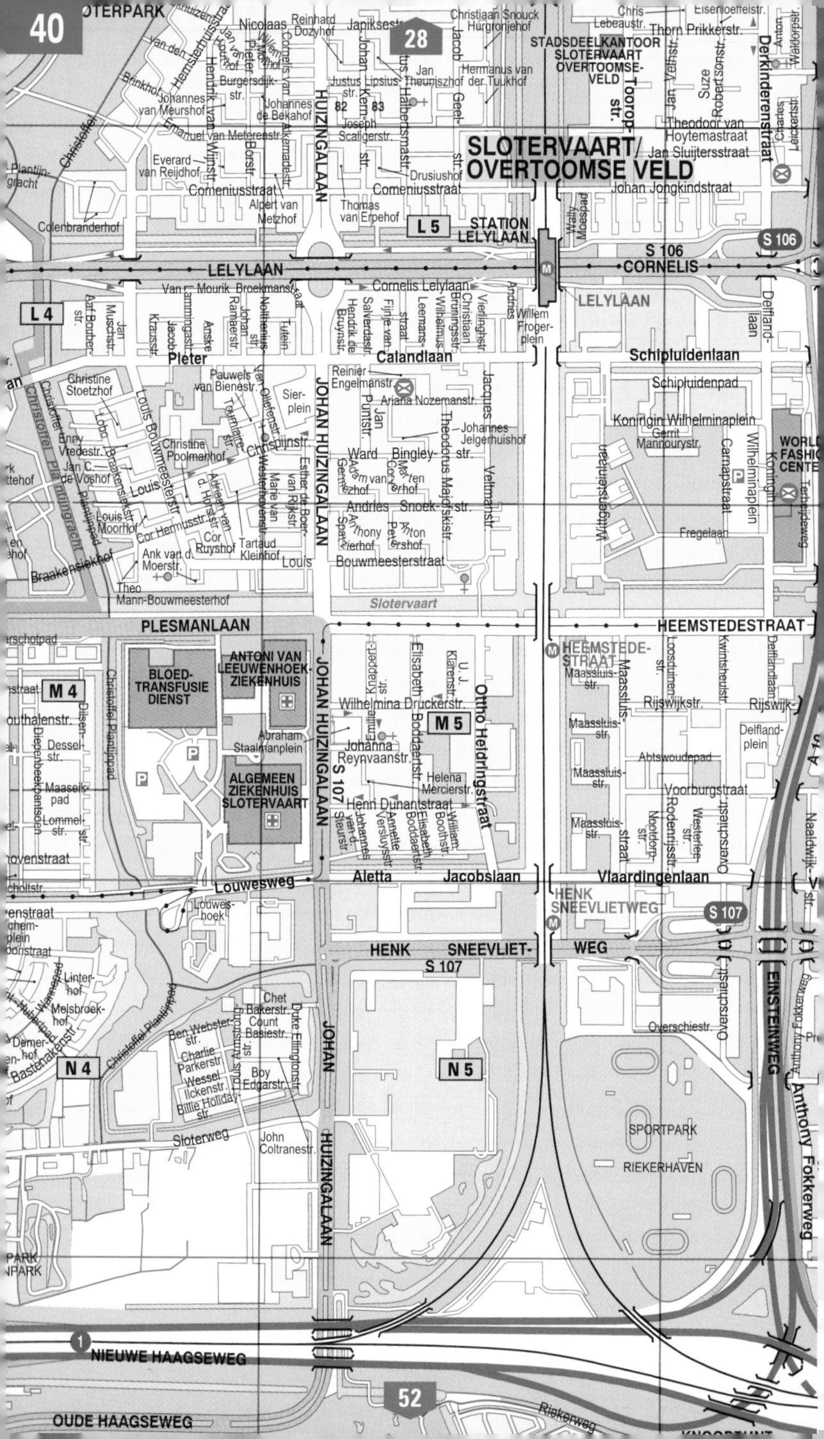

28
SLOTERVAART/
OVERTOOMSE VELD
STADSDEELKANTOOR
SLOTERVAART
OVERTOOMSE-
VELD
STATION
LELYLAAN
LELYLAAN
Cornelis Lelylaan
S 106
CORNELIS
L 4
L 5
Pieter
Calandlaan
Schipluidenlaan
Schipluidenpad
Koningin Wilhelminaplein
WORLD
FASHIO
CENTE
Fregelaan
JOHAN HUIZINGALAAN
HUIZINGALAAN
Bouwmeesterstraat
Slotervaart
PLESMANLAAN
HEEMSTEDESTRAAT
HEEMSTEDE-
STRAAT
BLOED-
TRANSFUSIE
DIENST
ANTONI VAN
LEEUWENHOEK-
ZIEKENHUIS
ALGEMEEN
ZIEKENHUIS
SLOTERVAART
M 4
M 5
S 107
Ottho Heldringstraat
Henri Dunantstraat
Louwesweg
Aletta
Jacobslaan
Vlaardingenlaan
HENK
SNEEVLIETWEG
HENK
SNEEVLIET-
WEG
S 107
N 4
N 5
JOHAN
HUIZINGALAAN
Sloterweg
SPORTPARK
RIEKERHAVEN
EINSTEINWEG
Anthony Fokkerweg
NIEUWE HAAGSEWEG
OUDE HAAGSEWEG
Riekerweg
52

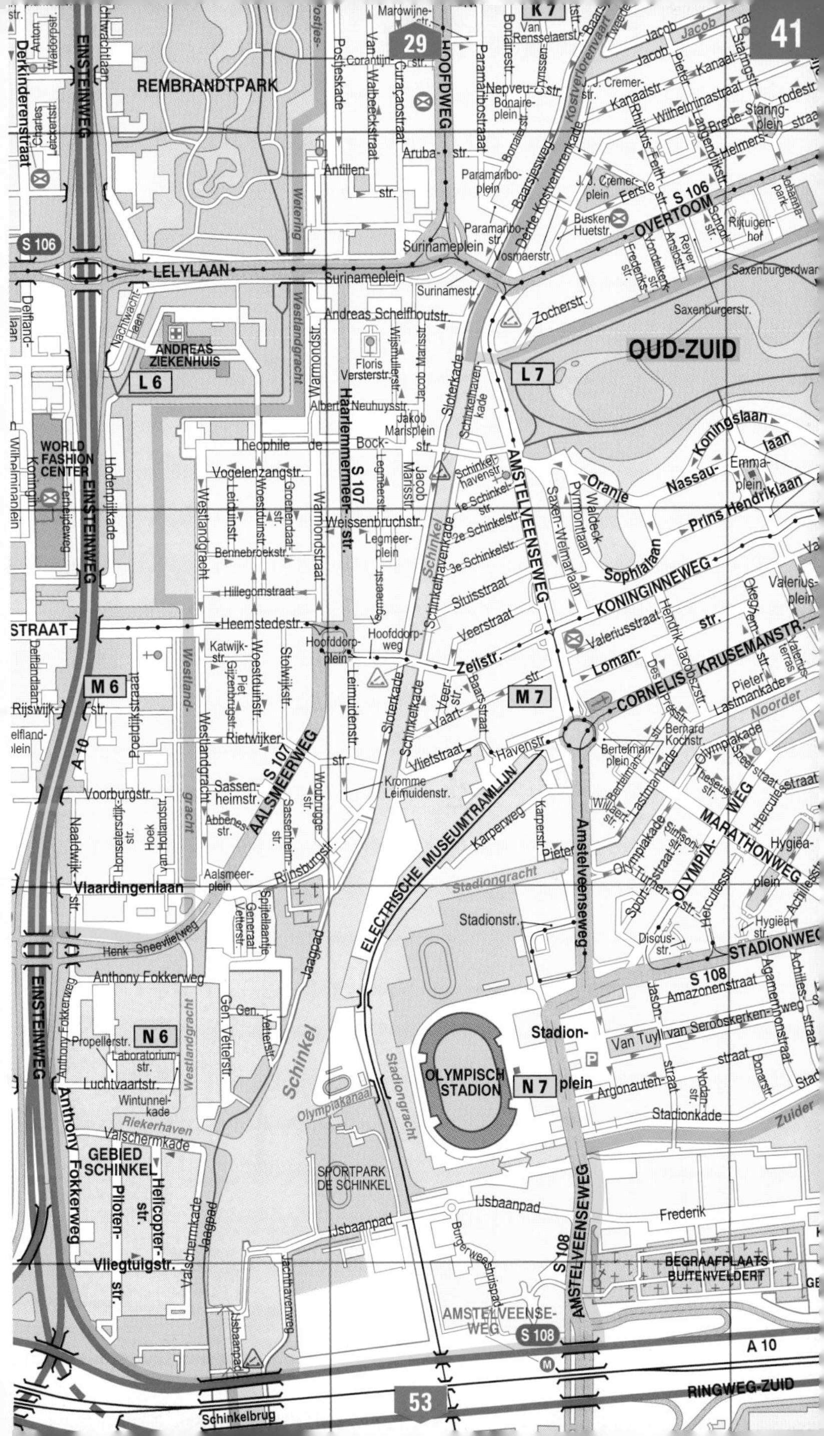
29
K 7
REMBRANDTPARK
EINSTEINWEG
Derkinderenstraat
Charles Leickertstr.
Anton Waldorpstr.
Schwartzlaan
Postjeskade
Van Walbeeckstraat
Curaçaostraat
Corantijnstr.
Marowijnestr.
HOOFDWEG
Paramaribostraat
Bonairestr.
Van Rensselaerstr.
Nepveu-str.
Bonaireplein
Aruba-str.
Antillen-str.
Paramariboplein
Baarsjesweg
Derde Kostverlorenkade
Kostverlorenvaart
Tweede
Jacob
J. J. Cremerstr.
Kanaalstr.
Wilhelminastraat
Brede-Staringplein
Staringstr.
Helmersstr.
J. J. Cremerplein
Eerste
Busken Huetstr.
S 106
OVERTOOM
Vondelkerkstr.
Fredriksstr.
Anslostr.
Reyerstr.
Schoolstr.
Rijtuigenhof
Saxenburgerdwarsstr.
Saxenburgerstr.
Wetering
S 106
LELYLAAN
Surinameplein
Surinamestr.
Vosmaerstr.
Zocherstr.
OUD-ZUID
Delflandlaan
Nachtwachtlaan
ANDREAS ZIEKENHUIS
Westlandgracht
Andreas Schelfhoutstr.
Floris Versterstr.
Wijsmullerstr.
Jacob Marisstr.
Warmondstr.
Haarlemmermeerstr.
S 107
Albert Neuhuysstr.
Jacob Marisplein
Sloterkade
Schinkelhavenkade
L 6
L 7
WORLD FASHION CENTER
Koningin Wilhelminaplein
Terheijdeweg
Hodenpijlkade
Theophile de Bock-str.
Vogelenzangstr.
Leiduinstr.
Woestduinstr.
Groenendaalstr.
Westlandgracht
Legmeerstr.
Weissenbruchstr.
Legmeerplein
Bennebroekstr.
Hillegomstraat
Schinkel
Schinkelhavenstr.
1e Schinkelstr.
2e Schinkelstr.
3e Schinkelstr.
Sluisstraat
Veerstraat
AMSTELVEENSEWEG
Saxen-Weimarlaan
Pyrmontlaan
Waldeck
Oranje
Nassau-
Koningslaan
Emmaplein
Prins Hendriklaan
Sophialaan
KONINGINNEWEG
Valeriusplein
Valeriusstraat
Hendrik Jacobszstr.
Loman-str.
Okeghemstr.
CORNELIS KRUSEMANSTR.
Valeriusterras
Pieter Lastmankade
Noorder
STRAAT
Heemstedestr.
Hoofddorpplein
Hoofddorpweg
Katwijkstr.
Piet Gijzenbrugstr.
Stolwijkstr.
Leimuidenstr.
Zeilstr.
Veerstr.
Vaartstr.
Baarsstraat
M 6
M 7
Rijswijkstr.
Delflandplein
Poeldijkstraat
Westlandgracht
Rietwijkerstr.
Vlietstraat
Havenstr.
Des Présstr.
Bernard Kochstr.
Bertelmanplein
Olympiakade
Speerstraat
Herculesstraat
A 10
Voorburgstr.
Sassenheimstr.
S 107
AALSMEERWEG
Woubruggestr.
Kromme Leimuidenstr.
ELECTRISCHE MUSEUMTRAMLIJN
Karperweg
Karperstr.
Pieter
Amstelveenseweg
Theseusstr.
Willaertstr.
Lastmankade
OLYMPIAWEG
MARATHONWEG
Hygiëaplein
Naaldwijkstr.
Honselersdijkstr.
Hoek van Hollandstr.
Abbenesstr.
Aalsmeerplein
Rijnsburgstr.
Stadiongracht
Simsonstr.
Sportstraat
Turnerstr.
Herculesstr.
Vlaardingenlaan
Spijtellaantje
Generaal Vetterstr.
Stadionstr.
Discusstr.
Hygiëastr.
Achillesstraat
Henk Sneevlietweg
Jaagpad
STADIONWEG
S 108
Amazonenstraat
Agamemnonstraat
Anthony Fokkerweg
Jasonstraat
Gen. Vetterstr.
Stadionplein
Van Tuyll van Serooskerkenweg
N 6
Propellerstr.
Laboratoriumstr.
Luchtvaartstr.
Wintunnelkade
Riekerhaven
Valschermkade
Schinkel
Olympiakanaal
Stadiongracht
OLYMPISCH STADION
N 7
Argonautenstraat
Wodanstr.
Donarstr.
Stadionkade
Zuider
GEBIED SCHINKEL
Anthony Fokkerweg
Piloten-str.
Helicopter-str.
Vliegtuigstr.
SPORTPARK DE SCHINKEL
IJsbaanpad
Frederik
Burgerweeshuispad
S 108
AMSTELVEENSEWEG
BEGRAAFPLAATS BUITENVELDERT
Valschermkade
Jaagpad
Jachthavenweg
IJsbaanpad
AMSTELVEENSE-WEG
S 108
A 10
RINGWEG-ZUID
53
Schinkelbrug

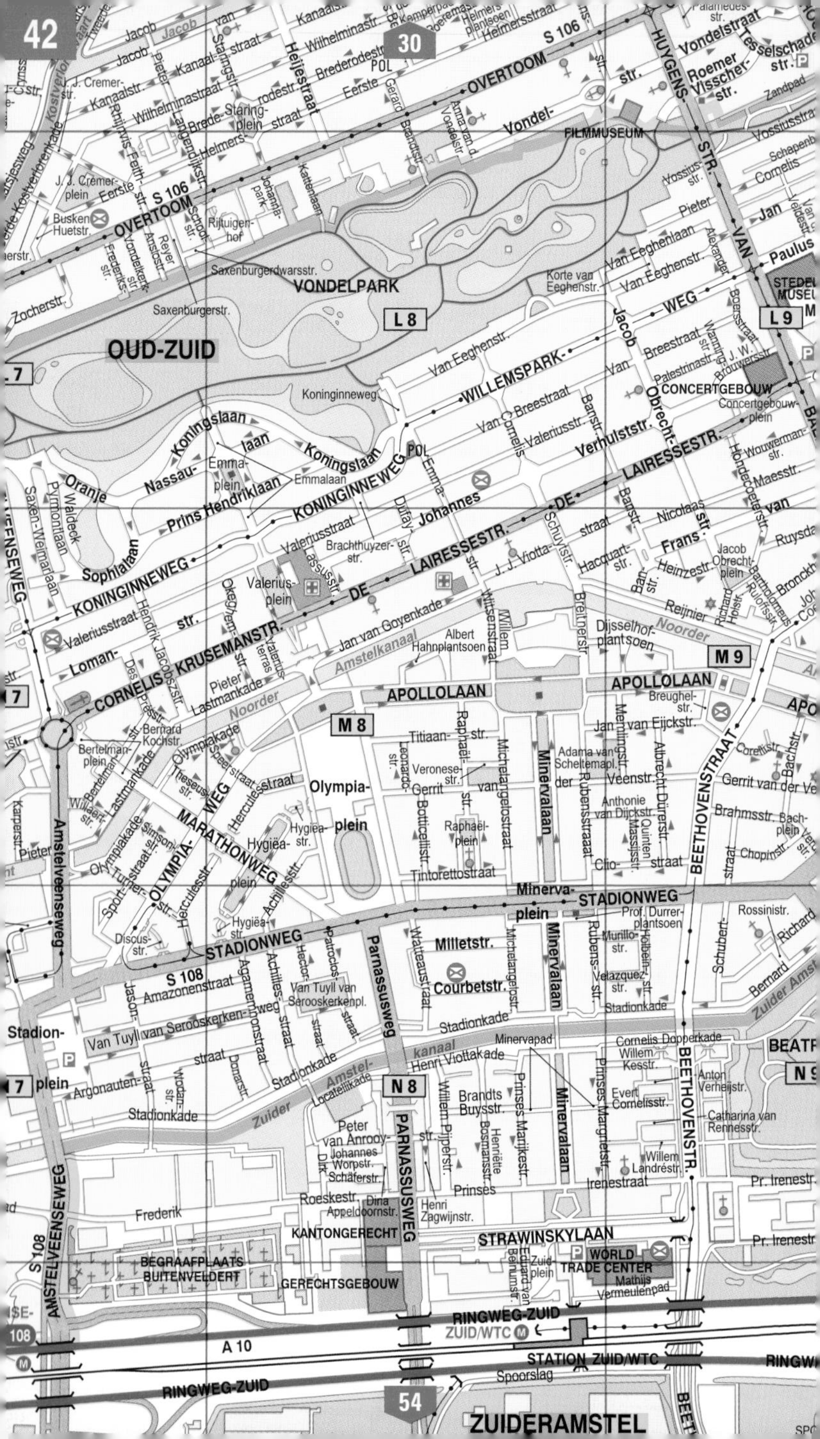
30
OVERTOOM
S 106
Vondel-
str.
FILMMUSEUM
HUYGENS-
STR.
VAN
Vondelstraat
Roemer
Visscher-
str.
Tesselschade-
str.
Jacob
Wilhelminastr.
Kanaalstraat
Bilderdijkstraat
Heijestraat
Eerste
Constantijn
Jacob van Lennepstraat
Brederodestr.
POL
Gerard Brandtstr.
Anna van den Vondelstr.
Helmersstraat
Staringplein
Kostverlorenvaart
J. J. Cremerplein
Eerste
Busken Huetstr.
Overtoom
Rijtuigenhof
Saxenburgerdwarsstr.
Saxenburgerstr.
Zocherstr.
VONDELPARK
L 8
L 9
L 7
OUD-ZUID
Pieter
Jan
Paulus
Van Eeghenlaan
Van Eeghenstr.
Korte van Eeghenstr.
Alexanderstr.
STEDELIJK MUSEUM
Jacob
WEG
WILLEMSPARK-
Breestraat
Palestrinastr.
J. W. Brouwersstr.
CONCERTGEBOUW
Concertgebouwplein
Van Breestraat
Van Eeghenstr.
Koninginneweg
Koningslaan
Nassau-
laan
Emmaplein
Emmalaan
Oranje
Prins Hendriklaan
KONINGINNEWEG
POL
Emmastr.
Johannes
Verhulststr.
Obrecht-
LAIRESSESTR.
DE
Valeriusstr.
Cornelis
Banstr.
Saxen-Weimarlaan
Pyrmontlaan
Waldeck
Sophialaan
KONINGINNEWEG
Valeriusstraat
Lassusstr.
Brachthuyzerstr.
Dufaystr.
Valeriusplein
Schuytstr.
J. J. Viottastr.
Nicolaas
Frans
van
Hacquartstr.
Heinzestr.
Jacob Obrechtplein
Maesstr.
Wouwermanstr.
Hondecoeterstr.
Ruysdaelstr.
Bronckhorststr.
Banstr.
Bartholomeus Ruloffsstr.
Richard Holstr.
Reijnier
Noorder
Dijsselhofplantsoen
Breitnerstr.
Willem Witsenstraat
Albert Hahnplantsoen
Jan van Goyenkade
Amstelkanaal
AMSTELVEENSEWEG
Valeriusstraat
Loman-
str.
Hendrik Jacobszstr.
Okeghemstr.
CORNELIS KRUSEMANSTR.
Valeriusterras
Pieter Lastmankade
Des Présstr.
Bernard Kochstr.
Bertelmanplein
Bertelmanstr.
Noorder
APOLLOLAAN
M 8
M 9
Breughelstr.
Jan van Eijckstr.
Titiaanstr.
Raphaëlstr.
Leonardostr.
Veronesestr.
Gerrit van
Michelangelostraat
Minervalaan
Adama van Scheltemapl.
Memlingstr.
der
Rubensstraat
Veenstr.
Albrecht Dürerstr.
Anthonie van Dijckstr.
Quinten Massijsstr.
BEETHOVENSTRAAT
Cornelis Bachstr.
Gerrit van der Veen
Brahmsstr.
Bachplein
Chopinstr.
Clio-
straat
Botticellistr.
Raphaëlplein
Tintorettostraat
Olympiaplein
Olympiakade
Speerstraat
Theseusstr.
Herculesstraat
Willaertstr.
Karperstr.
Lastmankade
Pieter
OLYMPIA-
WEG
MARATHONWEG
Hygiëastr.
Hygiëaplein
Simsonstr.
Sportstraat
Turnerstr.
Achillesstr.
Discusstr.
Herculesstr.
Minervaplein
STADIONWEG
Prof. Durrerplantsoen
Rossinistr.
Richard
Murillostr.
Holbeinstr.
Schubertstr.
Velazquezstr.
Bernard
Zuider Amstel
Stadionkade
S 108
Amazonenstraat
Agamemnonstraat
Achillesstraat
Hectorstraat
Patroclosstraat
Van Tuyll van Serooskerkenpl.
Van Tuyll van Serooskerkenweg
Parnassusweg
Watteaustraat
Milletstr.
Courbetstr.
Michelangelostr.
Rubensstr.
Jasonstraat
Stadion-
plein
P
Argonautenstraat
Wodanstr.
Donarstr.
Stadionkade
Amstelkanaal
Zuider
Henri Viottakade
Locatellikade
Minervapad
Cornelis Dopperkade
Willem Kesstr.
Anton Verheijstr.
Evert Cornelisstr.
Catharina van Rennesstr.
Willem Landréstr.
BEETHOVENSTR.
BEATRIX
N 8
N 9
PARNASSUSWEG
Willem Pijperstr.
Brandts Buysstr.
Henriëtte Bosmansstr.
Prinses Marijkestr.
Prinses Margrietstr.
Minervalaan
Irenestraat
Pr. Irenestr.
Peter van Anrooystr.
Johannes Worpstr.
Dirk Schäferstr.
Roeskestr.
Dina Appeldoornstr.
Henri Zagwijnstr.
Prinses
Frederik
KANTONGERECHT
STRAWINSKYLAAN
Zuidplein
Eduard van Beinumstr.
WORLD TRADE CENTER
Mathijs Vermeulenpad
BEGRAAFPLAATS BUITENVELDERT
GERECHTSGEBOUW
AMSTELVEENSEWEG
S 108
108
RINGWEG-ZUID
ZUID/WTC
A 10
STATION ZUID/WTC
Spoorslag
RINGWEG-ZUID
54
ZUIDERAMSTEL

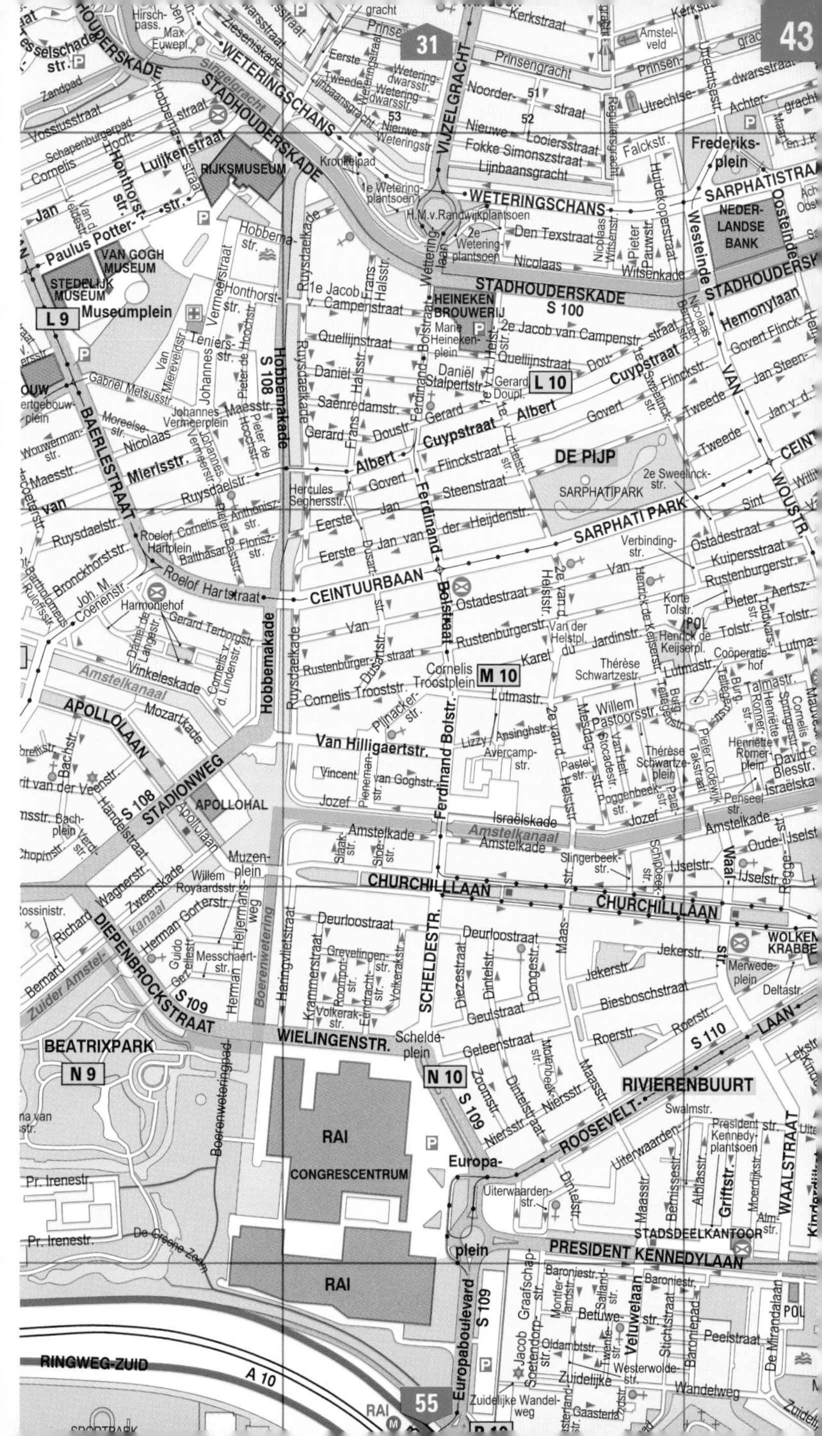
31
Kerkstraat
Prinsengracht
Amstelveld
WETERINGSCHANS
STADHOUDERSKADE
Singelgracht
Eerste Weteringdwarsstr.
Tweede Weteringdwarsstr.
Lijnbaansgracht
Nieuwe Weteringstr.
VIJZELGRACHT
Noorder-straat
Nieuwe Looiersstraat
Fokke Simonszstraat
Lijnbaansgracht
Reguliersgracht
Utrechtsestr.
Utrechtse dwarsstraat
Achtergracht
Falckstr.
Frederiksplein
SARPHATISTRAAT
Huidekoperstraat
Westeinde
NEDERLANDSE BANK
Oosteinde
Vossiusstraat
Schapenburgerpad
Hobbemastraat
Luijkenstraat
Cornelis Hooftstraat
Honthorststr.
RIJKSMUSEUM
Kronkelpad
1e Weteringplantsoen
H.M.v.Randwijkplantsoen
2e Weteringplantsoen
Weteringlaan
Den Texstraat
Nicolaas Witsenstr.
Pieter Pauwstr.
Nicolaas Witsenkade
Jan Luijkenstraat
Paulus Potterstr.
VAN GOGH MUSEUM
STEDELIJK MUSEUM
Museumplein
L 9
Hobbemastr.
Vermeerstraat
Honthorststr.
Ruysdaelkade
1e Jacob v. Campenstraat
Frans Halsstr.
HEINEKEN BROUWERIJ
S 100
2e Jacob van Campenstr.
Hemonylaan
Govert Flinckstr.
Jan Steenstr.
Teniersstr.
Van Miereveldstr.
Johannes Vermeerstraat
Pieter de Hoochstr.
S 108
Hobbemakade
Quellijnstraat
Daniël Stalpertstr.
Marie Heinekenplein
Gerard Douplein
L 10
Cuypstraat
Gabriël Metsustr.
Concertgebouwplein
Saenredamstr.
Gerard Doustr.
Ferdinand Bolstraat
Albert Cuypstraat
Govert Flinckstraat
Tweede Jan Steenstr.
VAN WOUSTR.
Moreelsestr.
Johannes Vermeerplein
Wouwermanstr.
Maesstr.
Nicolaas Maesstr.
BAERLESTRAAT
Mierisstr.
Ruysdaelstr.
DE PIJP
SARPHATIPARK
2e Sweelinckstr.
Hercules Seghersstr.
Eerste Jan Steenstr.
Steenstraat
Sint Willibrordusstr.
Roelof Hartplein
Cornelis Anthonisz.str.
Balthasar Floriszstr.
Eerste Jan van der Heijdenstr.
SARPHATI PARK
Verbindingstr.
Ostadestraat
Kuipersstraat
Rustenburgerstr.
Bronckhorststr.
Roelof Hartstraat
CEINTUURBAAN
Joh. M. Coenenstr.
Bartholomeus Ruloffsstr.
Harmoniehof
Gerard Terborgstr.
Daniël de Langestr.
Cornelis v. d. Lindenstr.
Van Ostadestraat
2e van d. Helststr.
Hendrick de Keijserstr.
Korte Tolstr.
Pieter Aertszstr.
Tolstr.
POL
Hendrick de Keijserpl.
Rustenburgerstraat
Dusartstr.
Van der Helstpl.
Karel du Jardinstr.
Coöperatiehof
Lutmastr.
Thérèse Schwartzestr.
Amstelkanaal
Vinkeleskade
Cornelis Troostplein
M 10
Cornelis Troostar.
APOLLOLAAN
Mozartkade
Pijnackerstr.
Lizzy Ansinghstr.
Willem Pastoorsstr.
Van Hilligaertstr.
Avercampstr.
Pastelstr.
Mesdagstr.
Stocadestr.
Van Heltstr.
Thérèse Schwartzeplein
Pieter Lodewijk Takstraat
Henriëtte Ronnerstr.
Henriëtte Ronnerplein
David Blesstr.
Israëlskade
Bachstr.
Händelstraat
STADIONWEG
S 108
APOLLOHAL
Vincent van Goghstr.
Jozef Israëlskade
Pienemanstr.
Poggenbeekstr.
Penseelstr.
Amstelkade
Oude IJsselstr.
Bachplein
Verdistr.
Chopinstr.
Apollolaan
Muzenplein
Slaakstr.
Amstelkade
Slingerbeekstr.
Schipbeekstr.
IJselstr.
Waalstr.
Reggestr.
Willem Royaardsstr.
Zweerskade
CHURCHILLLAAN
Rossinistr.
Richard Wagnerstr.
DIEPENBROCKSTRAAT
Herman Gorterstr.
Herman Heijermansweg
Guido Gezellestr.
Messchaertstr.
Boerenwetering
Haringvlietstraat
Deurloostraat
Grevelingenstr.
Krammerstraat
Roompotstr.
Eendrachtstr.
Volkerakstr.
SCHELDESTR.
Diezestraat
Dintelstr.
Dongestr.
Maasstr.
Jekerstr.
WOLKENKRABBER
Merwedeplein
Deltastr.
Biesboschstraat
Zuider Amstelkanaal
S 109
Bernard
Geulstraat
WIELINGENSTR.
Scheldeplein
Roerstr.
S 110
LAAN
BEATRIXPARK
N 9
N 10
Geleenstraat
Molenbeekstr.
Zoomstr.
Niersstr.
RIVIERENBUURT
Swalmstr.
ROOSEVELT
Boerenweteringpad
RAI
CONGRESCENTRUM
Europaplein
Uiterwaardenstr.
President Kennedyplantsoen
Alblasstr.
Griftstr.
Moerdijkstr.
Almstr.
WAALSTRAAT
Pr. Irenestr.
De Groene Zoom
STADSDEELKANTOOR
PRESIDENT KENNEDYLAAN
Baroniestr.
Graafschapstr.
Montferlandstr.
Sallandstr.
Betuwestr.
Veluwelaan
Stichtstraat
Barontepad
Peelstraat
De Mirandalaan
Jacob Soetendorpstr.
Oldambtstr.
Twentestr.
Westerwoldestr.
Zuidelijke Wandelweg
Europaboulevard
RINGWEG-ZUID
A 10
55
RAI
Gaasterlandstr.

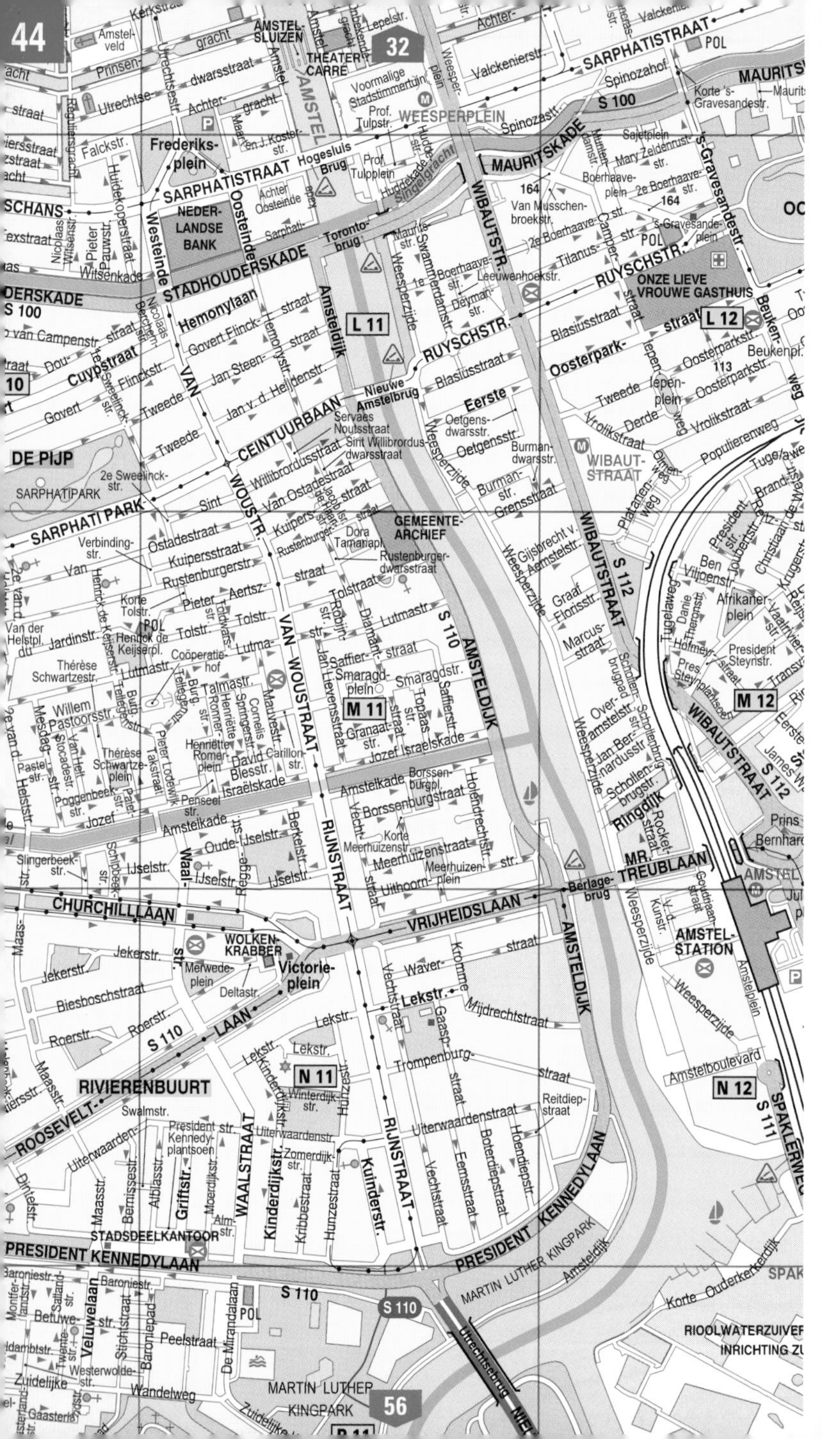
32
AMSTEL-SLUIZEN
THEATER CARRE
AMSTEL
Voormalige Stadstimmertuin
WEESPERPLEIN
SARPHATISTRAAT
Spinozahof
MAURITSKADE
S 100
Frederiksplein
SARPHATISTRAAT
Hogesluis Brug
Singelgracht
NEDERLANDSE BANK
SCHANS
STADHOUDERSKADE
Torontobrug
WIBAUTSTR.
RUYSCHSTR.
ONZE LIEVE VROUWE GASTHUIS
Beukenweg
L 11
L 12
Hemonylaan
Cuypstraat
Amsteldijk
Weesperzijde
Oosterparkstraat
Eerste
Nieuwe Amstelbrug
CEINTUURBAAN
VAN WOUSTR.
DE PIJP
SARPHATIPARK
SARPHATI PARK
WIBAUTSTRAAT
GEMEENTE-ARCHIEF
WIBAUTSTRAAT
S 112
S 110
AMSTELDIJK
VAN WOUSTRAAT
M 11
M 12
Tugelaweg
Afrikanerplein
Amstelkade
RIJNSTRAAT
Ringdijk
MR. TREUBLAAN
Berlagebrug
CHURCHILLLAAN
VRIJHEIDSLAAN
WOLKENKRABBER
Victorieplein
AMSTELDIJK
AMSTEL-STATION
Amstelplein
Amstelboulevard
N 11
N 12
RIVIERENBUURT
ROOSEVELTLAAN
S 110
RIJNSTRAAT
WAALSTRAAT
Kinderdijkstr.
Kuinderstr.
STADSDEELKANTOOR
PRESIDENT KENNEDYLAAN
PRESIDENT KENNEDYLAAN
MARTIN LUTHER KINGPARK
S 110
S 111
SPAKLERWEG
Utrechtsebrug
Veluwelaan
Peelstraat
Wandelweg
De Mirandalaan
MARTIN LUTHER KINGPARK
56
Korte Ouderkerkerdijk
RIOOLWATERZUIVERINRICHTING

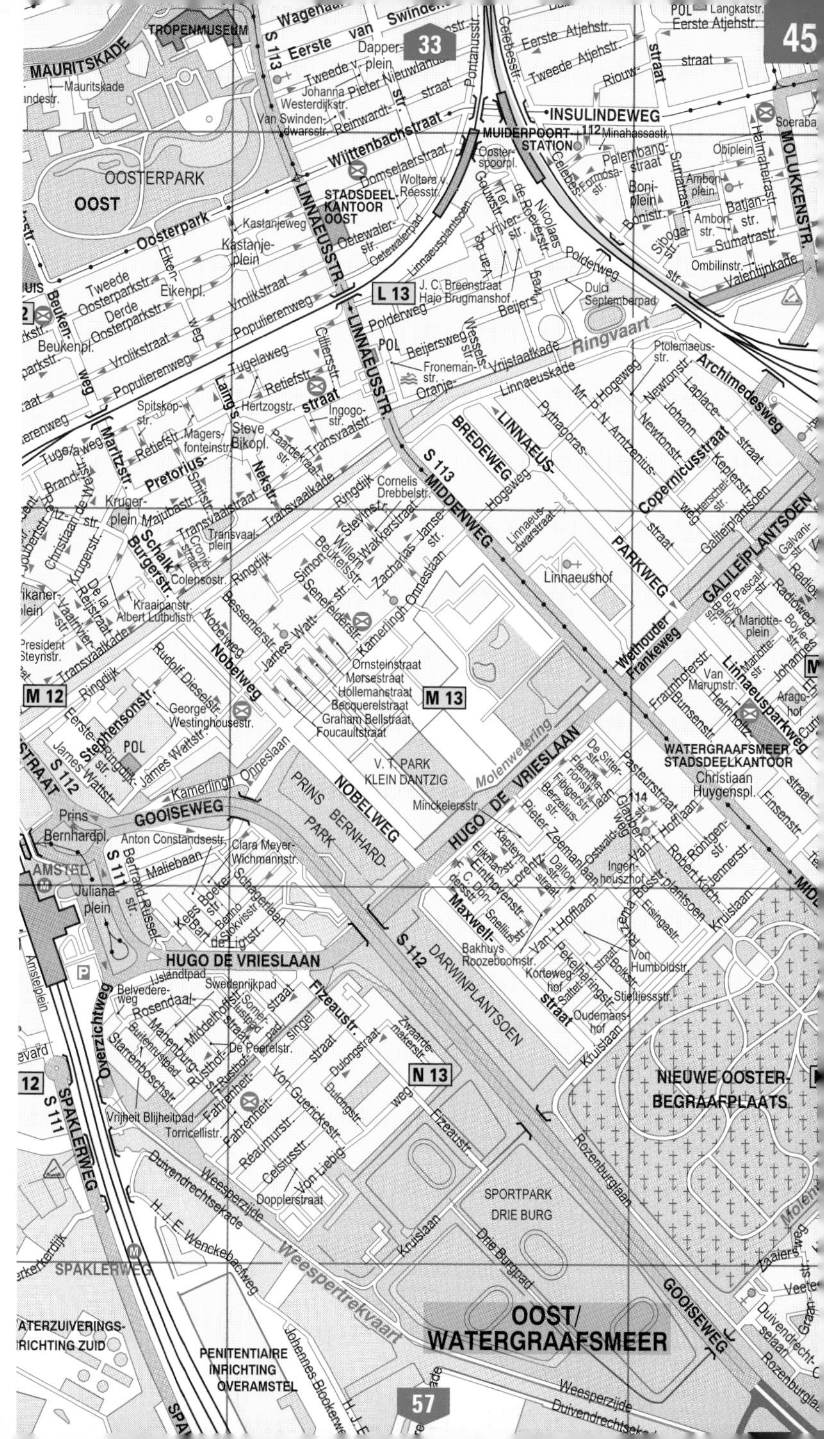
33
TROPENMUSEUM
MAURITSKADE
Mauritskade
OOSTERPARK
OOST
Oosterpark
Eerste van Swinden
Tweede v. Swinden
Dapper-
Johanna
Pieter Nieuwland-
Westerdijkstr.
Reinwardtstr.
Wittenbachstraat
Domselaerstraat
STADSDEEL-KANTOOR OOST
Kastanjeweg
Kastanjeplein
Eikenpl.
Tweede Oosterparkstr.
Derde Oosterparkstr.
Vrolikstraat
Populierenweg
Beukenweg
Beukenpl.
LINNAEUSSTR.
L 13
Oetewalerstr.
Oetewalerpad
Linnaeusplantsoen
MUIDERPOORT STATION
Celebesstr.
Eerste Atjehstr.
Tweede Atjehstr.
Langkatstr.
Riouwstraat
INSULINDEWEG
Minahassastr.
Palembangstraat
Obiplein
Amboinplein
Ambonstr.
Batjanstr.
Sumatrastr.
Siboga-str.
Ombilinstr.
Valentijnkade
MOLUKKENSTR.
Soerabaja
Halmaheirastr.
Oosterspoorpl.
Nicolaas de Roeverstr.
Polderweg
Dulci Septemberpad
J. C. Breenstraat
Hajo Brugmanshof
Beijersweg
Wesselsstr.
Fronemanstr.
Oranje-Vrijstaatkade
Ringvaart
Linnaeuskade
Tugelaweg
Retiefstr.
Cilliersstr.
Laing's
Steve Bikopl.
Spitskopstr.
Hertzogstr.
Ingogostr.
Transvaalstr.
Maritzstr.
Pretoriusstr.
Magersfonteinstr.
Paardekraalstr.
Nekstr.
Transvaalkade
Ringdijk
Krugerplein
Majubastr.
Schalk Burgerstr.
Transvaalplein
Colensostr.
Kraaipanstr.
Albert Luthulistr.
De la Reijstraat
President Steynstr.
Cornelis Drebbelstr.
Stevinstr.
Willem Beukelsstr.
Simon Stevinstr.
Zacharias Jansestr.
Kamerlingh Onneslaan
Senefelderstr.
James Wattstr.
Bessemerstr.
Nobelweg
Ørnsteinstraat
Morsestraat
Hollemanstraat
Becquerelstraat
Graham Bellstraat
Foucaultstraat
M 12
M 13
Rudolf Dieselstr.
George Westinghousestr.
Stephensonstr.
POL
S 112
S 113
MIDDENWEG
BREDEWEG
Hogeweg
LINNAEUS-PARKWEG
Pythagorasstr.
Mr. P. N. Arntzeniusweg
Newtonstr.
Johann Keplerstr.
Laplacestr.
Archimedesweg
Copernicusstraat
Linnaeushof
Linnaeusdwarsstraat
GALILEIPLANTSOEN
Galileiplantsoen
Wethouder Frankeweg
Mariotteplein
Radioweg
Boyle-str.
Fraunhoferstr.
Bunsenstr.
Van Marumstr.
Helmholtz-
Linnaeusparkweg
Aragohof
WATERGRAAFSMEER STADSDEELKANTOOR
Christiaan Huygenspl.
Einsteinstr.
Molenwetering
V. T. PARK KLEIN DANTZIG
PRINS BERNHARD-PARK
NOBELWEG
HUGO DE VRIESLAAN
Minckelersstr.
Pieter Zeemanlaan
Pasteurstraat
Van 't Hofflaan
Robert Kochplantsoen
Röntgenstr.
Jennerstr.
Kruislaan
Lorentzstr.
Daltonstr.
Maxwellstraat
Eijkmanstr.
Einthovenstr.
Ingenhouszhof
Bakhuys Roozeboomstr.
Korteweghof
Von Humboldtstr.
Stieltjesstr.
Oudemanshof
Eisingastr.
GOOISEWEG
Prins Bernhardpl.
AMSTEL
Julianaplein
Anton Constandsestr.
Clara Meyer-Wichmannstr.
Maliebaan
Bertrand Russelstr.
Schagerlaan
Kees Boekestr.
de Ligtstr.
HUGO DE VRIESLAAN
S 111
S 112
Fizeaustr.
Swedenrijkpad
Rosendaalweg
Belvedereweg
Middelhoffstr.
De Peerelstr.
Fahrenheitstr.
Von Guerickestr.
Réaumurstr.
Celsiusstr.
Von Liebigstr.
Dopplerstraat
Torricellistr.
Vrijheit Blijheitpad
Overzichtweg
SPAKLERWEG
Dulongstraat
Zwaardemakerstr.
N 13
DARWINPLANTSOEN
Rozenburglaan
NIEUWE OOSTER-BEGRAAFPLAATS
SPORTPARK DRIE BURG
Drie Burgpad
Kruislaan
Duivendrechtsekade
Weesperzijde
H. J. E. Wenckebachweg
Weespertrekvaart
OOST/ WATERGRAAFSMEER
PENITENTIAIRE INRICHTING OVERAMSTEL
Johannes Blookerweg
WATERZUIVERINGS-INRICHTING ZUID
SPAKLERWEG
Amstelplein
GOOISEWEG
Duivendrecht-selaan
Rozenburglaan
57

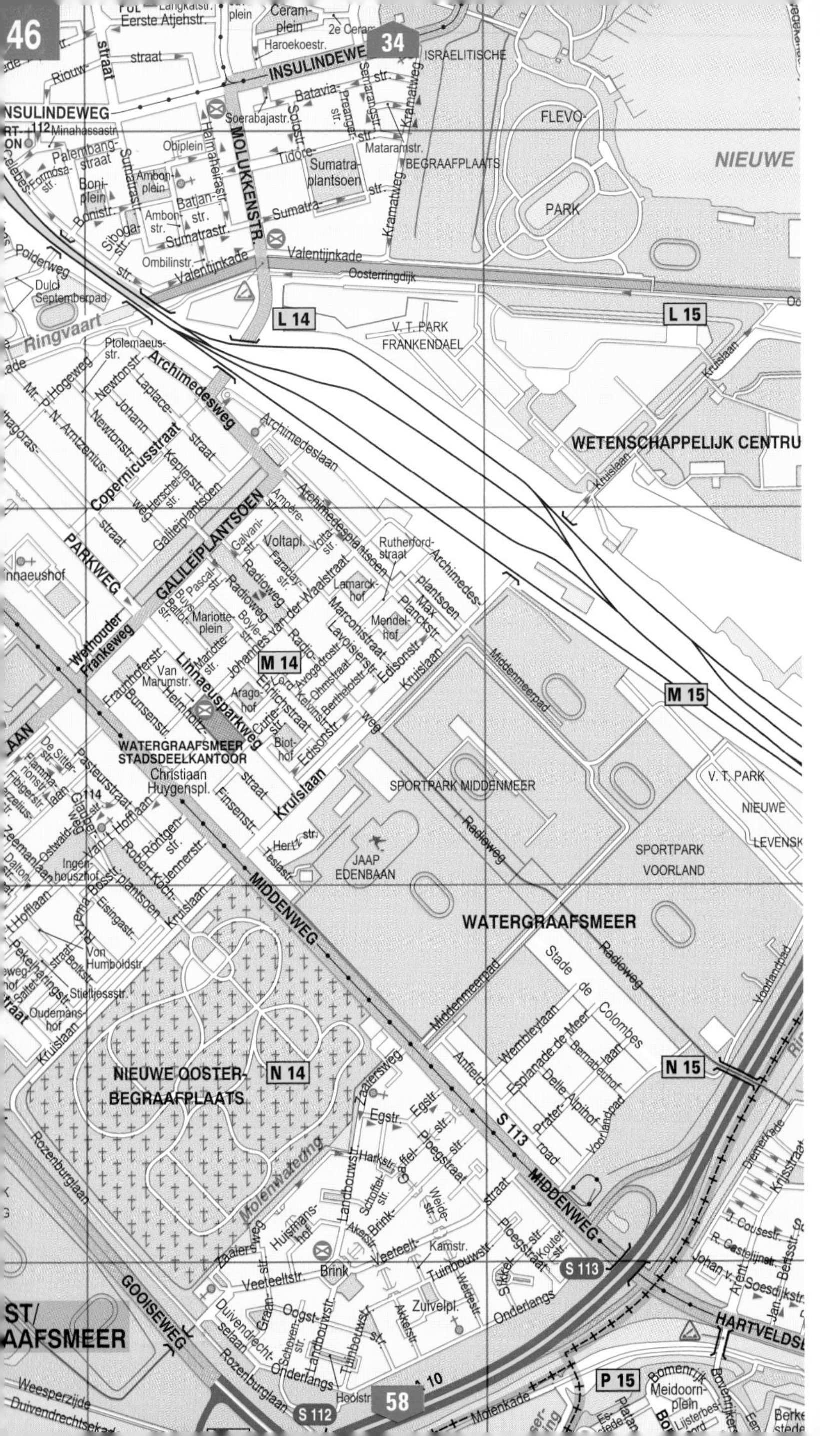
34
INSULINDEWEG
Eerste Atjehstr.
Ceram-plein
2e Ceramstr.
Haroekoestr.
Riouwstr.
ISRAELITISCHE BEGRAAFPLAATS
Batavia-str.
Soerabajastr.
Solostr.
Preanger-str.
Semarangstr.
Kramatweg
Minahassastr.
Palembang-straat
Formosa-str.
Celebesstr.
Obiplein
Halmaheirastr.
MOLUKKENSTR.
Tidore-str.
Mataramstr.
Sumatra-plantsoen
Ambon-plein
Boni-plein
Bonistr.
Batjan-str.
Ambon-str.
Sumatrastr.
Sibogastr.
Ombilinstr.
Valentijnkade
FLEVO-PARK
NIEUWE
Oosterringdijk
Polderweg
Dulci Septemberpad
Ringvaart
L 14
L 15
V. T. PARK FRANKENDAEL
Kruislaan
Ptolemaeus-str.
Hogeweg
Mr. P. N. Arntzenius-weg
Newtonstr.
Laplace-straat
Johann Keplerstr.
Archimedesweg
Archimedeslaan
Copernicusstraat
Herschel-str.
Galileiplantsoen
WETENSCHAPPELIJK CENTRUM
PARKWEG
Linnaeushof
GALILEIPLANTSOEN
Ampere-str.
Galvani-str.
Voltapl.
Volta-str.
Faraday-str.
Archimedesplantsoen
Rutherford-straat
Archimedes-plantsoen
Pascal-str.
Buys Ballotstr.
Radioweg
Johannes van der Waalsstraat
Lamarck-hof
Max Planckstr.
Mariotte-plein
Boyle-str.
Marconistraat
Mendel-hof
Wethouder Frankeweg
Mariottestr.
Lavoisierstr.
Edisonstr.
M 14
M 15
Middenmeerpad
Fraunhoferstr.
Van Marumstr.
Linnaeusparkweg
Avogadrostr.
Ohmstraat
Lord Kelvinstr.
Berthelotstr.
Ehrlichstraat
Arago-hof
Curie-str.
Biot-hof
Helmholtzstr.
Bunsenstr.
WATERGRAAFSMEER STADSDEELKANTOOR
Christiaan Huygenspl.
Einsteinstr.
SPORTPARK MIDDENMEER
V. T. PARK NIEUWE LEVENSK
De Sitterstr.
Flammarionstr.
Fibigerstr.
Pasteurstraat
Hoffflaan
Röntgen-str.
Hertzstr.
Teslastr.
JAAP EDENBAAN
SPORTPARK VOORLAND
Zeemanlaan
Daltonstr.
Ostwaldweg
Ingenhouszhof
Robert Koch-plantsoen
Jennerstr.
Ritzema Bosstr.
Eisingastr.
MIDDENWEG
WATERGRAAFSMEER
Radioweg
Stade de Colombes
Von Humboldtstr.
Pekelharingstr.
Bolkstraat
Stieltjesstr.
Oudemans-hof
Kruislaan
Middenmeerpad
Wembleylaan
Esplanade de Meer
Bernabeuhof
Delle Alpihof
Prater-road
Anfield
Voorlandpad
N 14
N 15
NIEUWE OOSTER-BEGRAAFPLAATS
Zaaiersweg
Egstr.
Ploegstraat
Gaffel-str.
S 113
Rozenburglaan
Molenwetering
Harkstr.
Landbouwstr.
Schoffel-str.
Huismans-hof
Akkerstr.
Brink-str.
Weide-str.
Veeteeltstr.
Kamstr.
Tuinbouwstr.
Weidestr.
Sikkelstr.
Kouterstr.
Brink
Graanstr.
Oogststr.
Zuivelpl.
Akkerstr.
Onderlangs
GOOISEWEG
Duivendrecht-selaan
Schovenstr.
Tuinbouwstr.
Rozenburglaan
Weesperzijde
Duivendrechtsekade
Hoolstr.
S 112
58
10
Molenkade
Meidoorn-plein
Bomenrijk
Lijsterbes-
P 15
HARTVELDSE
Diemerkade
Kruisstraat
J. Cousestr.
R. Castelijnstr.
Johan v. Soesdijkstr.
Jan Bertsstr.
Arent
Voorlandpad
ST/ AAFSMEER

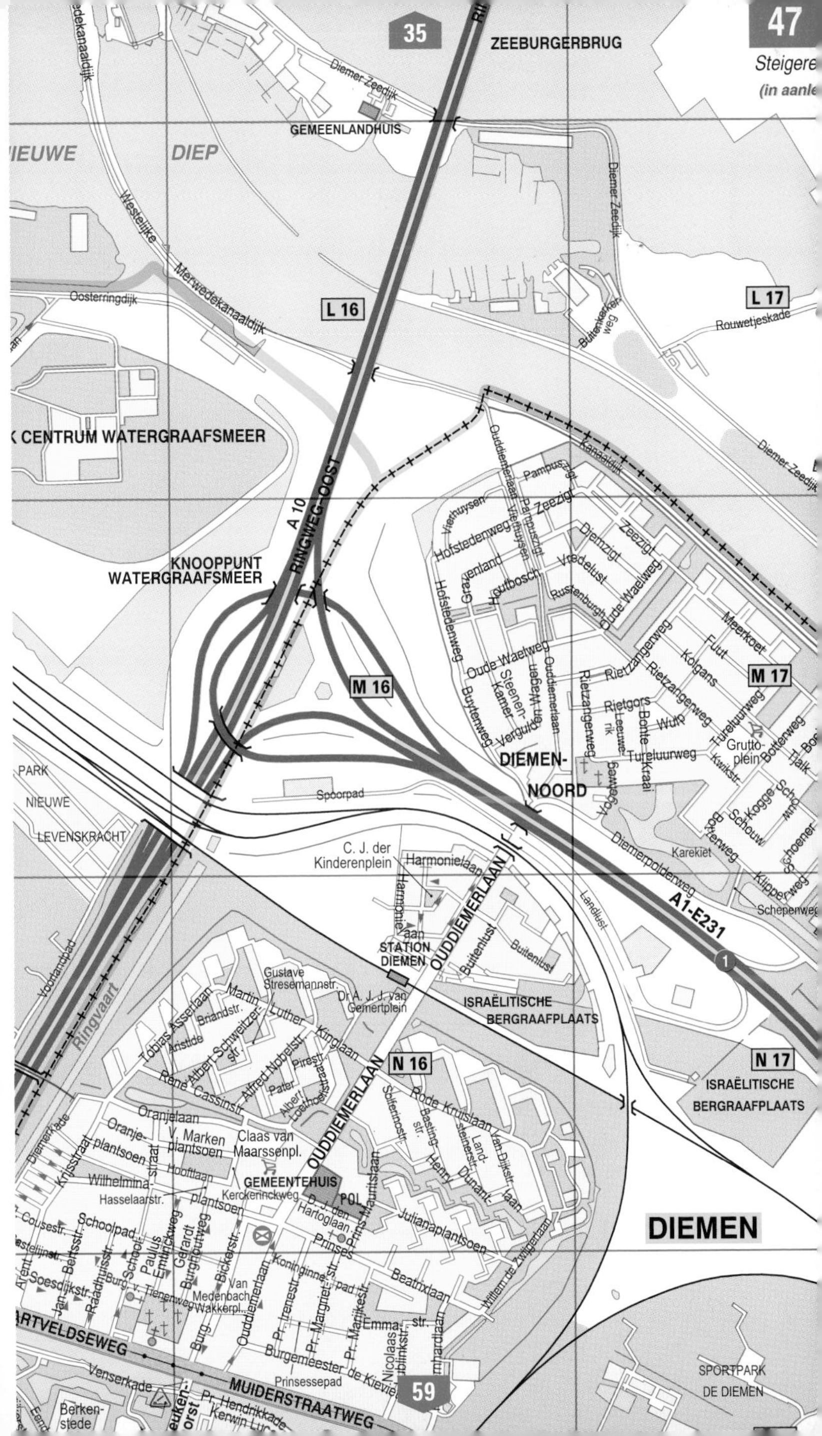
35
ZEEBURGERBRUG
GEMEENLANDHUIS
DIEP
Diemer Zeedijk
Westelijke Merwedekanaaldijk
Oosterringdijk
L 16
L 17
Rouwetjeskade
Buitenkerker weg
CENTRUM WATERGRAAFSMEER
A 10 RINGWEG-OOST
KNOOPPUNT WATERGRAAFSMEER
M 16
M 17
Kanaaldijk
Ouddiemerlaan
DIEMEN-NOORD
Spoorpad
PARK NIEUWE LEVENSKRACHT
C. J. der Kinderenplein
Harmonielaan
STATION DIEMEN
OUDDIEMERLAAN
Buitenlust
Landlust
ISRAËLITISCHE BERGRAAFPLAATS
A1-E231
Diemerpolderweg
Ringvaart
Voorlandpad
N 16
N 17
Rode Kruislaan
Oranjelaan
Claas van Maarssenpl.
GEMEENTEHUIS
POL.
Julianaplantsoen
Beatrixlaan
Hartveldseweg
MUIDERSTRAATWEG
Burgemeester de Kievietstraat
Prinsessepad
59
Venserkade
Berkenstede
DIEMEN
SPORTPARK DE DIEMEN

36
Steigereiland
(in aanleg)
L 17
L 18
IJBUR
Rouwetjeskade
Diemer Zeedijk
Buitenkerkerweg
Diemer Buitendijksche Polder
Kanaaldijk
Zeezigt
Diemzigt
Vredelust
Rustenburgh
Oude Waelweg
Meerkoet
Fuut
Kolgans
Rietzangerweg
M 17
M 18
Rietgors
Wulp
Bonte Kraai
Tureluurweg
Grutto-plein
Botterweg
Boeier
Fregat
Tjalk
Kwikstr.
Kogge
Schouw
Galjoen
Klipperweg
Schoener
Oud-diemerlaan
Vogelweg
Karekiet
Diemerpolderweg
Schepenweg
Distelvlinderweg
Citroen-vlinder
Vlervlinder
Agaat-vlinder
Heivlinderweg
Argus-vlinder
Hermelijnvlinder
Apollo-vlinder
Kuifvlinder
Parelmoer-vlinder
Vlinderweg
A1-E231
Landlust
AMSTERDAM-RIJNKANAAL
Diemerpolder
N 17
N 18
ISRAËLITISCHE BERGRAAFPLAATS
DIEMEN
DIEM
Overdiemerweg
P 18
SPORTPARK DE DIEMEN
60
Overdiemer polder

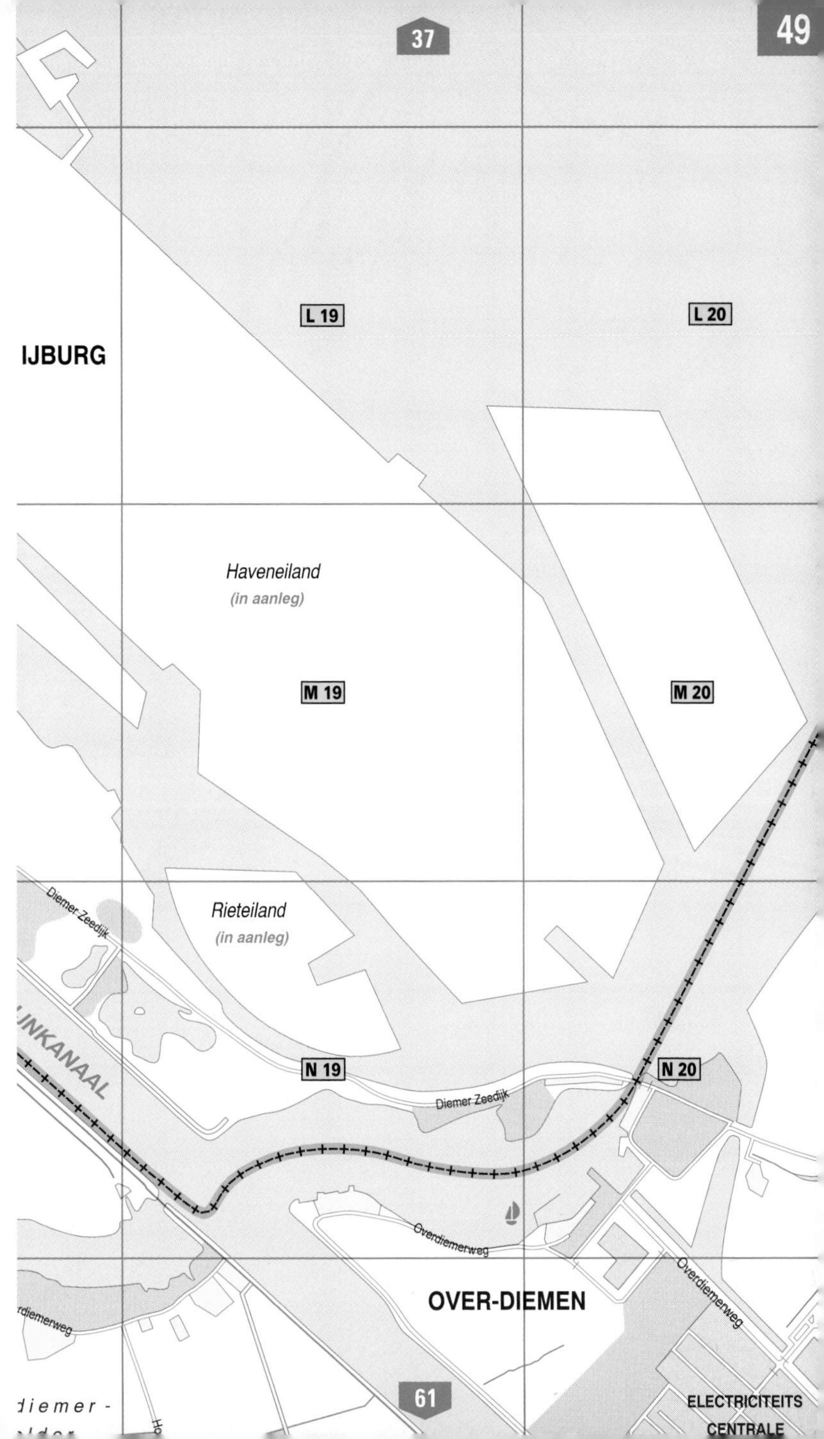
37
L 19
L 20
IJBURG
Haveneiland
(in aanleg)
M 19
M 20
Rieteiland
(in aanleg)
Diemer Zeedijk
NKANAAL
N 19
N 20
Diemer Zeedijk
Overdiemerweg
Overdiemerweg
rdiemerweg
OVER-DIEMEN
61
diemer -
ELECTRICITEITS
CENTRALE

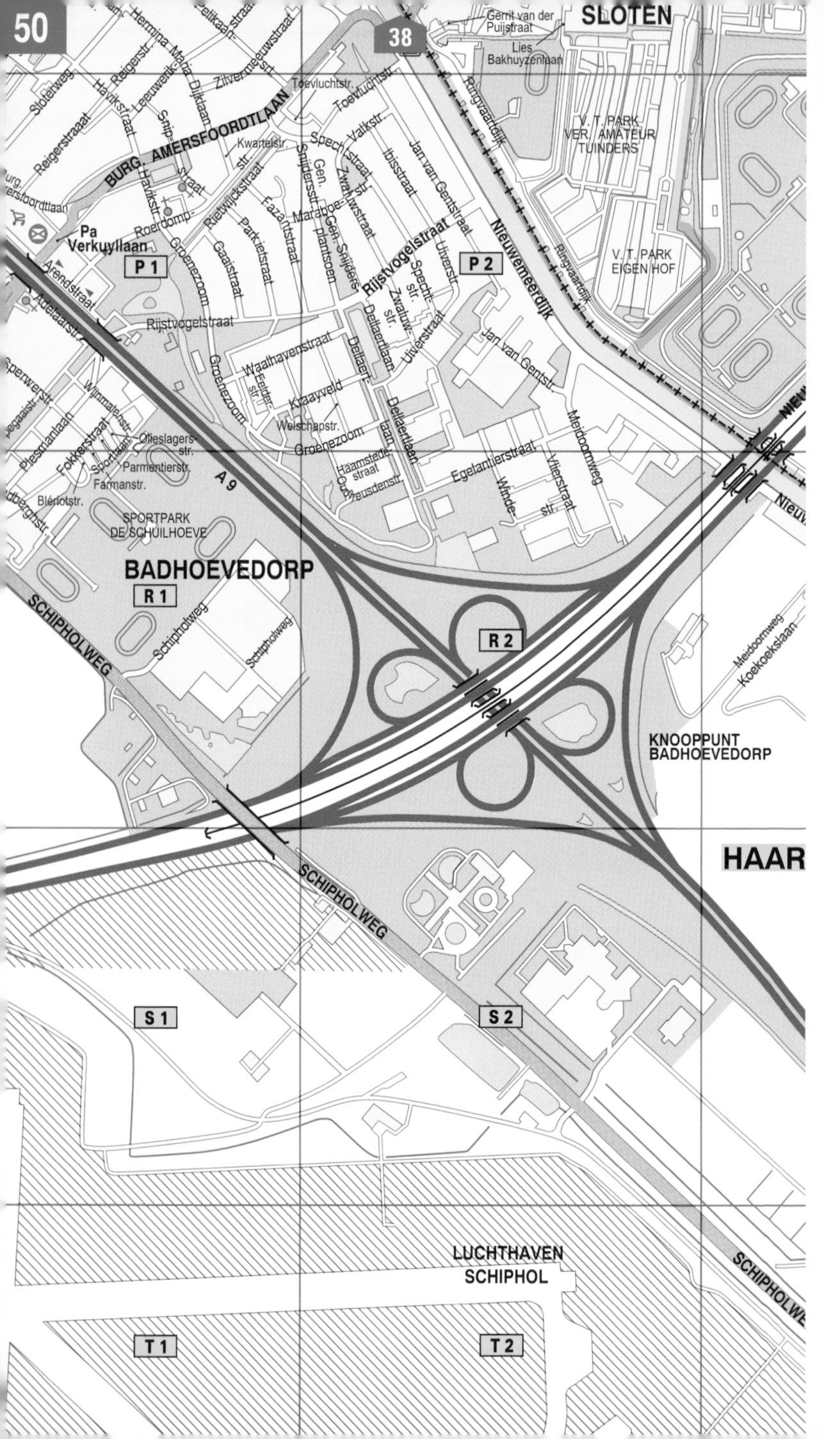
38
SLOTEN
Gerrit van der Puijstraat
Lies Bakhuyzenlaan
Ringvaartdijk
V. T. PARK VER. AMATEUR TUINDERS
V. T. PARK EIGEN HOF
Nieuwemeerdijk
Hermina Maria Dijklaan
Zilvermeeuwstraat
Toevluchtstr.
BURG. AMERSFOORTLAAN
Sloterweg
Reigerstraat
Havikstraat
Leeuwerikstr.
Kwartelstr.
Spechtstraat
Valkstr.
Ibisstraat
Jan van Gentstraat
Rietwijckstraat
Parkietstraat
Fazantstraat
Gaaistraat
Zwaluwstraat
Maraboestr.
Gen. Snijdersstr.
Gen. Snijders plantsoen
Rijstvogelstraat
Uiverstr.
Spechtstr.
Zwaluwstr.
Pa Verkuyllaan
Roerdompstr.
Groenezoom
Arendstraat
Adelaarstr.
P 1
P 2
Waalhavenstraat
Eelderstr.
Kraaiveld
Welschapstr.
Deltaertlaan
Uiverstraat
Jan van Gentstr.
Meidoornweg
Egelantierstraat
Vlierstraat
Windestr.
Haamstedestraat
Oudeusdenstr.
Sperwerstr.
Wijnmalenstr.
Plesmanlaan
Fokkerstraat
Sportlaan
Olieslagersstr.
Parmentierstr.
Farmanstr.
Blériotstr.
A 9
SPORTPARK DE SCHUILHOEVE
BADHOEVEDORP
R 1
R 2
Schipholweg
SCHIPHOLWEG
Koekoekslaan
KNOOPPUNT BADHOEVEDORP
HAAR
S 1
S 2
LUCHTHAVEN SCHIPHOL
T 1
T 2

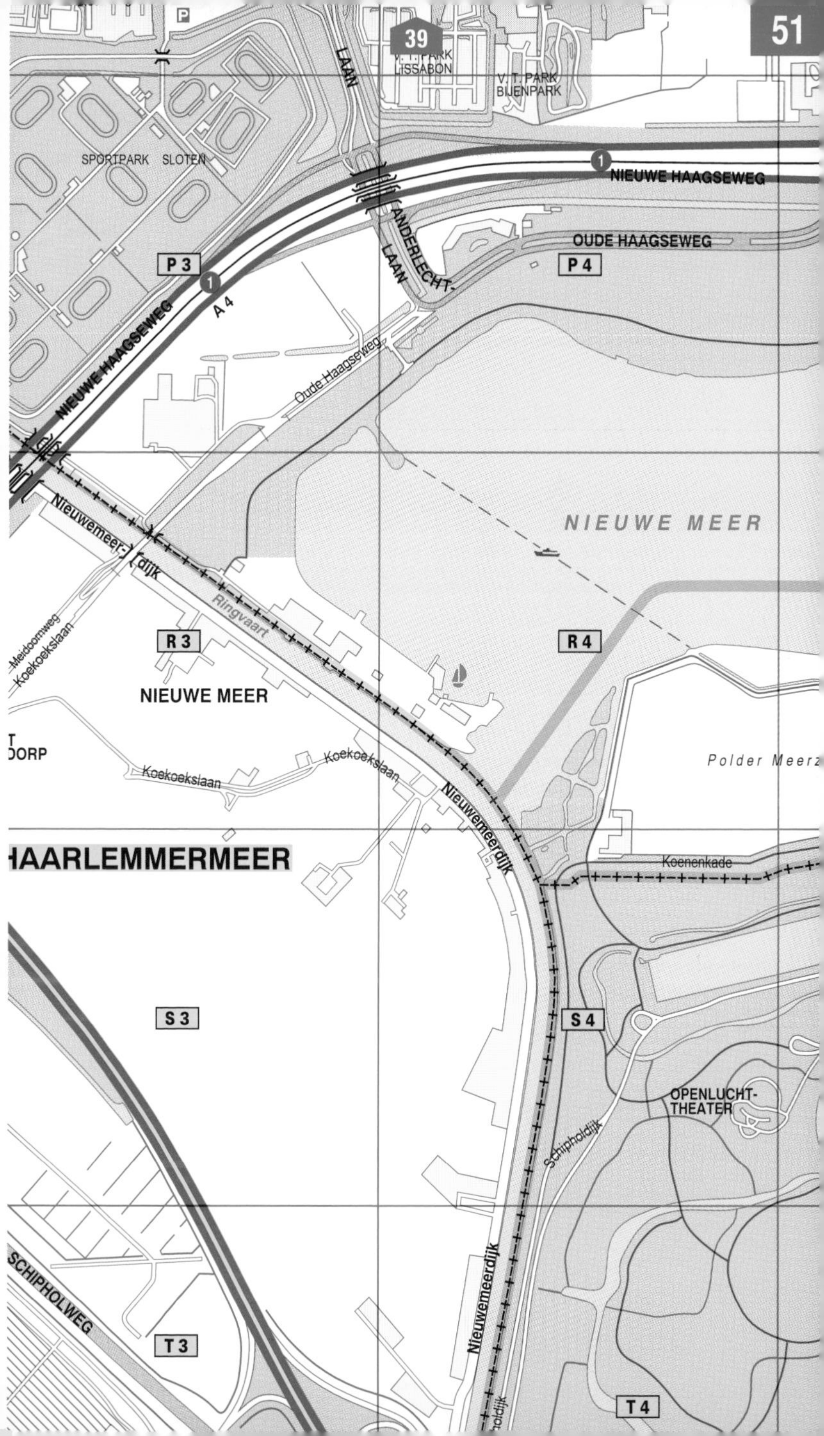

39
V. T. PARK LISSABON
V. T. PARK BIJENPARK
LAAN
SPORTPARK SLOTEN
NIEUWE HAAGSEWEG
OUDE HAAGSEWEG
ANDERLECHT-LAAN
P 3
P 4
A 4
NIEUWE HAAGSEWEG
Oude Haagseweg
NIEUWE MEER
Nieuwemeer-dijk
Ringvaart
R 3
R 4
Meidoornweg
Koekoekslaan
NIEUWE MEER
Polder Meerz
Koekoekslaan
Koekoekslaan
Nieuwemeerdijk
HAARLEMMERMEER
Koenenkade
S 3
S 4
OPENLUCHT-THEATER
Schipholdijk
SCHIPHOLWEG
Nieuwemeerdijk
T 3
T 4

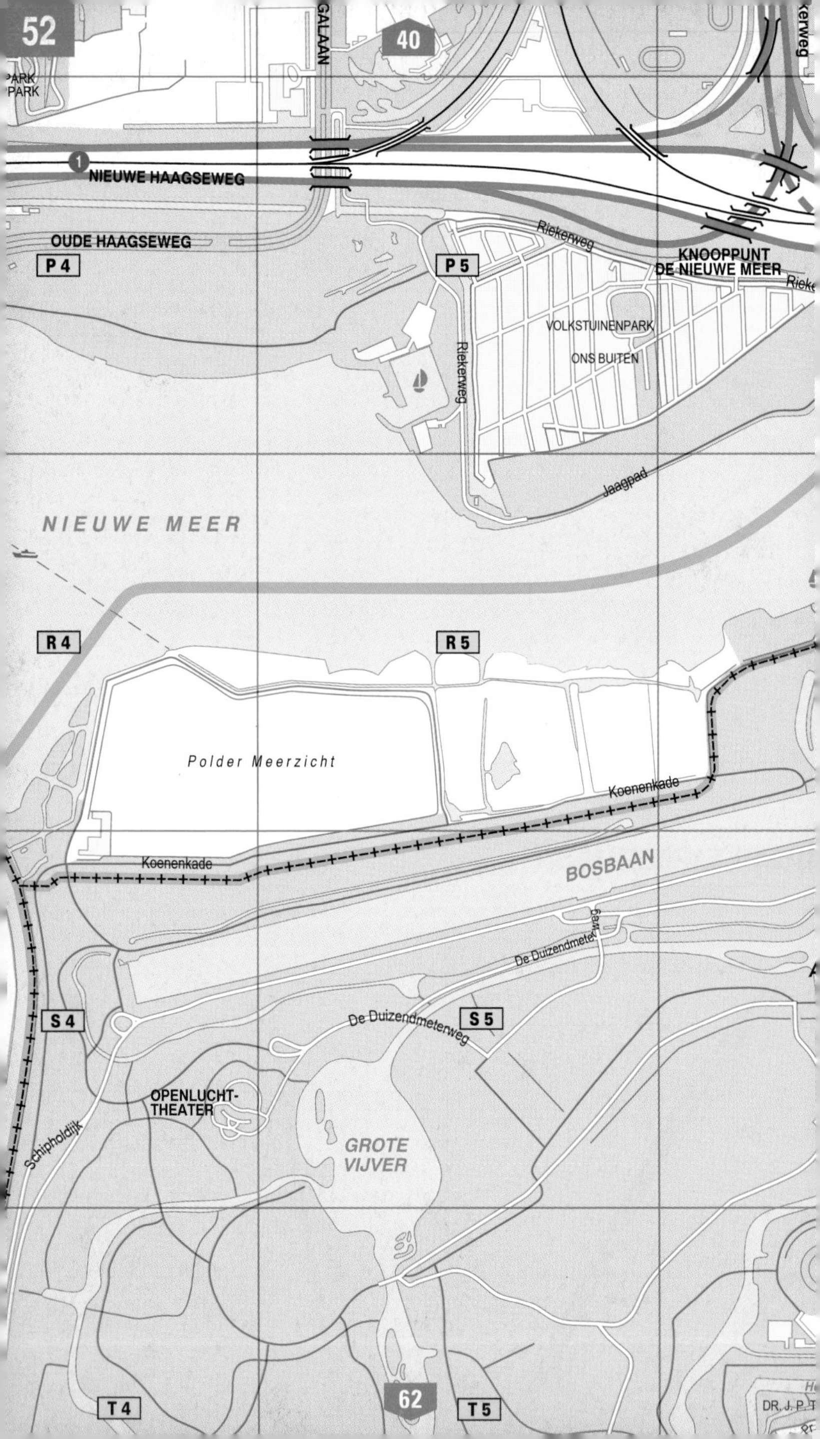

40
GALAAN
PARK
PARK
NIEUWE HAAGSEWEG
OUDE HAAGSEWEG
P 4
P 5
Riekerweg
KNOOPPUNT
DE NIEUWE MEER
VOLKSTUINENPARK
ONS BUITEN
Riekerweg
Jaagpad
NIEUWE MEER
R 4
R 5
Polder Meerzicht
Koenenkade
Koenenkade
BOSBAAN
De Duizendmeterweg
De Duizendmeterweg
S 4
S 5
OPENLUCHT-
THEATER
Schipholdijk
GROTE
VIJVER
62
T 4
T 5

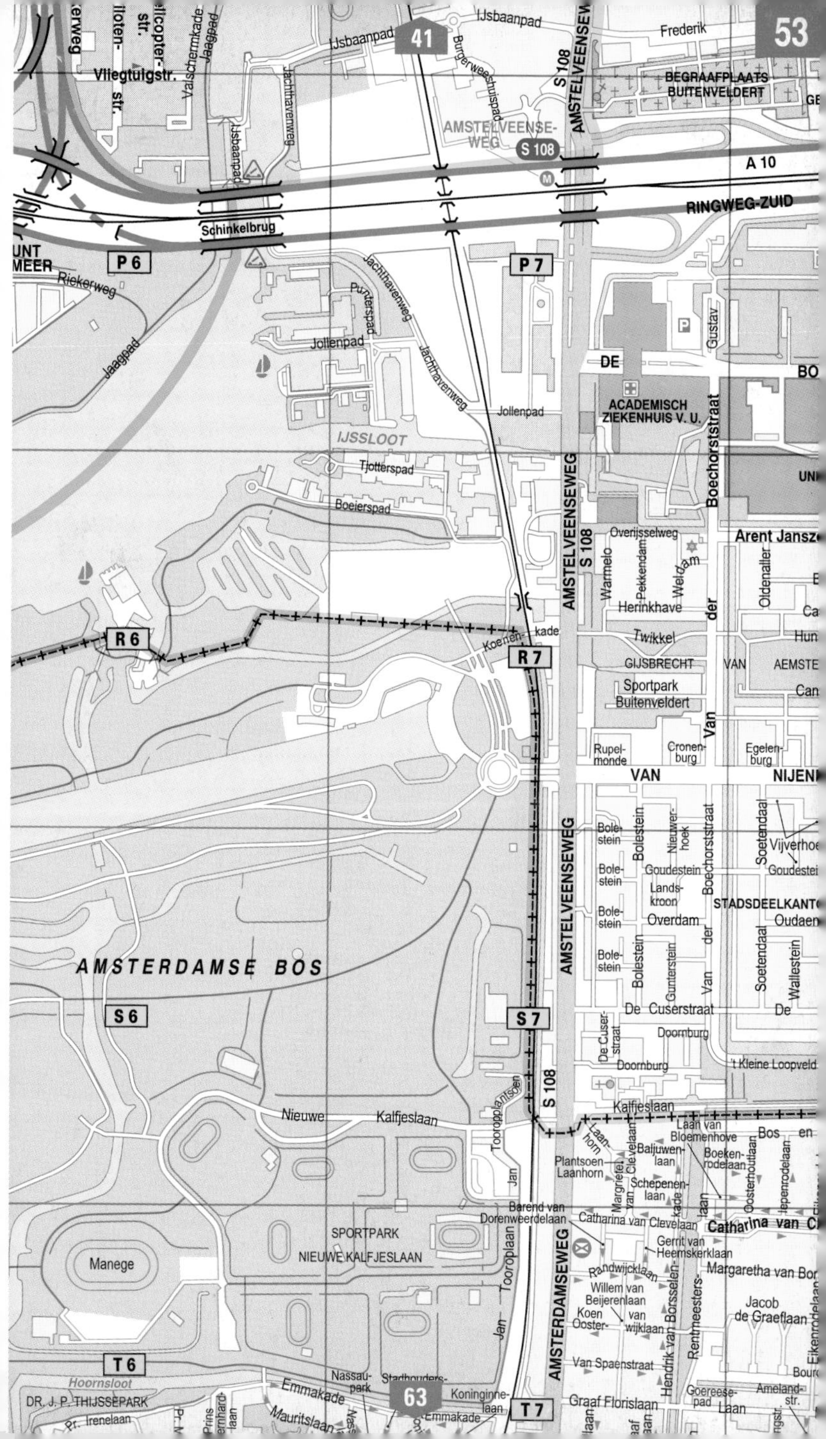
41
IJsbaanpad
Burgerweeshuispad
Frederik
BEGRAAFPLAATS
BUITENVELDERT
S 108
AMSTELVEENSEWEG
AMSTELVEENSE-
WEG
Vliegtuigstr.
Valschermkade
Jaagpad
Jachthavenweg
A 10
RINGWEG-ZUID
Schinkelbrug
P 6
P 7
Riekerweg
Punterspad
Jollenpad
Gustav
DE
BO
ACADEMISCH
ZIEKENHUIS V. U.
Boechorststraat
IJSSLOOT
Tjotterspad
Boeierspad
UNI
Overijsselweg
Arent Jansz
Warmelo
Pekkendam
Weldam
Oldenaller
Herinkhave
Twikkel
R 6
R 7
Koenenkade
GIJSBRECHT
VAN
AEMSTE
Sportpark
Buitenveldert
Van der
Rupelmonde
Cronenburg
Egelenburg
VAN
NIJEN
Bolestein
Nieuwerhoek
Soetendaal
Vijverhof
Goudestein
Landskroon
Overdam
STADSDEELKANT
Oudaen
Gunterstein
Wallestein
AMSTERDAMSE BOS
S 6
S 7
De Cuserstraat
De
Doornburg
't Kleine Loopveld
Nieuwe
Kalfjeslaan
Tooroplantsoen
Laan van
Bloemenhove
Bos en
Laanhorn
Plantsoen-
Laanhorn
Baljuwenlaan
Boekenrodelaan
Oosterhoutlaan
Iepenrodelaan
Margriet van Clevelaan
Schepenenlaan
kade
laan
Barend van
Dorenweerdelaan
Catharina van Clevelaan
Catharina van Cl
Gerrit van
Heemskerklaan
SPORTPARK
NIEUWE KALFJESLAAN
Manege
Tooroplaan
Jan
Randwijcklaan
Margaretha van Bor
Willem van
Beijerenlaan
Koen
Oosterwijklaan
Hendrik van Borsselen
Rentmeesters-
Jacob
de Graeflaan
AMSTERDAMSEWEG
Van Spaenstraat
Eikenrode
T 6
T 7
Hoornsloot
DR. J. P. THIJSSEPARK
Nassau-
park
Stadhouders-
63
Emmakade
Koninginne-
laan
Graaf Florislaan
Goereese-
pad
Laan
Ameland-
str.
Pr. Irenelaan
Mauritslaan
Prins Bernhardlaan

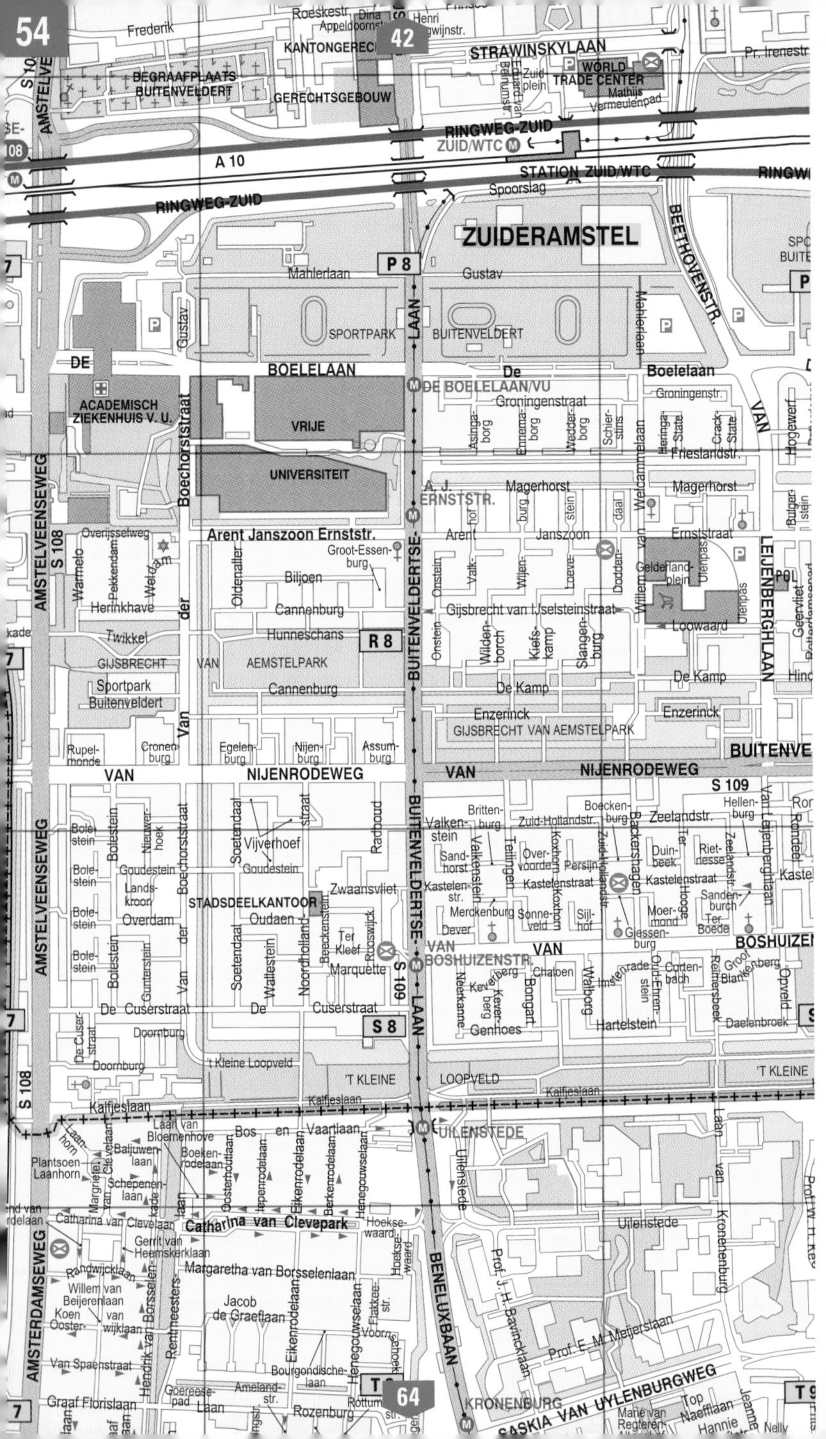
42
Frederik
Roeskestr.
Dina Appeldoornstr.
Henri Polakstr.
KANTONGERECHT
STRAWINSKYLAAN
Pr. Irenestr.
BEGRAAFPLAATS BUITENVELDERT
GERECHTSGEBOUW
Eduard van Beinumstr.
Zuidplein
WORLD TRADE CENTER
Mathijs Vermeulenpad
AMSTELVEENSEWEG
S 108
RINGWEG-ZUID
ZUID/WTC
A 10
STATION ZUID/WTC
Spoorslag
ZUIDERAMSTEL
BEETHOVENSTR.
P 8
Mahlerlaan
Gustav
Gustav
SPORTPARK
BUITENVELDERT
LAAN
Mahlerlaan
DE
BOELELAAN
De
Boelelaan
DE BOELELAAN/VU
ACADEMISCH ZIEKENHUIS V. U.
Boechorststraat
VRIJE
UNIVERSITEIT
Groningenstr.
Groningenstraat
Asingaborg
Ennemaborg
Wedderborg
Schierstins
Welcammelaan
Heringa-State
Crack-State
Frieslandstr.
VAN
Hogewerf
A. J. ERNSTSTR.
Magerhorst
Magerhorst
Bulgerstein
Arent Janszoon Ernststr.
Arent
Janszoon
Ernststraat
Overijsselweg
Warmelo
Pekkendam
Weldam
Oldenaller
Groot-Essenburg
Biljoen
Cannenburg
Hunneschans
Onstein
Valkhof
Wijenburg
Loevestein
Doddendaal
Willem van
Gelderlandplein
Uilenpas
LEIJENBERGHLAAN
Geervliet
Herinkhave
der
Gijsbrecht van IJselsteinstraat
Loowaard
Twikkel
R 8
GIJSBRECHT
VAN
AEMSTELPARK
Wildenborch
Kiefskamp
Slangenburg
Sportpark Buitenveldert
Cannenburg
De Kamp
De Kamp
BUITENVELDERTSE-
Van
Enzerinck
Enzerinck
GIJSBRECHT VAN AEMSTELPARK
Rupelmonde
Cronenburg
Egelenburg
Nijenburg
Assumburg
BUITENVE
VAN
NIJENRODEWEG
VAN
NIJENRODEWEG
S 109
Bolestein
Nieuwerhoek
Boechorststraat
Soetendaal
Vijverhoef
straat
Radboud
Brittenburg
Valkenstein
Zuid-Hollandstr.
Boeckenburg
Zeelandstr.
Hellenburg
Van Leijenberghlaan
Rondeel
Goudestein
Goudestein
Landskroon
Sandhorst
Valkenstein
Teilingen
Overvoorde
Koxhorn
Persijn
Zuid-Hollandstr.
Backershagen
Duinbeek
Rietnesse
Zeelandstr.
Kastelenstr.
Kastelenstraat
Kastelenstraat
Kastel
Overdam
STADSDEELKANTOOR
Oudaen
Zwaansvliet
Merckenburg
Sonneveld
Sijlhof
Moermond
Hooge
Sandenburch
Ter Boede
Dever
Glessenburg
Noordhollandstr.
Beeckenstein
Rooswijck
Ter Kleef
Marquette
VAN BOSHUIZENSTR.
VAN
BOSHUIZEN
Gunterstein
Wattestein
S 109
Neerkanne
Keverberg
Bongart
Chatoen
Walborg
Imstenrade
Oud-Ehrenstein
Cortenbach
Reimersbeek
Groot Blankenberg
Opveld
De
Cuserstraat
De
Cuserstraat
De Cuserstraat
S 8
Genhoes
Hartelstein
Daelenbroek
Doornburg
Doornburg
't Kleine Loopveld
'T KLEINE
LOOPVELD
'T KLEINE
Kalfjeslaan
Kalfjeslaan
Kalfjeslaan
Laan van Bloemenhove
Bos
en
Vaartlaan
UILENSTEDE
Laanhorn
Plantsoen Laanhorn
Margriet van Clevelaan
Baljuwenlaan
Boekenrodelaan
Oosterhoutlaan
Iepenrodelaan
Eikenrodelaan
Berkenrodelaan
Henegouwselaan
Uilenstede
Laan van Kronenenburg
Schepenenlaan
kade
Catharina van Clevelaan
Catharina van Clevepark
Hoeksewaard
Uilenstede
AMSTERDAMSEWEG
Gerrit van Heemskerklaan
Randwijcklaan
Margaretha van Borsselenlaan
Prof. J. H. Bavincklaan
BENELUXBAAN
Willem van Beijerenlaan
Koen Oosterwijklaan
Jacob de Graeflaan
Eikenrodelaan
Henegouwselaan
Flakkeestr.
Voornsehoek
Prof. E. M. Meijerslaan
Van Spaenstraat
Hendrik van Borsselenstr.
Rentmeesters-
Bourgondischelaan
SASKIA VAN UYLENBURGWEG
Goereesepad
Amelandstr.
Graaf Florislaan
Laan
Rozenburg
Rottum
64
KRONENBURG
Marie van Regteren
Top Naefflaan
Hannie
Nelly
Jeanne
7
T 9

43
RAI
Pr. Irenestr.
De Groene Zoom
PRESIDENT KENNEDYLAAN
STADSDEELKANTOOR
plein
Europaboulevard
S 109
Baroniestr.
Graafschapstr.
Montferlandstr.
Sallandstr.
Betuwestr.
Veluwelaan
Stichtstraat
Baroniepad
Peelstraat
De Mirandalaan
POL
Jacob Soetendorpstr.
Oldambtstr.
Twentestr.
Westerwoldestr.
Zuidelijke
Wandelweg
Zuidelijke Wandelweg
Gaasterlandstr.
Gaasterlandpad
RINGWEG-ZUID
A 10
RAI
STATION RAI
P 10
S 109
SPORTPARK BUITENVELDERT
P 9
BEGRAAFPLAATS ZORGVLIED
Drentestr.
De Boelelaan
Krooswijkhof
Rotterdamsepad
Matenessehof
Weenahof
Hogewerf
Spangenhof
Van Heenvlietlaan
De Klencke
Holy
Oversinge
Mensinge
Butgerstein
Kranenburg
Arent Janszoon Ernststr.
S 109
Rozenoordbrug
LEIJENBERGHLAAN
Honingen
Oldengaarde
Haviks-horst
Dik-ninge
Sterkenburg
Weerdestein
POL
Hof van Groenen
Geervliet
Rotterdamsepad
Nederlsticht
Slijpestein
Rhijnestein
Drakenstein
EUROPABOULEVARD
R 10
R 9
Hinderstein
Hinderstein
AMSTELPARK
Moersbergen
Moersbergen
GIJSBRECHT VAN AEMSTELPARK
BUITENVELDERT
VAN NIJENRODEWEG
Beysterveld
Van Leijenberghlaan
Rondeel
Henkenshage
Wamberg
Wamberg
Bourgognie
Noordbrabantstr.
Tongelaer
Aldendriel
Gagelronk
Kastelenstraat
Kastelenstraat
Nieuw Herlaer
Nieuw Herlaer
Kanteel
Onsenoort
Grote Ruwenberg
Zuidewijn
Amsteldijk
Ouderkerkerdijk
BOSHUIZEN-STRAAT
De Borcht
Opveld
Roffart
Holtmeulen
Nederhoven
Borggraaf
Aldengoor
Hillenraadt
Bleijenbeek
Limburghof
Europa-Boulevard
De Borcht
RIEKERMOLEN
S 9
Arenborg
Nederhoven
Ouborg
S 10
REMBRANDT-MONUMENT
'T KLEINE LOOPVELD
Kalfjeslaan
Kalfjeslaan
Kostverlorenweg
Aanlop
SPORTPARK 'T LOOPVELD
Prof. W. H. Keesomlaan
Kostverlorenkade
Kostverlorenweg
T 9
65
T 10

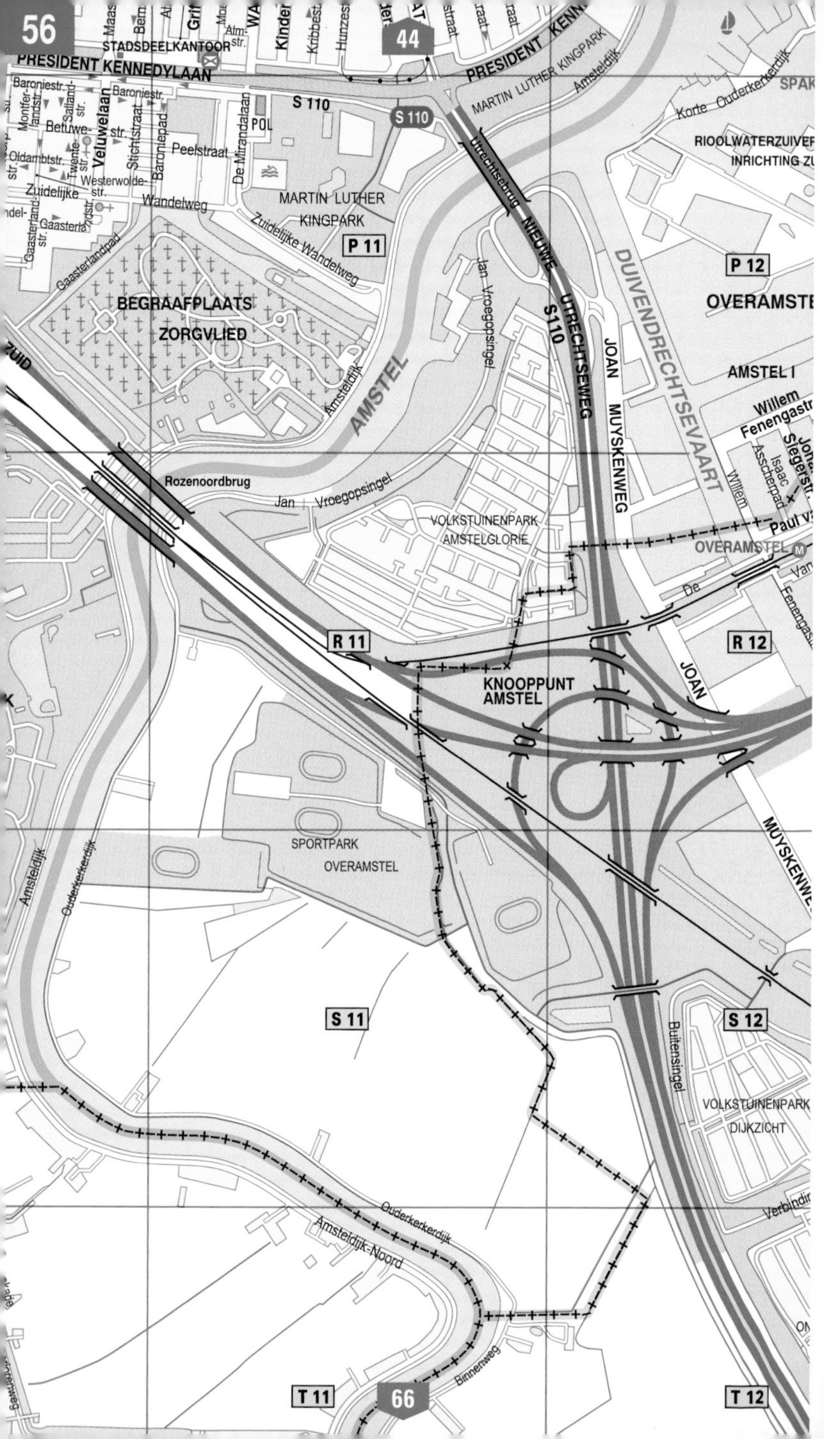
44
STADSDEELKANTOOR
PRESIDENT KENNEDYLAAN
PRESIDENT KENNEDY
MARTIN LUTHER KINGPARK
Amsteldijk
Korte Ouderkerkerdijk
RIOOLWATERZUIVERINGSINRICHTING
S 110
POL
Baroniestr.
Betuwe-str.
Veluwelaan
Stichtstraat
Baroniepad
Peelstraat
De Mirandalaan
Zuidelijke
Wandelweg
Zuidelijke Wandelweg
MARTIN LUTHER KINGPARK
P 11
Utrechtsebrug
NIEUWE UTRECHTSEWEG
S110
Jan Vroegopsingel
DUIVENDRECHTSEVAART
P 12
OVERAMSTEL
AMSTEL I
JOAN MUYSKENWEG
BEGRAAFPLAATS ZORGVLIED
AMSTEL
Gaasterlandpad
Willem Fenengastr.
Isaac Asscherpad
Rozenoordbrug
Jan Vroegopsingel
VOLKSTUINENPARK AMSTELGLORIE
OVERAMSTEL
R 11
R 12
KNOOPPUNT AMSTEL
JOAN MUYSKENWEG
SPORTPARK OVERAMSTEL
Amsteldijk
Ouderkerkerdijk
S 11
S 12
Buitensingel
VOLKSTUINENPARK DIJKZICHT
Ouderkerkerdijk
Amsteldijk-Noord
Binnenweg
T 11
66
T 12

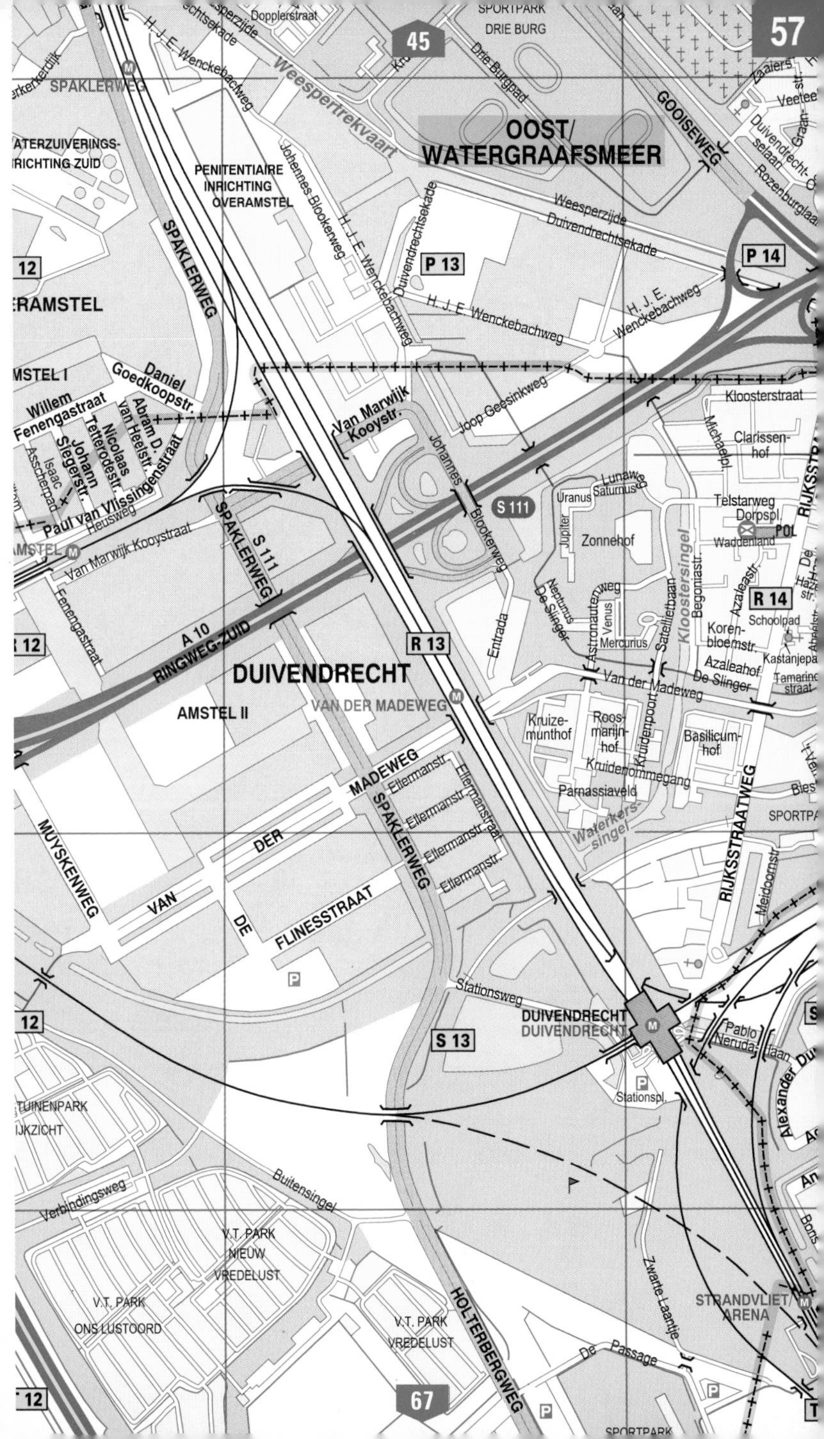

45
SPORTPARK
DRIE BURG
Dopplerstraat
H. J. E. Wenckebachweg
SPAKLERWEG
Weespertrekvaart
OOST/
WATERGRAAFSMEER
GOOISEWEG
WATERZUIVERINGS-
INRICHTING ZUID
PENITENTIAIRE
INRICHTING
OVERAMSTEL
Johannes Blookerweg
Duivendrechtsekade
Weesperzijde
P 13
P 14
12
OVERAMSTEL
AMSTEL I
Daniel Goedkoopstr.
Willem Fenengastraat
Abram D. Van Heelstr.
Nicolaas Tetterodestr.
Johann Siegerstr.
Isaac Asscherpad
Paul van Vlissingenstraat
Heusweg
Van Marwijk Kooystr.
Joop Geesinkweg
Kloosterstraat
Clarissenhof
Michaelpl.
Telstarweg
Dorpspl.
POL
Waddenland
Uranus
Saturnus
Lunaweg
Jupiter
Zonnehof
S 111
AMSTEL
Van Marwijk Kooystraat
Fenengastraat
A 10
RINGWEG-ZUID
DUIVENDRECHT
AMSTEL II
R 13
VAN DER MADEWEG
Entrada
Neptunus
De Slinger
Astronautenweg
Venus
Mercurius
Satellietbaan
Kloostersingel
Begoniastr.
Azaleastr.
R 14
Schoolpad
Korenbloemstr.
Kastanjepad
Azaleahof
De Slinger
Van der Madeweg
Kruizemunthof
Roosmarijnhof
Kruidenpoort
Basilicumhof
Kruidenommegang
Parnassiaveld
Waterkerssingel
RIJKSSTRAATWEG
SPORTPARK
MUYSKENWEG
VAN DER MADEWEG
Ellermanstr.
Ellermanstraat
FLINESSTRAAT
Meidoornstr.
Stationsweg
DUIVENDRECHT
Pablo Nerudalaan
S 13
Stationspl.
Alexander Dumaslaan
TUINENPARK
DIJKZICHT
Buitensingel
Verbindingsweg
V.T. PARK
NIEUW
VREDELUST
V.T. PARK
ONS LUSTOORD
V.T. PARK
VREDELUST
HOLTERBERGWEG
Zwarte Laantje
De Passage
STRANDVLIET/
ARENA
67
SPORTPARK

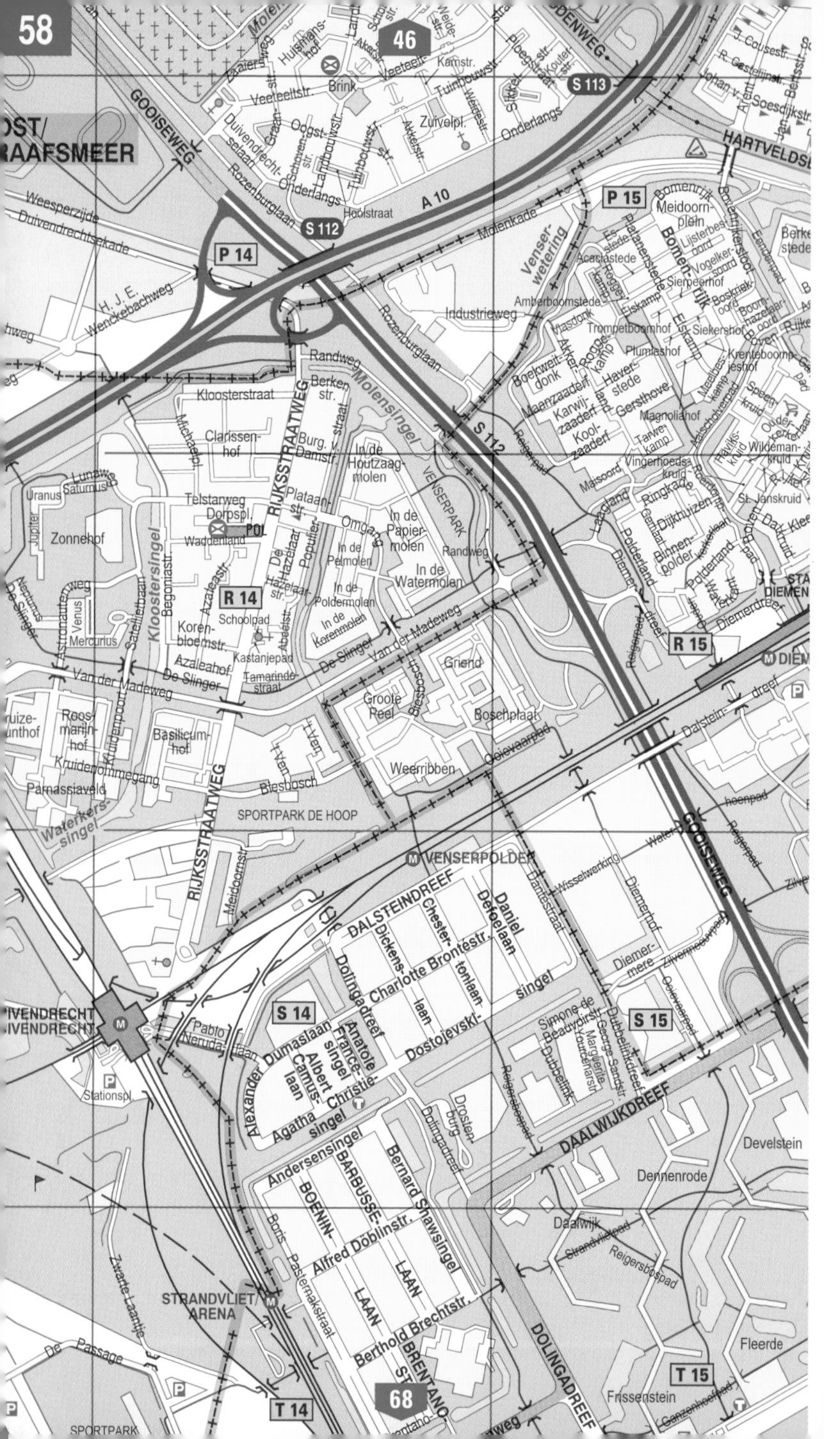

46
68
OOST/
WATERGRAAFSMEER
GOOISEWEG
A 10
S 112
S 113
P 14
P 15
R 14
R 15
S 14
S 15
T 14
T 15
RIJKSSTRAATWEG
Molensingel
VENSERPARK
SPORTPARK DE HOOP
VENSERPOLDER
DALSTEINDREEF
DAALWIJKDREEF
DOLINGADREEF
STRANDVLIET/
ARENA
DIVENDRECHT
HARTVELDSE
Industrieweg
Rozenburglaan
Van der Madeweg
De Slinger
Kloostersingel
Zonnehof
Develstein
Dennenrode
Daalwijk
Fleerde
Frissenstein

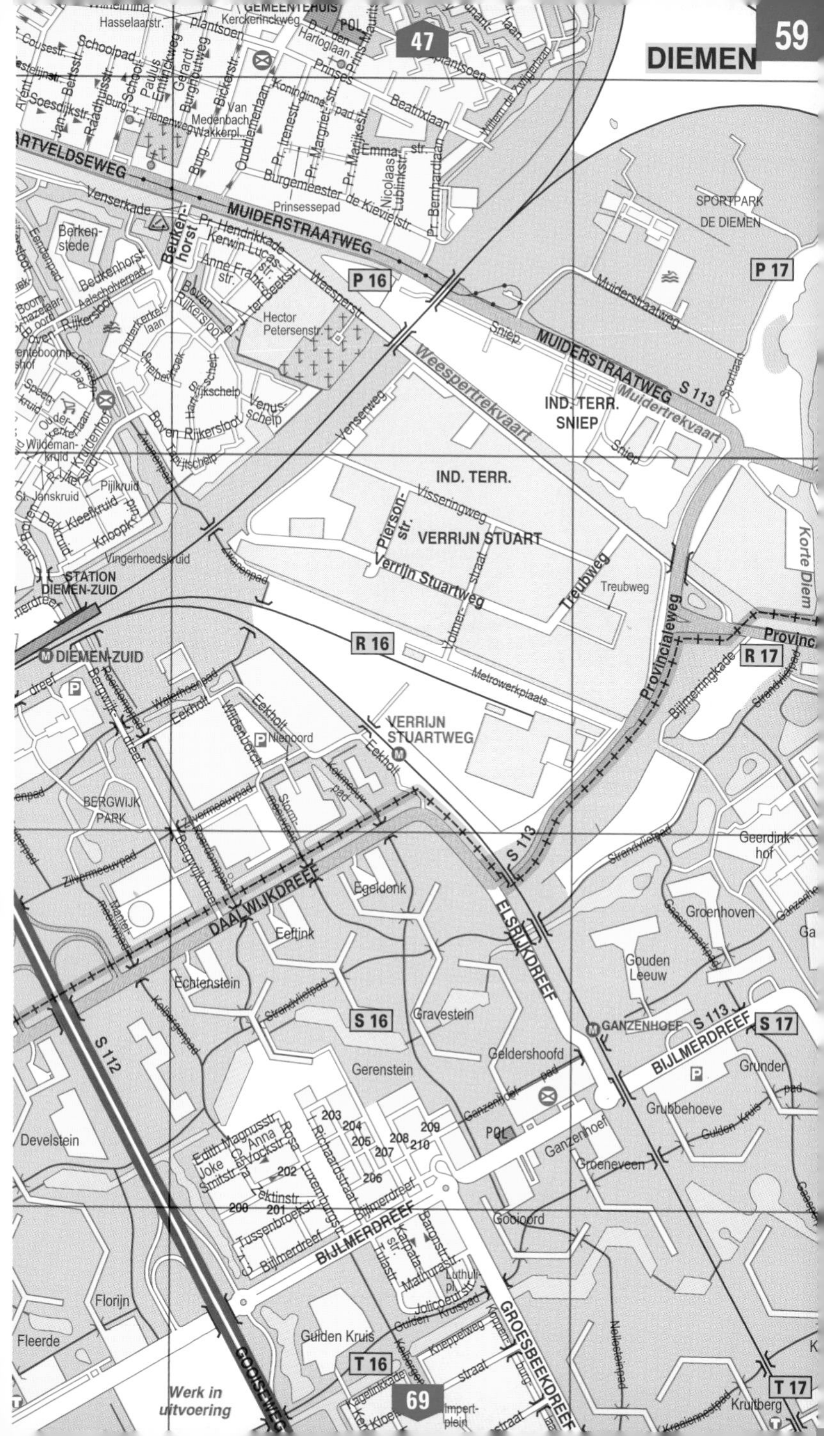
47
69
DIEMEN
59
MUIDERSTRAATWEG
Muiderstraatweg
Weespertrekvaart
Muidertrekvaart
IND. TERR.
SNIEP
Sniep
IND. TERR.
VERRIJN STUART
Verrijn Stuartweg
Visseringweg
Pierson-str.
Volmer-straat
Treubweg
Provinciaieweg
Metrowerkplaats
SPORTPARK
DE DIEMEN
Sportlaan
Korte Diem
P 16
P 17
R 16
R 17
S 16
S 17
S 112
S 113
T 16
T 17
STATION
DIEMEN-ZUID
DIEMEN-ZUID
VERRIJN
STUARTWEG
GANZENHOEF
DAALWIJKDREEF
ELSRIJKDREEF
BIJLMERDREEF
GROESBEEKDREEF
GOOISEWEG
BERGWIJK
PARK
Egeldonk
Eeftink
Echtenstein
Gravestein
Gerenstein
Geldershoofd
Gouden
Leeuw
Groenhoven
Grubbehoeve
Grunder
Groeneveen
Gooioord
Develstein
Florijn
Fleerde
Gulden Kruis
Kruitberg
Geerdink-
hof
Werk in
uitvoering
Venserkade
Berken-
stede
Beukenhorst
Beuken-
horst
Hector
Petersenstr.
Weesperstr.
Prinsessepad
Burgemeester de Kievietstr.
Beatrixlaan
Koninginnepad
Bijlmerringkade
Strandvlietpad
Ganzenhoef
Zilvermeeuwpad
Kolfmeerpad
Nelliestoinpad
Hasselaarstr.
GEMEENTEHUIS
POL

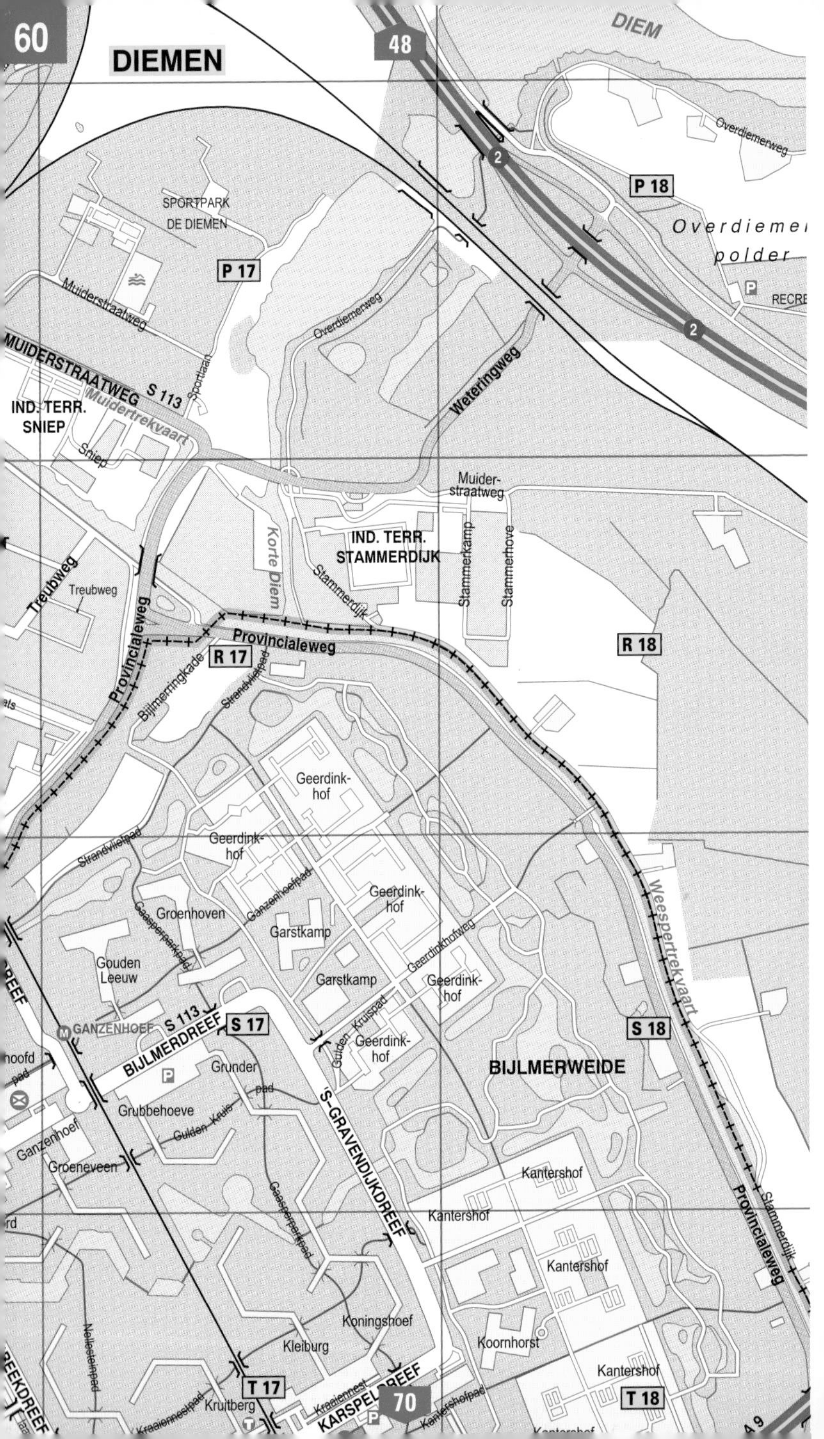

DIEMEN
DIEM
48
Overdiemerweg
P 18
Overdiemer
polder
RECRE
SPORTPARK
DE DIEMEN
P 17
Muiderstraatweg
Overdiemerweg
MUIDERSTRAATWEG
S 113
Sportlaan
Weteringweg
IND. TERR.
SNIEP
Muidertrekvaart
Sniep
Muider-
straatweg
Korte Diem
IND. TERR.
STAMMERDIJK
Stammerdijk
Stammerkamp
Stammerhove
Treubweg
Treubweg
Provincialeweg
Provincialeweg
R 17
R 18
Bijlmerringkade
Strandvlietpad
Geerdink-
hof
Geerdink-
hof
Strandvlietpad
Geerdink-
hof
Ganzenhoefpad
Groenhoven
Gaasperparkpad
Garstkamp
Gouden
Leeuw
Garstkamp
Geerdinkhofweg
Geerdink-
hof
Weespertrekvaart
S 18
GANZENHOEF
S 113
S 17
BIJLMERDREEF
Gulden Kruispad
Geerdink-
hof
Grunder
pad
BIJLMERWEIDE
Grubbehoeve
Gulden Kruis
Ganzenhoef
Groeneveen
'S-GRAVENDIJKDREEF
Kantershof
Provincialeweg
Stammerdijk
Kantershof
Gaasperparkpad
Kantershof
Koningshoef
Koornhorst
Kleiburg
Nellestelnpad
Kantershof
T 17
T 18
Kraaiennestpad
Kruitberg
Kraaiennest
KARSPELDREEF
70
Kantershofpad
A 9

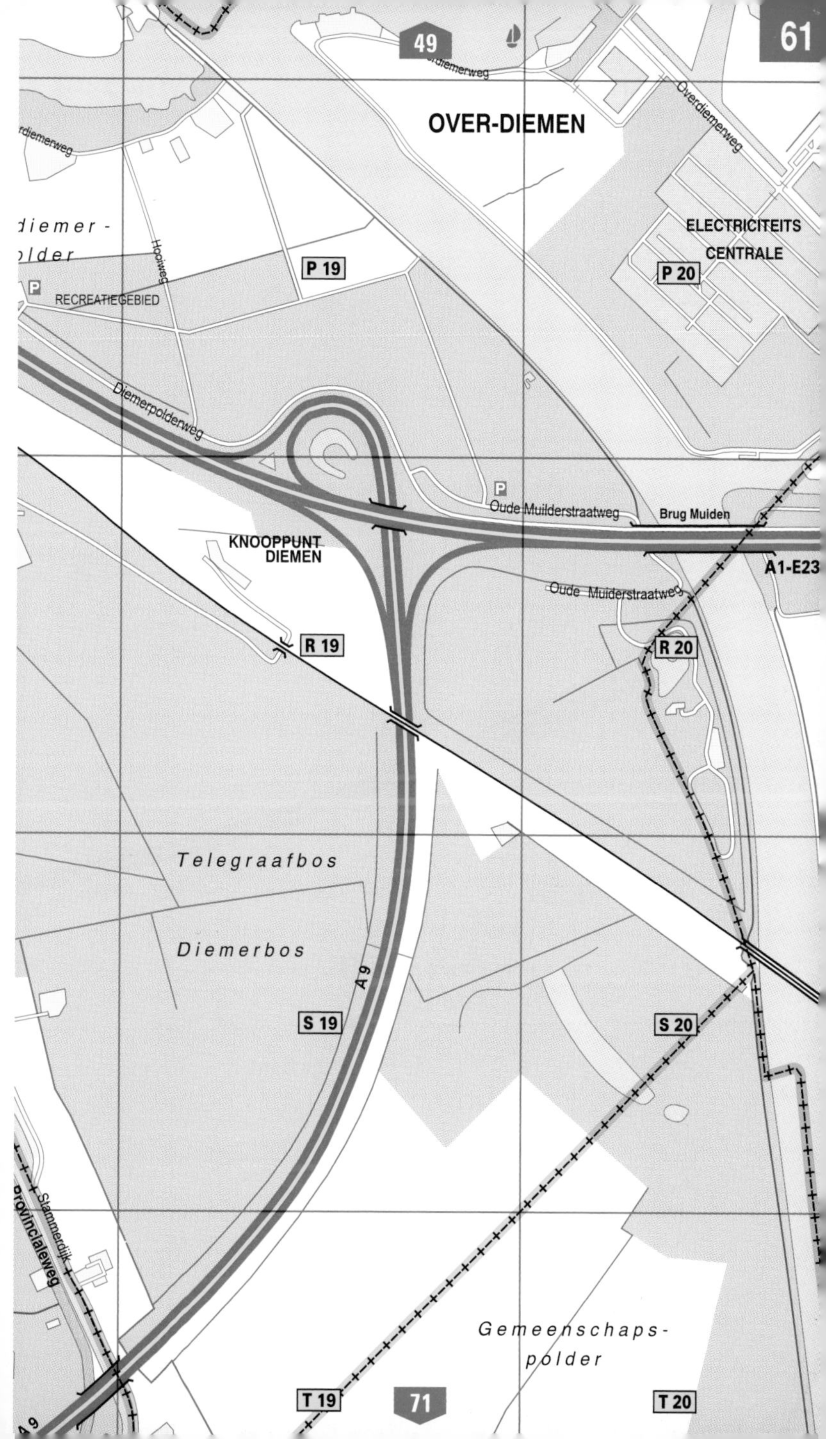
49
OVER-DIEMEN
Overdiemerweg
Overdiemerweg
Overdiemerweg
diemer -
polder
Hooiweg
P 19
P
RECREATIEGEBIED
ELECTRICITEITS
CENTRALE
P 20
Diemerpolderweg
P
Oude Muilderstraatweg
Brug Muiden
KNOOPPUNT
DIEMEN
A1-E23
Oude Muiderstraatweg
R 19
R 20
Telegraafbos
Diemerbos
A9
S 19
S 20
Stammerdijk
Provincialeweg
Gemeenschaps-
polder
T 19
71
T 20
A9

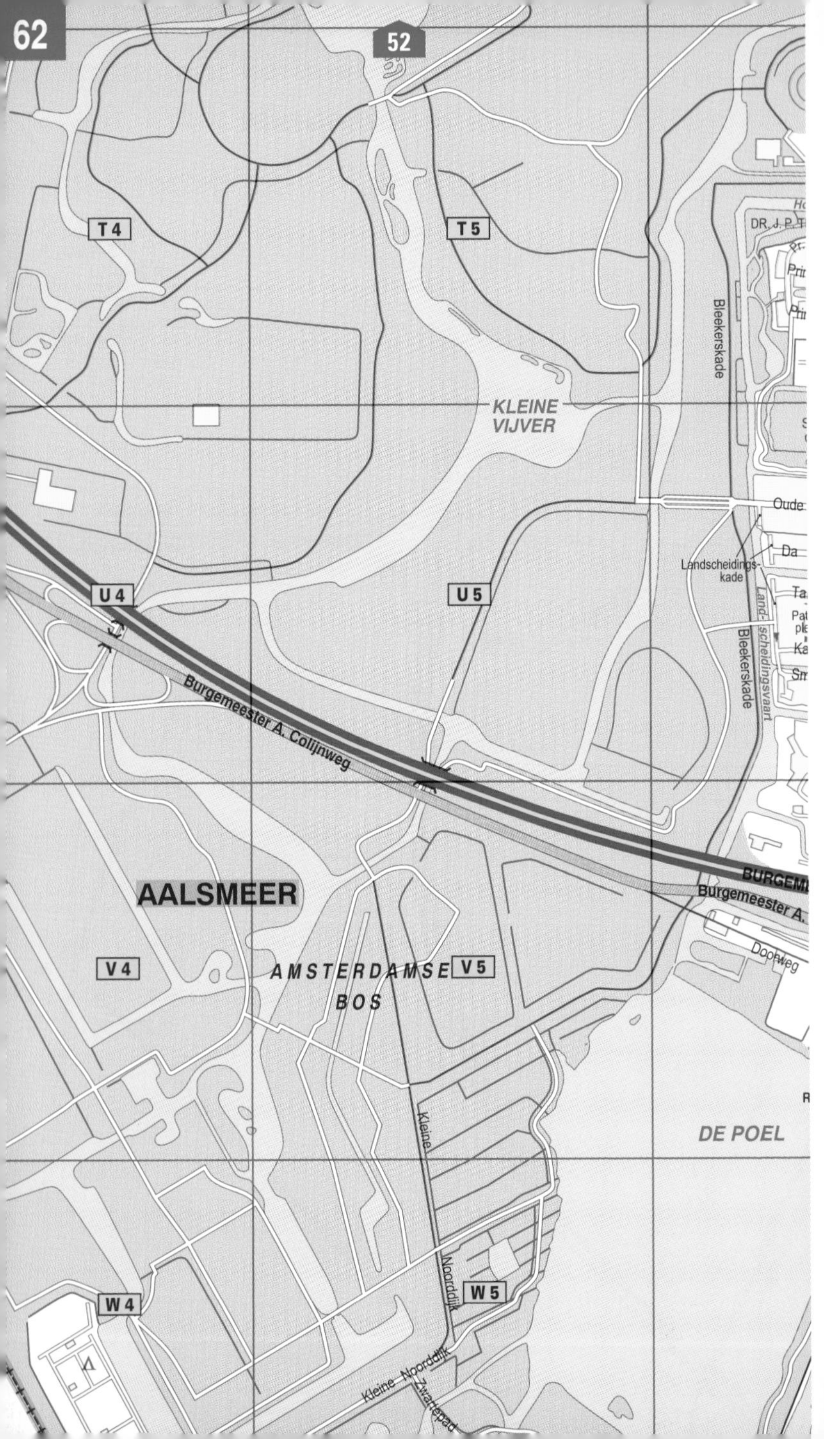
52
T4
T5
KLEINE
VIJVER
Bleekerskade
DR. J. P.
Oude
Da
Landscheidings-
kade
Land-
scheidingsvaart
Bleekerskade
U4
U5
Burgemeester A. Colijnweg
BURGEM
Burgemeester A.
Doorweg
AALSMEER
V4
AMSTERDAMSE
BOS
V5
DE POEL
Kleine
Noorddijk
W4
W5
Kleine Noorddijk
Zwanepad

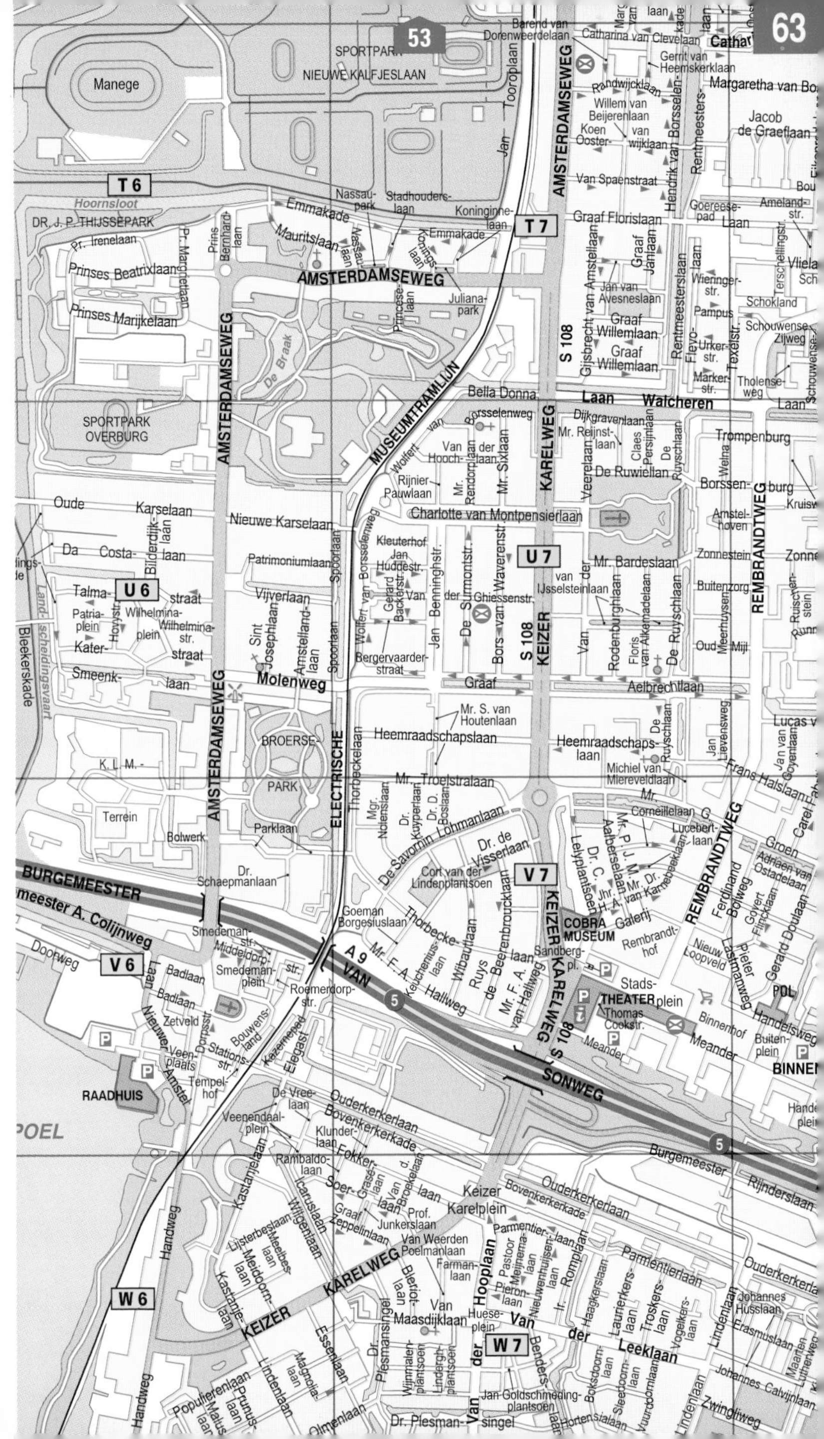
53
SPORTPARK
NIEUWE KALFJESLAAN
Manege
Barend van Dorenweerdelaan
Catharina van Clevelaan
Gerrit van Heemskerklaan
Margaretha van Bo
Jan Tooroplaan
AMSTERDAMSEWEG
Randwijcklaan
Willem van Beijerenlaan
Koen Oosterwijklaan
Jacob de Graeflaan
Hendrik van Borsselenkade
Rentmeesterslaan
Van Spaenstraat
T 6
Hoornsloot
DR. J. P. THIJSSEPARK
Emmakade
Nassaupark
Stadhouderslaan
Koninginnelaan
T 7
Graaf Florislaan
Goereesepad
Amelandstr.
Laan
Pr. Irenelaan
Pr. Margrietlaan
Prins Bernhardlaan
Mauritslaan
Nassaulaan
Koningslaan
Emmakade
Jan van Avesneslaan
Graaf Janlaan
Wieringerstr.
Terschellingstr.
Vlieland
Prinses Beatrixlaan
AMSTERDAMSEWEG
Julianapark
Princeselaan
Pampus
Schokland
Prinses Marijkelaan
Graaf Willemlaan
Gijsbrecht van Amstellaan
S 108
Flevostr.
Urkerstr.
Texelstr.
Schouwense Zijweg
Schouwenseweg
De Braak
MUSEUMTRAMLIJN
Markerstr.
Tholenseweg
Bella Donna
Laan
Walcheren
Laan
SPORTPARK OVERBURG
Borsselenweg
Wolfert van Borsselenweg
Van der Hoochlaan
Mr. Rendorplaan
Mr. Sixlaan
KARELWEG
Dijkgravenlaan
Mr. Reijnstlaan
Claes Persijnlaan
De Ruyschlaan
Veerelaan
Trompenburg
De Ruwiellan
Rijnier Pauwlaan
Borssenburg
Welna
REMBRANDTWEG
Kruisweg
Oude Karselaan
Nieuwe Karselaan
Charlotte van Montpensierlaan
Amstelhoven
Bilderdijklaan
Da Costalaan
Kleuterhof
Jan Huddestr.
Patrimoniumlaan
U 7
Mr. Bardeslaan
Zonnestein
Spoorlaan
Talmastraat
U 6
Gerard Backerstr.
Van Benninghstr.
De Surmontstr.
Van der Ghiessenstr.
Bors van Waverenstr.
van IJsselsteinlaan
Rodenburghlaan
Floris van Alkemadelaan
Buitenzorg
Ruischenstein
Patriaplein
Hovystr.
Wilhelminaplein
Wilhelminastr.
Vijverlaan
Sint Josephlaan
Amstellandlaan
Meerhuysen
Katerstraat
Land-scheidingsvaart
Bleekerskade
S 108
KEIZER
Oud-Mijl
Smeenklaan
Bergervaarderstraat
Molenweg
Graaf Aelbrechtlaan
AMSTERDAMSEWEG
Mr. S. van Houtenlaan
Heemraadschapslaan
Heemraadschapslaan
De Ruyschlaan
Jan Lievensweg
Lucas v
BROERSEPARK
ELECTRISCHE
Thorbeckelaan
K. L. M.-Terrein
Michiel van Miereveldlaan
Jan van Goyenlaan
Frans Halslaan
Mr. Troelstralaan
Mr. Nolenslaan
Dr. Kuyperlaan
Dr. D. Boslaan
Corneillelaan
De Savornin Lohmanlaan
Lucebertlaan
Carel Fabr
Parklaan
Bolwerk
Dr. de Visserlaan
Mr. P. J. M. Aalberselaan
Dr. C. Lelyplantsoen
Jhr. Mr. Dr. H. A. van Karnebeeklaan
Groen
Adriaen van Ostadelaan
BURGEMEESTER
Dr. Schaepmanlaan
Cort van der Lindenplantsoen
V 7
REMBRANDTWEG
Ferdinand Bolweg
Govert Flinckiaan
Burgemeester A. Colijnweg
Goeman Borgesiuslaan
Thorbeckelaan
KEIZER KARELWEG
COBRA MUSEUM
Galerij
Rembrandthof
Nieuw Loopveld
Pieter Lastmanweg
Gerard Doulaan
Doorweg
Smedemanstr.
Middeldorpstr.
Smedemanplein
Mr. F. A. Kelchtermanslaan
Wibautlaan
Ruys de Beerenbrouckiaan
Mr. F. A. van Hallweg
Sandbergpl.
V 6
Badlaan
A 9
VAN
Hallweg
Stadsplein
THEATER
Thomas Cookstr.
POL
Laan Nieuwer Amstel
Badlaan
Roemerdorpstr.
Handelsweg
Zetveld
Dorpsstr.
Bouwensland
Binnenhof
Meander
Buitenplein
Stationsstr.
Veenplaats
Kazernepad
Elegast
Meander
S 108
BINNEN
RAADHUIS
Tempelhof
SONWEG
POEL
De Vreelaan
Ouderkerkerlaan
Bovenkerkerkade
Handelplein
Veenendaalplein
Klunderlaan
Burgemeester Rijnderslaan
Rambaldolaan
Fokkerlaan
Van d. Broekelaan
Keizer Karelplein
Ouderkerkerlaan
Bovenkerkerkade
Kastanjelaan
Icaruslaan
Soer
Graserlaan
Prof. Junkerslaan
Graaf Zeppelinlaan
Handweg
Lijsterbeslaan
Meidoornlaan
Wilgenlaan
Meelbeslaan
Van Weerden Poelmanlaan
Parmentierlaan
Parmentierlaan
Farmanlaan
Hooplaan
P. Pastoor Pieronlaan
Mejjnemalaan
Nieuwenhuijsenlaan
Ir. Romplaan
Haagkerslaan
Laurierkerslaan
Troskerslaan
Vogelkerslaan
Lindenlaan
Johannes Husslaan
Erasmuslaan
Ouderkerkerlaan
W 6
Bleriotlaan
KEIZER KARELWEG
Kastanjelaan
Van Maasdijklaan
Hueseplein
Van der Leeklaan
Benderslaan
Maarten Lutherweg
Essenlaan
Magnolialaan
Dr. Plesmansingel
Wijnmalenplantsoen
Lindberghplantsoen
W 7
Jan Goldschmedingplantsoen
Boksdoornlaan
Sleedoornlaan
Vuurdoornlaan
Lindenlaan
Johannes Calvijnlaan
Zwingliweg
Handweg
Populierenlaan
Prunuslaan
Malluslaan
Lindenlaan
Olmenlaan
Dr. Plesmansingel
Van
Hortensialaan

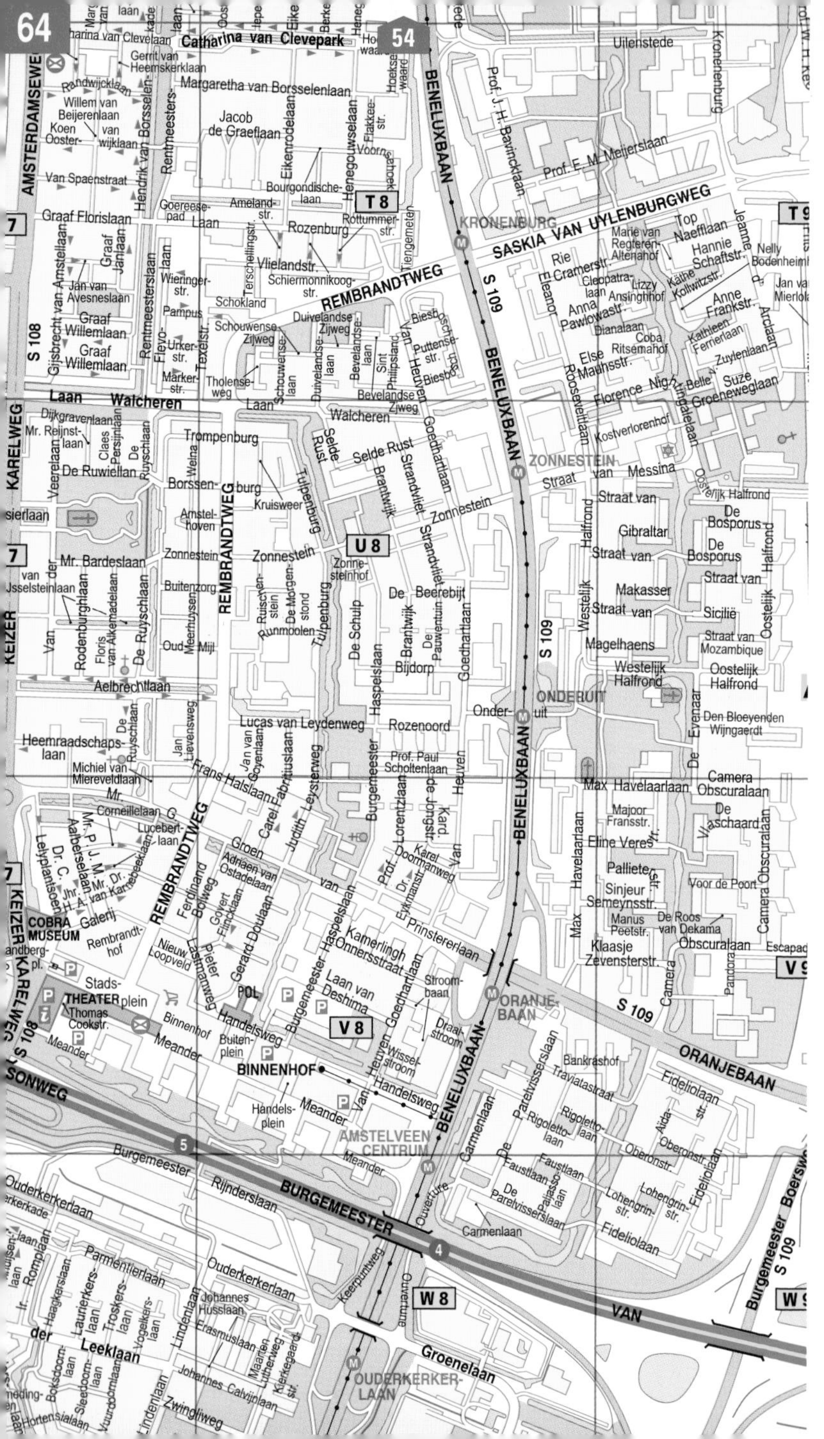
54
Catharina van Clevelaan
Catharina van Clevepark
Gerrit van Heemskerklaan
Randwijcklaan
Margaretha van Borsselenlaan
Willem van Beijerenlaan
Koen Oosterwijklaan
AMSTERDAMSEWEG
Jacob de Graeflaan
Eikenrodelaan
Henegouwselaan
Flakkeestr.
Voornsehoek
Hoeksewaard
BENELUXBAAN
Prof. J. H. Bavincklaan
Uilenstede
Kronenenburg
Prof. E. M. Meijerslaan
SASKIA VAN UYLENBURGWEG
Van Spaenstraat
Hendrik van Borsselenlaan
Rentmeesterslaan
Bourgondischelaan
T 8
T 9
Goereesepad
Amelandstr.
Laan
Rottummerstr.
Tiengemeten
KRONENBURG
Graaf Florislaan
Rozenburg
Terschellingstr.
Vlielandstr.
Schiermonnikoogstr.
Graaf Janlaan
Jan van Avesneslaan
Wieringerstr.
Schokland
REMBRANDTWEG
S 109
Rie Cramerstr.
Marie van Regteren-Altenahof
Top Naefflaan
Hannie Schaftstr.
Jeanne d'Arclaan
Nelly Bodenheim
Käthe Kollwitzstr.
Jan van Mierlolaan
Cleopatralaan
Lizzy Ansinghhof
Eleanor Rooseveltlaan
Anna Pawlowastr.
Anne Frankstr.
Graaf Willemlaan
Gijsbrecht van Amstellaan
S 108
Pampus
Flevostr.
Urkerstr.
Texelstr.
Markerstr.
Schouwense Zijweg
Tholenseweg
Schouwenselaan
Duivelandse Zijweg
Duivelandselaan
Bevelandselaan
Sint Philipsland
Van Heuven Goedhartlaan
Biesbosch
Puttensestr.
Dianalaan
Coba Ritsemahof
Else Mauhsstr.
Kathleen Ferrierlaan
Zuylenlaan
Belle van Zuylenlaan
Suze Groeneweglaan
Florence Nightingalelaan
Laan Walcheren
Bevelandse Zijweg
Walcheren
KARELWEG
Dijkgravenlaan
Mr. Reijnstlaan
Claes Persijnlaan
De Ruyschlaan
Veerelaan
De Ruwiellan
Trompenburg
Weina
Borssenburg
Kruisweer
Selde Rust
Brantwijk
Strandvliet
Goedhartlaan
ZONNESTEIN
Kostverlorenhof
Straat van Messina
Oostelijk Halfrond
Straat van Gibraltar
De Bosporus
Amstelhoven
Tulpenburg
Zonnestein
U 8
Zonnesteinhof
REMBRANDTWEG
Mr. Bardeslaan
van der IJsselsteinlaan
Rodenburghlaan
Floris van Alkemadelaan
De Ruyschlaan
Buitenzorg
Ruischenstein
De Morgenstond
Runmoolen
De Schulp
De Beerebijt
De Pauwentuin
Westelijk Halfrond
Straat van Makasser
Straat van Sicilië
Straat van Mozambique
Magelhaens
KEIZER
Van
Meerhuysen
Oud Mijl
Haspelslaan
Bijdorp
Westelijk Halfrond
Oostelijk Halfrond
Aelbrechtlaan
ONDERUIT
Onderuit
De Evenaar
Den Bloeyenden Wijngaerdt
Heemraadschapslaan
Jan Lievensweg
Jan van Goyenlaan
Carel Fabritiuslaan
Judith Leysterweg
Lucas van Leydenweg
Rozenoord
Burgemeester
Prof. Paul Scholtenlaan
Lorentzlaan
Kard. de Jongstr.
Van Heuven
Max Havelaarlaan
Camera Obscuralaan
Michiel van Miereveldlaan
Frans Halslaan
Mr. Corneillelaan
G. Lucebertlaan
Mr. P. J. M. Aalberselaan
Dr. C. Lelyplantsoen
Jhr. Mr. Dr. H. A. van Karnebeeklaan
Majoor Fransstr.
Eline Veresstr.
Palliete
De Waschaard
Voor de Poort
Sinjeur Semeynsstr.
Manus Peetstr.
De Roos van Dekama
Klaasje Zevensterstr.
Obscuralaan
Escapade
Groen van Prinstererlaan
Adriaen van Ostadelaan
Ferdinand Bolweg
Govert Flinckplaan
Gerard Doulaan
Prof. Dr. Eykmanstr.
Karel Doormanweg
COBRA MUSEUM
Galerij
Rembrandthof
Nieuw Loopveld
Pieter Lastmanweg
Kamerlingh Onnesstraat
Burgemeester Haspelslaan
Goedhartlaan
Stroombaan
ORANJEBAAN
S 109
V 9
Pandora
Camera
Landbergpl.
Stadsplein
THEATER
Thomas Cookstr.
POL
Laan van Deshima
V 8
Draaistroom
Bankrashof
Traviatastraat
Parelvisserslaan
Meander
Binnenhof
Handelsweg
Buitenplein
Wisselstroom
BINNENHOF
Handelsplein
Handelsweg
Rigolettolaan
Fideliolaan
Aïdastr.
Oberonstr.
Carmenlaan
AMSTELVEEN CENTRUM
De Faustlaan
Pajlassolaan
De Parelvisserslaan
Lohengrinstr.
SONWEG
5
Burgemeester Rijnderslaan
BURGEMEESTER
Ouverture
Carmenlaan
Fideliolaan
Ouderkerkerlaan
Ouderkerkade
Ir. Romplaan
Parmentierlaan
Haagkerslaan
Laurierkerslaan
Troskerslaan
Vogelkerslaan
4
Keerpuntweg
W 8
Burgemeester Boerswe
S 109
W 9
VAN
Ouderkerkerlaan
Johannes Husslaan
Lindenlaan
Erasmuslaan
Maarten Lutherweg
Kierkegaardstr.
der Leeklaan
Boksdoornlaan
Sleedoornlaan
Vuurdoornlaan
Johannes Calvijnlaan
OUDERKERKERLAAN
Groenelaan
Zwingliweg
Lindenlaan
Hortensialaan

55
SPORTPARK
'T LOOPVELD
Aanlop
Prof. W. H. Keesomlaan
Kostverlorenkade
Kostverlorenweg
T 9
T 10
Frits
Nelly Bodenheimhof
Piet de
Jan van Mierlolaan
Winterlaan
Petrus Coeberghlaan
Tom Lodewijklaan
Arclaan
Müllerlaan
Riek Blokland
Paterlaan
Kostverlorenweg
Kostverlorenkade
VOLKSTUIN
ELDORA
Middelpolder
Machineweg M. P.
Machineweg
Machineweg
in
den
Middelpolder
Bankrasweg
Olympiadelaan
Halfrond
Oostelijk Halfrond
onder
U 10
Bankrasweg
Amstelveen
AMSTELVEEN
U 9
Bankrasweg
SPORTPARK
ESCAPADE
Camera Obscuralaan
Escapade
Bankrasweg
V 9
V 10
Oostermeer
Oostermeerweg
Oostermeer-
kade
Amsteldijk-Noord
Hoger Einde-Noord
ORANJEBAAN
Burgemeester Boersweg
S 109
Bankrasweg
Bankraspad
Gosewijnstraat
Badelochstraat
BURGEMEESTER
Burgemeester
Hoger Einde-Zuid
Gijsbrecht
Pr. Hendrik
Amstelzijde
W 9
W 10
Brugstraat
A 9
SONWEG
Amstelslag
Amsteldijk-Zuid
Achterdijk
Kerkstr.
4

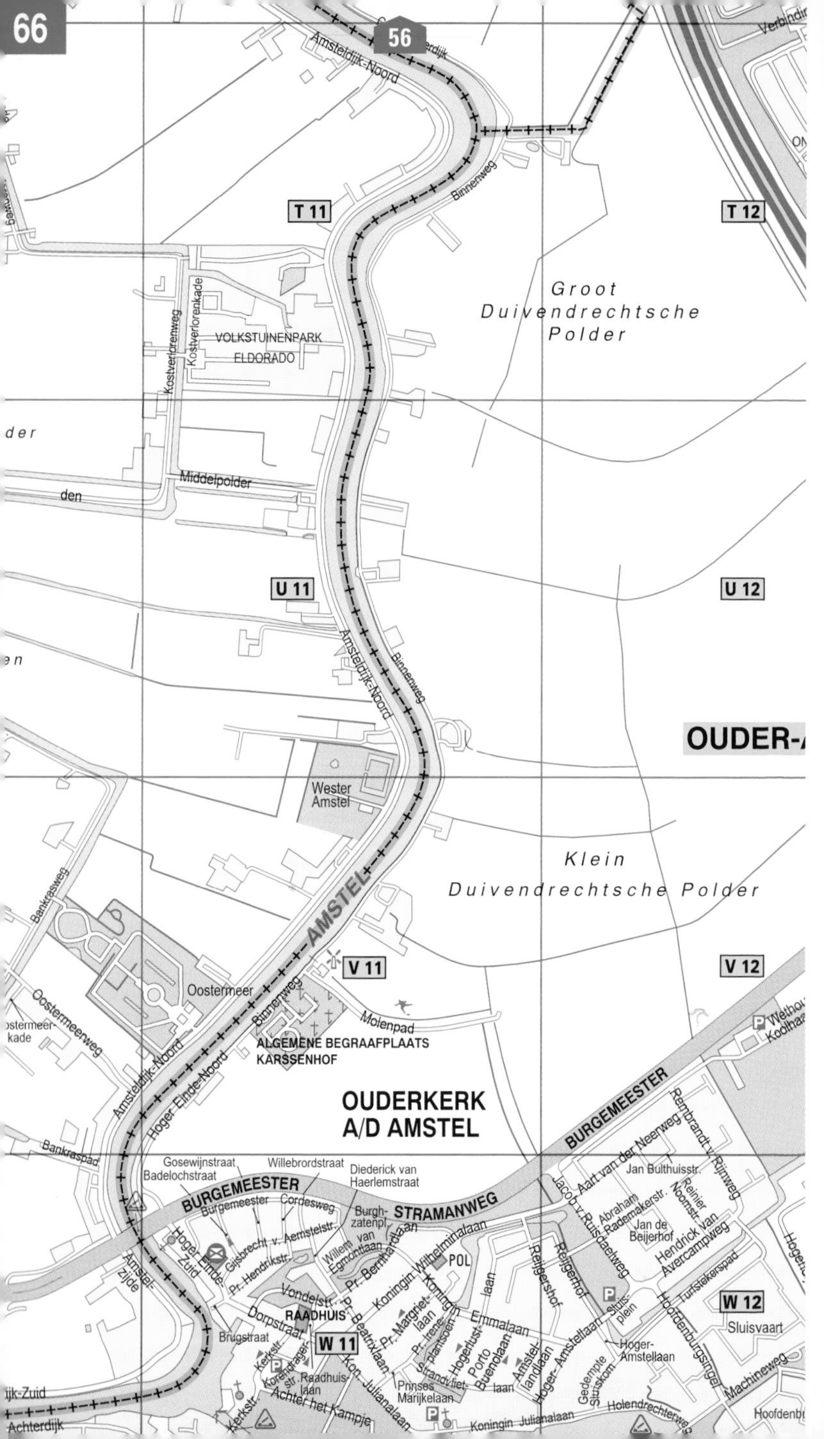
56
Amsteldijk-Noord
Binnenweg
T 11
T 12
Groot
Duivendrechtsche
Polder
VOLKSTUINENPARK
ELDORADO
Kostverlorenweg
Kostverlorenkade
Middelpolder
U 11
U 12
Amsteldijk-Noord
Binnenweg
OUDER-
Wester
Amstel
Klein
Duivendrechtsche Polder
AMSTEL
V 11
V 12
Bankrasweg
Oostermeer
Oostermeerweg
Oostermeerkade
Binnenweg
Molenpad
ALGEMENE BEGRAAFPLAATS
KARSSENHOF
Amsteldijk-Noord
Hoger-Einde-Noord
OUDERKERK
A/D AMSTEL
BURGEMEESTER
Bankraspad
Gosewijnstraat
Badelochstraat
Willebrordstraat
Diederick van
Haerlemstraat
BURGEMEESTER
Burgemeester
Cordesweg
STRAMANWEG
Burgh-
zatenpl.
Aart van der Neerweg
Jan Bulthuisstr.
Rembrandt v. Rijnweg
Jacob v. Ruisdaelweg
Abraham
Rademakerstr.
Reinier
Noomstr.
Jan de
Beijerhof
Hendrick van
Avercampweg
Gijsbrecht v. Aemstelstr.
Pr. Hendrikstr.
Willem
van
Egmontlaan
Pr. Bernhardlaan
Koningin Wilhelminalaan
POL
Reigershof
Reigerhof
Hoger-
Zuid
Hoger-
Einde
Amstel-
zijde
Vondelstr.
Dorpstraat
RAADHUIS
Pr. Beatrixlaan
Koningin Emmalaan
Pr. Margrietlaan
Pr. Irene-
plantsoen
Hogerlust
Porto Buenolaan
Amstel-
landlaan
Hoger-Amstellaan
Sluis-
plein
Hoger-
Amstellaan
Hoofdenburgsingel
Turfstekerspad
W 12
Sluisvaart
Brugstraat
W 11
Kerkstr.
Korendrager-
str.
Raadhuis-
laan
Kon. Julianalaan
Strandvliet
Prinses
Marijkelaan
Gedempte
Sluiskom
Machineweg
Holendrechterweg
Achter het Kampje
Kerkstr.
Koningin Julianalaan
Hoofdenb
Achterdijk
dijk-Zuid
Verbindi
Wethou
Koolhaa
den
der

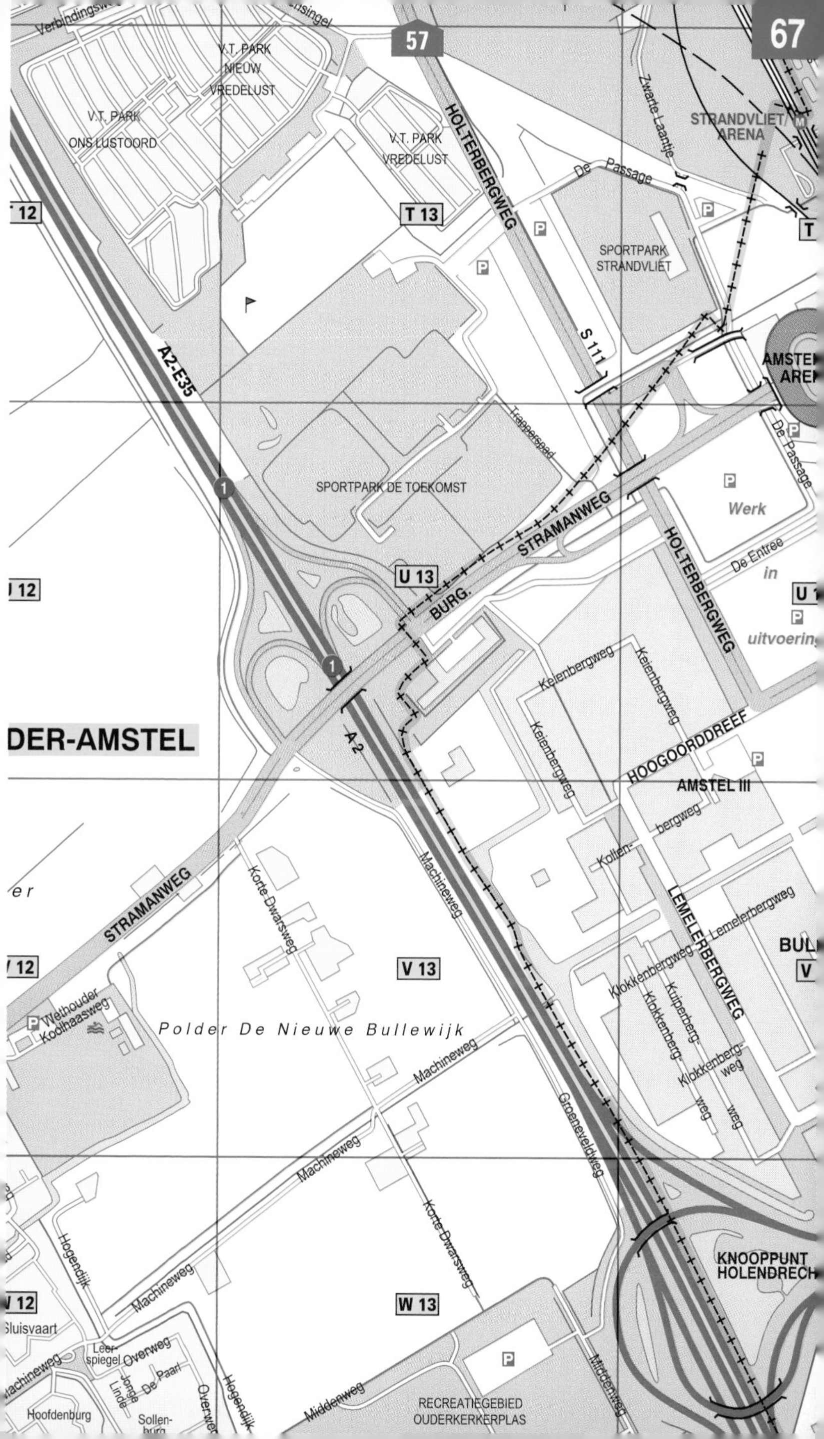
57
V.T. PARK
NIEUW
VREDELUST
V.T. PARK
ONS LUSTOORD
V.T. PARK
VREDELUST
HOLTERBERGWEG
Zwarte Laantje
STRANDVLIET/ARENA
De Passage
T 12
T 13
SPORTPARK
STRANDVLIET
A2-E35
S 111
Trapperspad
SPORTPARK DE TOEKOMST
STRAMANWEG
Werk
De Entree
in
uitvoering
U 13
U 12
BURG.
HOLTERBERGWEG
Keienbergweg
A 2
DER-AMSTEL
HOOGOORDDREEF
AMSTEL III
Kollen-
bergweg
Machineweg
Korte Dwarsweg
STRAMANWEG
LEMELERBERGWEG
Lemelerbergweg
Klokkenbergweg
Klokkenberg-
weg
Kruiperberg-
weg
V 12
V 13
Wethouder Koolhaasweg
Polder De Nieuwe Bullewijk
Machineweg
Groenenveldweg
KNOOPPUNT
HOLENDRECHT
Hogendijk
Korte Dwarsweg
W 12
W 13
Sluisvaart
Leerspiegel
Overweg
Jonge Linde
De Paarl
Hoofdenburg
Sollenburg
Middenweg
RECREATIEGEBIED
OUDERKERKERPLAS

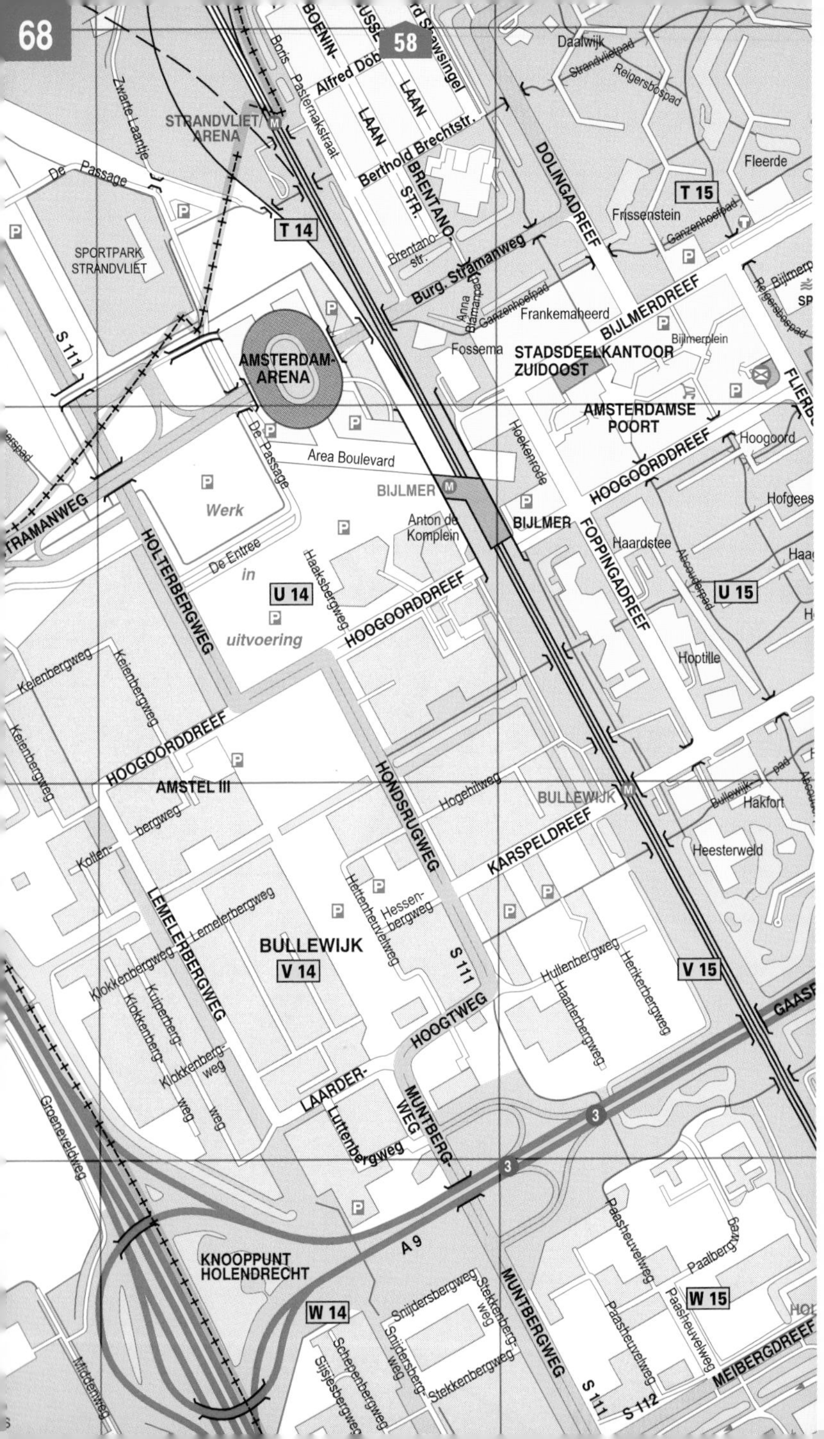
58
Daalwijk
Strandvlietpad
Reigersbospad
Boris Pasternakstraat
Alfred Döblin-
LAAN
Berthold Brechtstr.
BRENTANO-
STR.
Brentano-
str.
DOLINGADREEF
Fleerde
T 15
Frissenstein
Ganzenhoefpad
Zwarte Laantje
STRANDVLIET/
ARENA
De Passage
T 14
SPORTPARK
STRANDVLIET
Burg. Stramanweg
Anna Blamanpad
Ganzenhoefpad
Frankemaheerd
BIJLMERDREEF
Bijlmerplein
Reigersbospad
S 111
AMSTERDAM-
ARENA
Fossema
STADSDEELKANTOOR
ZUIDOOST
AMSTERDAMSE
POORT
Hoogoord
De Passage
Area Boulevard
Hoekenrode
HOOGOORDDREEF
BIJLMER
Hofgees
STRAMANWEG
Werk
Anton de
Komplein
BIJLMER
FOPPINGADREEF
Haardstee
De Entree
in
U 14
Haaksbergweg
Abcouderpad
U 15
HOLTERBERGWEG
HOOGOORDDREEF
uitvoering
Hoptille
Kelenbergweg
Keienbergweg
Keienbergweg
HOOGOORDDREEF
AMSTEL III
HONDSRUGWEG
Hogehilweg
BULLEWIJK
Bullewijk
Hakfort
bergweg
Kollen-
KARSPELDREEF
Heesterweld
LEMELERBERGWEG
Lemelerbergweg
Hettenheuvelweg
Hessen-
bergweg
BULLEWIJK
V 14
S 111
Hullenbergweg
Herikerbergweg
Haarlerbergweg
V 15
Klokkenbergweg
Klokkenberg-
Kuiperberg-
weg
Klokkenberg-
weg
weg
HOOGTWEG
Groeneveldweg
LAARDER-
Luttenbergweg
MUNTBERG-
WEG
3
3
A 9
KNOOPPUNT
HOLENDRECHT
Paasheuvelweg
Paalbergweg
W 14
Snijdersbergweg
Stekkenberg-
weg
MUNTBERGWEG
Paasheuvelweg
Paasheuvelweg
W 15
Schepenbergweg
Snijdersberg-
weg
Sijsjesbergweg
Stekkenbergweg
Middenweg
S 111
S 112
MEIBERGDREEF

59
BIJLMERMEER
GOOISEWEG
GROESBEEKDREEF
BIJLMERDREEF
KARSPELDREEF
FLIERBOSDREEF
HUNTUMDREEF
MEERKERKDREEF
LANGBROEKDREEF
GAASPERDAMMERWEG
HOLENDRECHTDREEF
A 9
S 112
T 16
T 17
U 16
U 17
V 16
V 17
W 16
W 17
Werk in uitvoering
BIJLMER SPORTCENTRUM
POL
BIJLMERPARK
KRAAIENNEST
HOLENDRECHT
ACADEMISCH MEDISCH CENTRUM
ZUID
Gulden Kruis
Florijn
Fleerde
Gooioord
Kruitberg
Kikkenstein
Hoogoord
Hofgeest
Haag en Veld
Hogevecht
Huntum
Huigenbos
Hakfort
Kelbergen
Kralenbeek
Leusden
Leerdamhof
Maldenhof
Maarsenhof
Nieuwersluishof
Nieuwlandhof
Maasdrielhof
Holendrecht-plein
Nigtevecht-hof
Niftrikhof
Ochtenhof
Meernhof
Mijehof
Mijndenhof
Opheusdenhof
Millingenhof
Montfoorthof
Rhenenhof
Renkum-hof
Ophemerthof
Opijnenhof
Reigersbospad
Kraaiennestpad
Bullewijkpad
Abcouderpad
Nellesteinpad
Meibergpad
Reigersbosdreef
Kantershofpad
Kloekhorststraat
Kolfschotenstraat
Kuilsenhofweg
Krimpert-plein
Kormelinkweg
Kortvoort
Kemmerinkhorstweg
Kagelinkkade
Kneppelweg
Jolicoeurstr.
Mathurastr.
Tulastr.
Bijlmerdreef
Tussenbroekstr.
Zektinstr.
Bijlmerpark
Pannerden-straat
Remmerden-plein
Reewijk-plein
Rossum-plein
Ruiseveenpad
Puiflijkpad
Ravenswaai-pad
REIGERSBOS
Soestert
Parkh
Polsbroekstr.
Langbroekpad
Kemperin
Leks
200
201

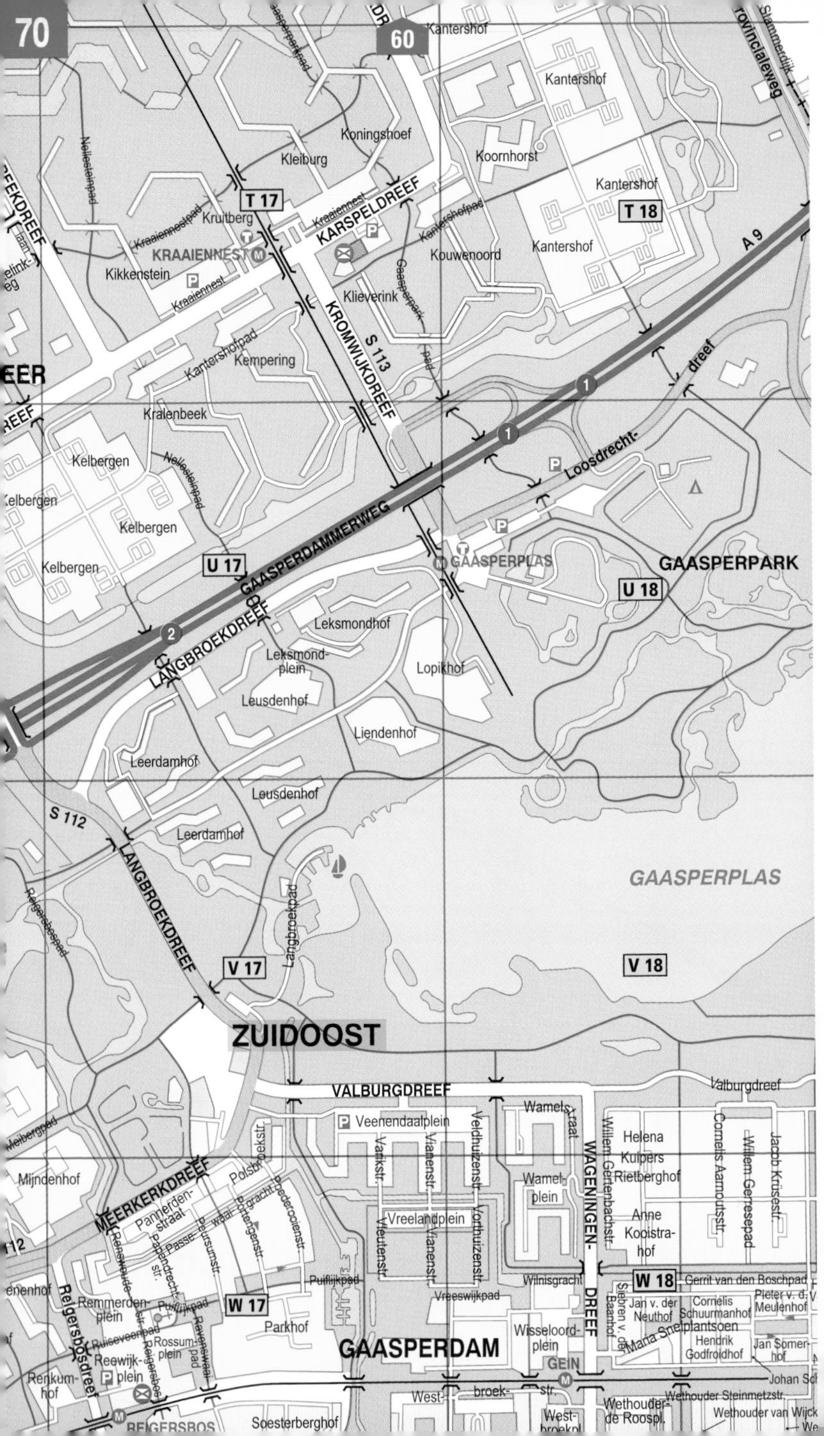
60
Kantershof
Koningshoef
Kleiburg
Koornhorst
T 17
T 18
KARSPELDREEF
Kruitberg
KRAAIENNEST
Kikkenstein
Kouwenoord
Klieverink
KROMWIJKDREEF
S 113
Kempering
Kralenbeek
Kelbergen
A 9
Loosdrecht-
dreef
GAASPERDAMMERWEG
U 17
U 18
GAASPERPLAS
GAASPERPARK
LANGBROEKDREEF
Leksmondhof
Leksmond-
plein
Lopikhof
Leusdenhof
Liendenhof
Leerdamhof
S 112
GAASPERPLAS
Langbroekpad
V 17
V 18
ZUIDOOST
VALBURGDREEF
Valburgdreef
Veenendaalplein
Wamelstraat
Vreelandplein
Wamel-
plein
WAGENINGEN-
DREEF
Helena
Kuipers
Rietberghof
Anne
Kooistra-
hof
MEERKERKDREEF
Mijndenhof
W 17
W 18
Parkhof
GAASPERDAM
Wisseloord-
plein
GEIN
Reigersbosdreef
Remmerden-
plein
Reewijk-
plein
Rossum-
plein
Renkum-
hof
REIGERSBOS
Soesterberghof
West-
broek-
str.
Wethouder-
de Roospl.
Hendrik
Godfroidhof
Jan Somer-
hof
Cornelis
Schuurmanhof
Pieter v. d.
Meulenhof

61
Provincialeweg
Stammerdijk
A 9
Gemeenschaps-
polder
T 19
T 20
Lange Stammerdijk
GAASP
Provincialeweg
V.T. PARK LINNAEUS
RPARK
U 19
U 20
Stammerlandweg
N 236
DRIEMOND
Seizoene
hof
Zonne-
hof
Winterstr.
Winterst
Burgemeester Kasteleinstraat
Zomer-
str.
Leghornstr.
Barne-
velder
str.
Herfst-
straat
Lange
Stammerdijk
Welsummerstr.
Wyandottestr.
LAS
Driemondweg
Zandpad-Driemond
POMPSTATION
Burg. Bletzstr.
V 19
V 20
Provincialeweg
Gein Zuid
Gein Noord
Gein-en
Gaasperpolder
rgdreef
Willem Gerresepad
Jacob Krüsestr.
Hendrik Hosstr.
Jelle Posthumapad
Lambert Rimastr.
ABCOUDE
GEIN
en Boschpad
Pieter v. d.
Meulenhof
Hendrik
Veldhuis-
hof
W 19
W 20
Gein Noord
Gein Zuid
Jan Somer-
hof
Jan
Nautahof
Johan Schamppad
metzstr.
uder van Wijckstr.
Wethouder Steinmetzstr.

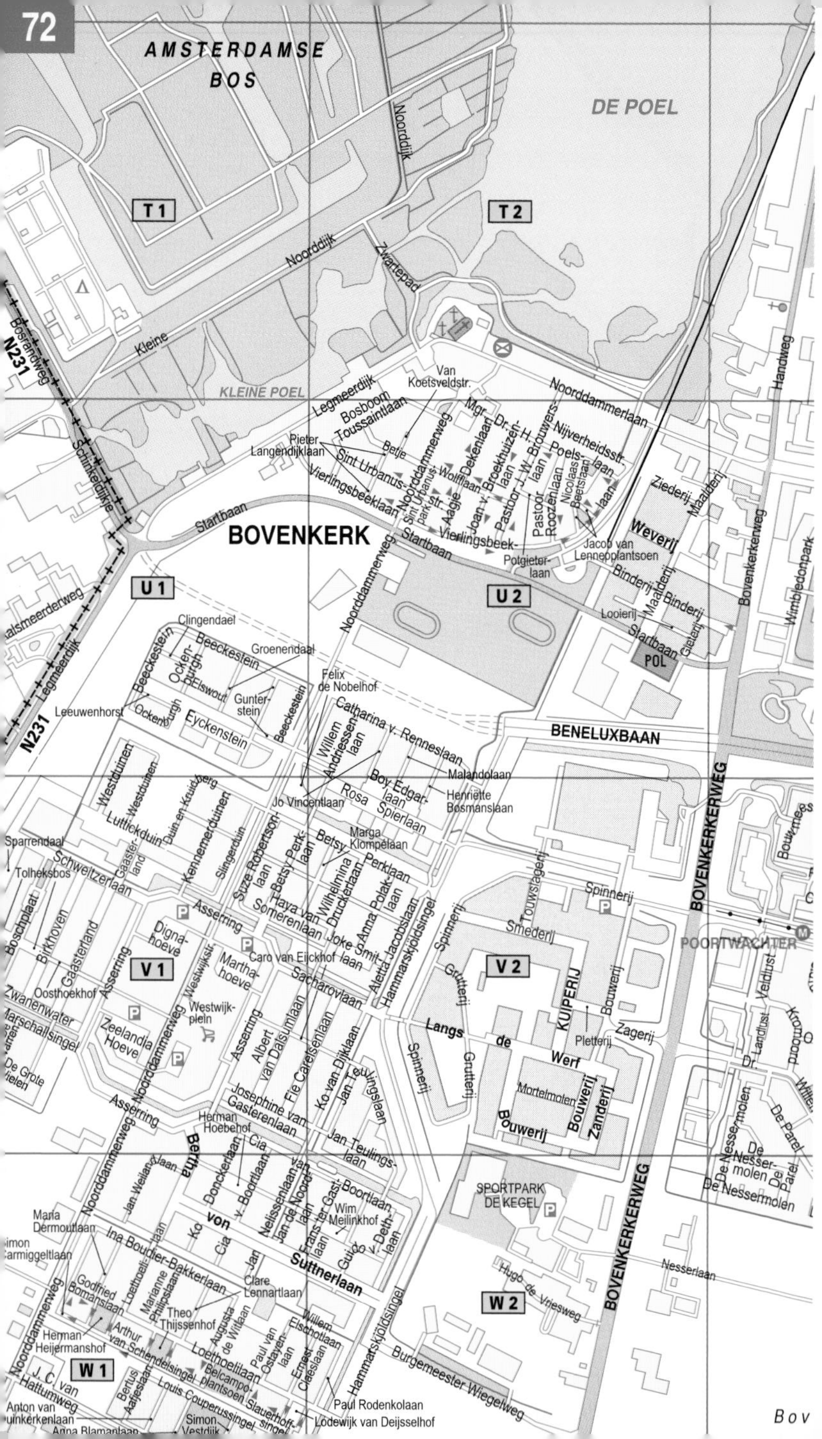

AMSTERDAMSE BOS
DE POEL
Noorddijk
T 1
T 2
Zwartepad
Kleine
KLEINE POEL
Bosrandweg
N231
Schinkeldijkje
Legmeerdijk
Van Koetsveldstr.
Noorddammerlaan
Bosboom Toussaintlaan
Mgr. Dr. H. Nolenslaan
Pieter Langendijklaan
Betje Wolfflaan
Sint Urbanus-str.
Sint Urbanus-park
Noorddammerweg
Dekenlaan
Joan v. Broekhuizenlaan
Pastoor J. W. Brouwers
Nijverheidsstr.
Poels-laan
Pastoor Roozenlaan
Nicolaas Beetslaan
Vierlingsbeeklaan
Aagje
Vierlingsbeek-
Potgieter-laan
Jacob van Lennepplantsoen
Ziederij
Maalderij
Weverij
Handweg
Bovenkerkerweg
Wimbledonpark
Startbaan
BOVENKERK
U 1
U 2
Binderij
Looierij
Gieterij
POL
Haarlemmermeerderweg
Clingendael
Beeckestein
Groenendaal
Ockenburgh
Elswout
Guntersteín
Leeuwenhorst
Eyckenstein
Felix de Nobelhof
Catharina v. Renneslaan
Willem Andriessenlaan
Malandolaan
Boy Edgarlaan
Henriëtte Bosmanslaan
Rosa Spierlaan
Jo Vincentlaan
BENELUXBAAN
BOVENKERKERWEG
Westduinen
Duin en Kruidberg
Kennemerduinen
Lutttickduin
Slingerduin
Gaasterland
Sparrendaal
Tolheksbos
Schweitzerlaan
Suze Robertsonlaan
Betsy Perklaan
Marga Klompélaan
Wilhelmina Druckerlaan
Anna Polaklaan
Haya van Somerenlaan
Joke Smitlaan
Aletta Jacobslaan
Hammarskjöldsingel
Asserring
Digna-hoeve
Marthahoeve
Westwijkstr.
Caro van Eijckhof
Sacharovlaan
Spinnerij
Touwslagerij
Smederij
POORTWACHTER
V 1
V 2
Boschplaat
Birkhoven
Oosthoekhof
Zwanenwater
Marschallsingel
Westwijkplein
Zeelandia Hoeve
De Grote Vielen
Albert van Dalsumlaan
Fie Carelsenlaan
Ko van Dijklaan
Jan Teulingslaan
Gruttterij
Langs de Werf
KUIPERIJ
Bouwerij
Pletterij
Zagerij
Mortelmolen
Zanderij
Landlust
Veldlust
Kromoord
De Nessermolen
De Parel
Josephine van Gasterenlaan
Herman Hoebehof
Bertha von Suttnerlaan
Cia v. Boortlaan
Jan Weilandlaan
Donckerlaan
Nelissenlaan
Jan de Noordlaan
Frans ter Gastlaan
Wim Meilinkhof
Guido v. Dethlaan
SPORTPARK DE KEGEL
Maria Dermoutlaan
Simon Carmiggeltlaan
Ina Boudier-Bakkerlaan
Loethoelilaan
Marianne Philipslaan
Clare Lennartlaan
Godfried Bomanslaan
Theo Thijssenhof
Augusta de Witlaan
Paul van Ostayenlaan
Ernest Claeslaan
Willem Elschotlaan
Herman Heijermanshof
Arthur van Schendelsingel
Belcampoplantsoen
Nesserlaan
Hugo de Vriesweg
W 1
W 2
J. C. van Hattumweg
Bertus Aafjeslaan
Louis Couperussingel
Slauerhoff-singel
Burgemeester Wiegelweg
Paul Rodenkolaan
Lodewijk van Deijsselhof
Anton van Duinkerkenlaan
Anna Blamanlaan
Simon Vestdijk
Bov

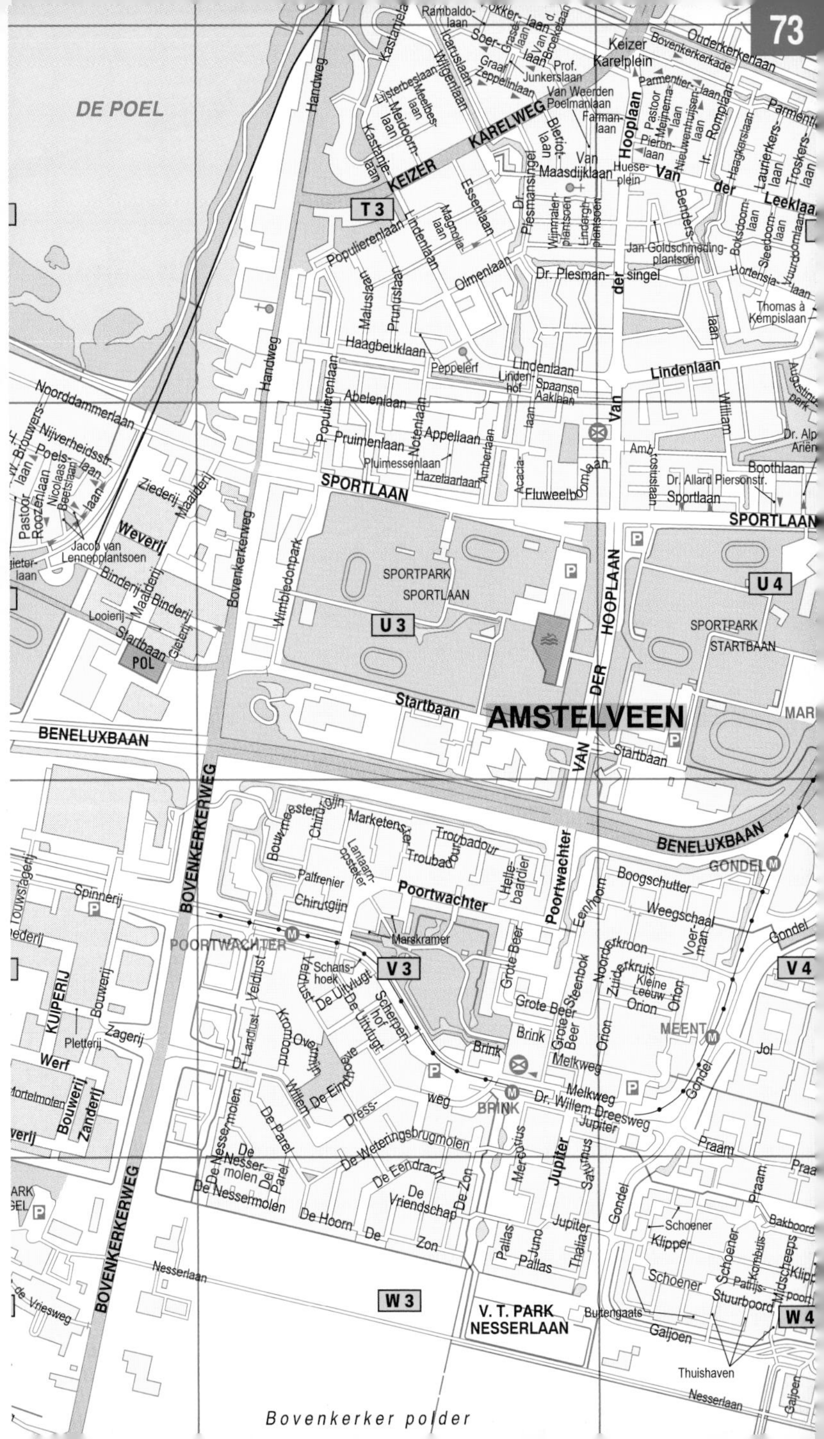
DE POEL
AMSTELVEEN
SPORTLAAN
SPORTPARK SPORTLAAN
SPORTPARK STARTBAAN
BENELUXBAAN
BOVENKERKERWEG
KEIZER KARELWEG
VAN DER HOOPLAAN
Startbaan
Poortwachter
V. T. PARK NESSERLAAN
Bovenkerker polder
T 3
U 3
U 4
V 3
V 4
W 3
W 4

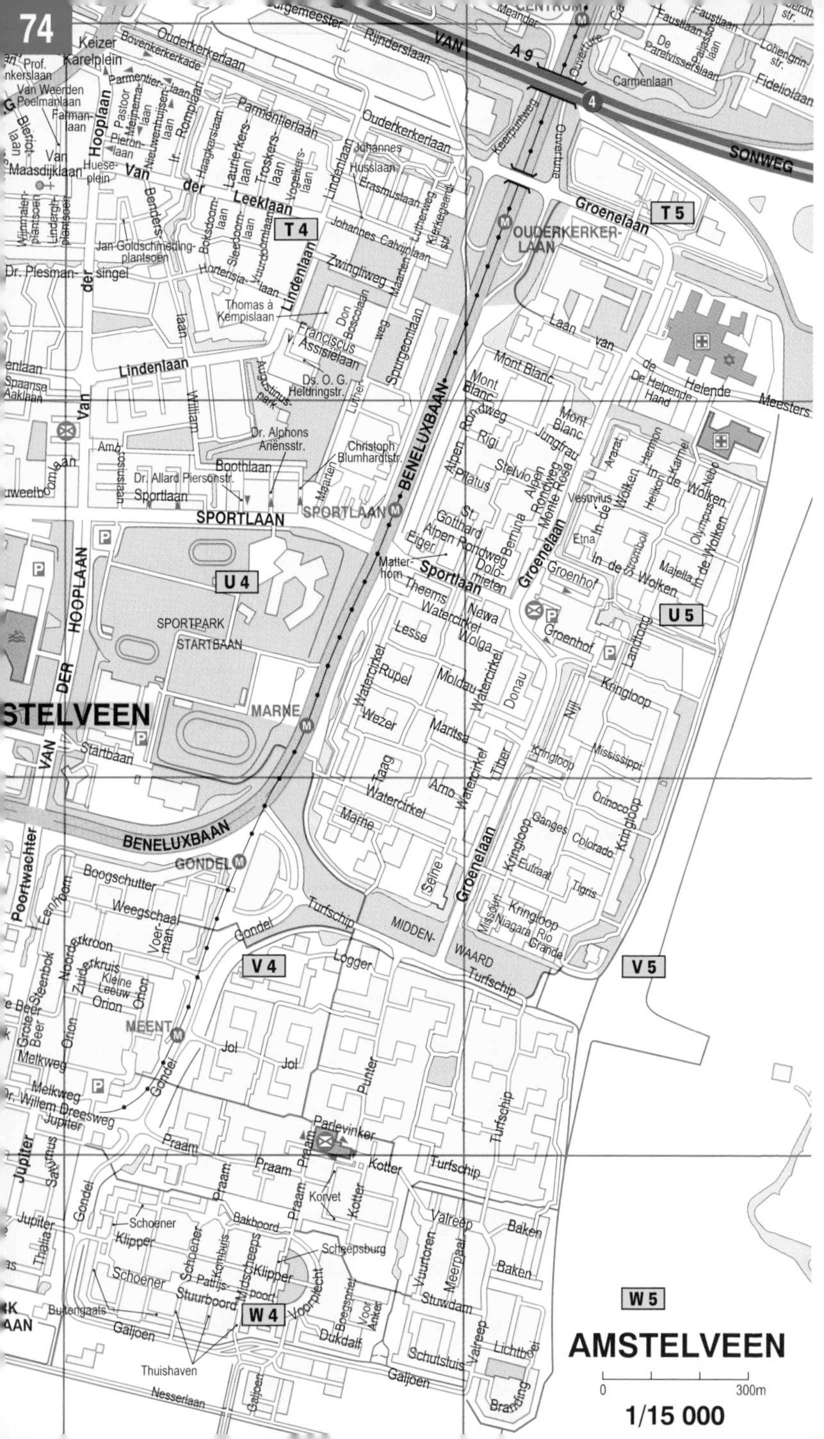

AMSTELVEEN
0
300m
1/15 000
T 4
T 5
U 4
U 5
V 4
V 5
W 4
W 5
A 9
4
SONWEG
BENELUXBAAN
SPORTLAAN
OUDERKERKERLAAN
MARNE
GONDEL
MEENT
SPORTPARK
STARTBAAN
MIDDEN-
WAARD
HOOPLAAN
VAN
DER
STELVEEN
Ouderkerkerlaan
Parmentierlaan
Van der Leeklaan
Lindenlaan
Groenelaan
Laan van de Helende Meesters
Sportlaan
Startbaan
Beneluxbaan
Turfschip
Gondel
Logger
Jol
Punter
Praam
Kotter
Parlevinker
Korvet
Schoener
Klipper
Bakboord
Stuurboord
Galjoen
Valreep
Baken
Stuwdam
Lichtboei
Branding
Schutsluis
Dukdalf
Voorplecht
Thuishaven
Nesserlaan
Buitengaats
Kringloop
Watercirkel
In de Wolken
Alpen Rondweg
Mont Blanc
Groenhof
Poortwachter
Boogschutter
Weegschaal
Melkweg
Dr. Willem Dreesweg
Jupiter
Orion

VERKLARING VAN DE TEKENS / LÉGENDE

VERKLARING VAN DE TEKENS	LÉGENDE
Wegen	**Voirie**
Autosnelweg en afritnummers	Autoroute et sortie numérotée
Gescheiden rijbanen van het type autosnelweg	Double chaussée de type autoroutier
Gescheiden rijbanen	Chaussées séparées
Hoofdstraten	Principaux itinéraires
Weg in aanleg (indien van toepassing: datum openstelling)	Voie en construction (le cas échéant: date de mise en service prévue)
Voetgangersgebied	Voie piétonne
Eenrichtingsverkeer	Rue à sens unique
Verboden weg of voetgangersgebied	Rue interdite ou impraticable
Trapsgewijs aangelegde straat - Voetgangersburg	Escalier - Passerelle
Onderdoorgang - Tunnel	Passage sous voûte - Tunnel
Fietspad	Piste cyclable
Beweegbare brug	Pont mobile
Gebouwen	**Bâtiments**
Bijzonder gebouw	Édifice remarquable
Belangrijkste openbare gebouwen	Principaux bâtiments publics
Kerk, kapel, protestantse kerk	Église, chapelle, temple
Synagoge - Moskee	Synagogue - Mosquée
Politie - Informatie voor toeristen	Police - Office de tourisme
Ziekenhuis, kliniek - Winkelcentrum	Hôpital, clinique - Centre commercial
Postkantoor	Bureau de poste
Industriezone - Fabriek	Zone industrielle - Usine
Transport	**Transports**
Spoorweg - Tramweg	Voie ferrée - Tramway
Metrostation - Busstation	Station de métro - Gare routière
Belangrijkste taxistandplaatsen	Principales stations de taxi
Belangrijkste parkeerterreinen	Principaux parcs de stationnement
Auto-veerpont,	Bac pour autos,
Vervoer per boot: uitsluitend passagiers	Transport par bateau: passagers seulement
Sport en vrije tijd	**Sports et Loisirs**
Stadion - Jachthaven	Stade - Port de plaisance
Zwembad - IJsbaan	Piscine - Patinoire
Golf - Kampeerterrein	Golf - Camping
Overige tekens	**Signes divers**
Gedenkteken - Fontein	Monument - Fontaine
Windmolen	Moulin à vent
Begraafplaats	Cimetière
Uitzicht - Panorama	Point de vue - Panorama
Straat opgenomen in register	Voie dénommée dans l'index
Administratieve grenzen	Limite administrative
Letters die het graadnet aanduiden (L 14)	Repère de carroyage (L 14)

KEY	ZEICHENERKLÄRUNG
Roads	**Verkehrswege**
Motorway with numbered junctions	Autobahn und Nr. der Ausfahrt
Dual carriageway motorway-style	Schnellstraße
Dual carriageway	Straße mit getrennten Fahrbahnen
Main traffic artery	Hauptverkehrsstraßen
Road under construction (when available: with scheduled opening date)	Straße im Bau (ggf. voraussichtliches Datum der Verkehrsfreigabe)
Pedestrian street	Fußgängerzone
One-way street	Einbahnstraße
No entry or unsuitable for traffic	Straße gesperrt oder nicht befahrbar
Steps - Footbridge	Treppenstraße - Steg
Arch - Tunnel	Gewölbedurchgang - Tunnel
Cycle track	Radweg
Lever bridge	Bewegliche Brücke
Buildings	**Gebäude**
Interesting building	Bemerkenswertes Gebäude
Main public buildings	Öffentliche Gebäude
Church, chapel, protestant church	Kirche, Kapelle, evangelische Kirche
Synagogue - Mosque	Synagoge - Moschee
Police - Tourist information centre	Polizeirevier - Stadtinformation
Hospital, clinic - Shopping centre	Krankenhaus, Klinik - Einkaufszentrum
Post office	Postamt
Industrial site - Factory	Industrie- oder Gewerbegebiet - Fabrik
Transport	**Verkehrsmittel**
Railway - Tramway	Bahnlinie - Straßenbahn
Metro station - Bus station	Metrostation - Autobusbahnhof
Main taxi ranks	Haupttaxistand
Main car parks	Größerer Parkplatz
Car ferry,	Autofähre,
Ferry services: passengers only	Schiffsverbindungen: Personenfähre
Sports and recreation	**Sport - Freizeit**
Stadium - Pleasure boat harbour	Stadion - Jachthafen
Swimming pool - Skating rink	Schwimmbad - Eisbahn
Golf course - Camping	Golfplatz - Campingplatz
Other symbols	**Verschiedene Zeichen**
Monument - Fountain	Denkmal - Brunnen
Windmill	Windmühle
Cemetery	Friedhof
Viewpoint - Panoramic view	Aussichtspunkt - Rundblick
Street listed in index	Straßenreferenz-Nr. (s. Straßenverzeichnis)
Administrative boundary	Verwaltungsgrenzen
Map grid references	Nr. des Planquadrats

POL · 2 · 5 · L 14

LEGENDA	SIGNOS CONVENCIONALES
Viabilità	**Vías de circulación**
Autostrada e svincolo numerato	Autopista y número de salida
Doppia carreggiata di tipo autostradale	Autovía
Carreggiate separate	Calle con calzadas separadas
Itinerario principale	Arterias principales
Strada in costruzione (data di apertura prevista, all' occorrenza)	Calle en construcción (en su caso: fecha prevista de entrada en servicio)
Strada pedonale	Calle peatonal
Strada a senso unico	Calle de sentido único
Strada ad accesso vietato o impraticabile	Circulación prohibida, impraticable
Scalinata - Passerella	Escalera - Pasarela
Sottopassaggio - Galleria	Pasaje cubierto - Túnel
Pista ciclabile	Pista ciclista
Ponte mobile	Puente móvil
Edifici	**Edificios**
Edificio di un certo interesse	Edificio relevante
Principali edifici pubblici	Principales edificios públicos
Chiesa, cappella, tempio	Iglesia, capilla, culto protestante
Sinagoga - Moschea	Sinagoga - Mezquita
Polizia - Ufficio Turistico	Policía - Oficina de información de Turismo
Ospedale, clinica - Centro commerciale	Hospital, clínica - Centro comercial
Ufficio postale	Oficina de Correos
Area industriale - Fabbrica	Polígono industrial - Fábrica
Trasporti	**Transportes**
Ferrovia - Tranvia	Ferrocarril - Tranvía
Stazione della Metro - Stazione per autobus	Estación de Metro - Estación de autobuses
Principale posteggio di taxi	Principales paradas de taxis
Principali parcheggi	Principales aparcamientos
Traghetto per auto,	Barcaza para coches,
Trasporto con traghetto: solo passeggeri	Transporte por barco: pasajeros solamente
Sports e Tempo libero	**Deportes y ocio**
Stadio - Porto turistico	Estadio - Puerto deportivo
Piscina - Pista di pattinaggio	Piscina - Pista de patinaje
Golf - Campeggio	Golf - Camping
Simboli vari	**Otros signos**
Monumento - Fontana	Monumento - Fuente
Mulino a vento	Molino de viento
Cimitero	Cementerio
Vista - Panorama	Vista - Panorama
Strada riportata nell' indice delle vie	Calle citada en el índice
Limiti amministrativi	Límites adminitrativos
Riferimento alla pianta	Coordenadas del plano

Legend symbols: 2 (exit number), POL, 5, L 14

(NL) In het register gebruikte afkortingen

(F) *Abréviations utilisées dans le répertoire*

(GB) Abbreviations used in the index

(D) *Abkürzungen, die im Straßenverzeichnis verwendet werden*

(I) Abbreviazione utilizzate nell'indice

(E) *Abreviaturas*

Burg. .... **Burgemeester**
Dr. .... **Doctor, Dokter**
dr. .... **dreef**
gal. .... **galerij**
Gen. .... **Generaal**
Kapt. .... **Kapitein**
Kard. .... **Kardinaal**
Kon. .... **Koning, Koningin**
kr. .... **kruispunt**
Kt. .... **Kommandant**
Lt. .... **Luitenant**
Maar. .... **Maarschalk**
Min. .... **Minister**
pl. .... **plaats, plein**
Pr. .... **Prins, Prinses**
str. .... **straat**
stwg. .... **steenweg**

Straatnaam Nom de la rue *Street*	Dijkstraat	Straßenname *Nome della via* Nombre de la calle
Verwijzing naar het vak op de plattegrond, op de uitvergrote plattegrond, (N = Noorden, S = Zuiden) Renvoi au carroyage sur le plan, sur l'agrandissement (N = Nord, S = Sud) *Map grid reference, enlarged section grid reference (N = North, S = South)*	B4, J11 N	*Koordinatenangabe auf dem Plan, auf der Ausschittsvergrößerung (N = Nord, S = Süd)* *Rinvio alle coordinate sulla pianta, sul settore ingrandito (N = Nord, S = Sud)* Coordenadas en el plano en el sector ampliado (N = Norte, S = Sur)
Genummerde straat op de plattegrond (zie de aparte lijst blz. 114-115) Rue indiquée par un numéro sur le plan (Voir index p. 114-115) *Street indicated by a number on the plan (See index p. 114-115)*	= 25	Straße, die im Plan durch eine Nummer bezeichnet ist (Siehe Register S. 114-115) *Strade contraddistinte da un numero sulla pianta (Vedere indice p. 114-115)* Calle localizada por un número en el plano (Ver índice p. 114-115)

A

Naam	Plattegrond	Plaatsaanduiding
Aaf Bouberstraat	39	**L4**
Aagtdorperpad	23	**E15**
Aakstraat	10	**C12-D12**
Aalbersestraat	26	**H2-G2**
Aalsmeerplein	41	**N6-M6**
Aalsmeerweg	41	**M6**
Aalststraat, C.J.K. van	34	**J14**
Aambeeldstraat	21	**G13**
Aandewind	11	**C13**
Aardbeistraat	9	**C10-C11**
Aarschotpad	39	**M3-M4**
Aart van der Leeuwstraat	28	**H5**
Abbenesstraat	41	**M6**
Abberdaan	14	**F1**
Abbestraat, Van	28	**K5**
Abelszstraat, Jan	27	**H3**
Abrikozenstraat	10	**C11**
Abtswoudepad	40	**M5-M6**
Accumulatorweg	17	**E6-E7**
Achillesstraat	42	**N8-M8**
Achter Oosteinde	44	**L11**
Achtergouwtje	13	**D16**
Achtergracht	32	**K11**
Achterlaan	13	**D16**
Achtersteven	11	**B12-C12**
Addickspad, Arie	16	**G5**
Addicksstraat, M.C.	16	**G5**
Adelaarsweg	20	**G12-F13**
Adingerdorphof	38	**L2**
Admiraal De Ruijterweg	17	**G6-J8**
Admiraal Helfrichstraat	29	**J6**
Admiralengracht	29	**H7-K7**
Admiraliteitstraat	33	**J13**
Adrichemstraat	18	**F9**
Aemstelpark, Gijsbrecht van	54	**R7-R10**
Aemstelstraat, Gijsbrecht van	44	**M11-M12**
Aert van Nesstraat	19	**F9**
Aertszstraat, Pieter	44	**M11**
Afrikanerplein	44	**M12**
Agamemnonstraat	42	**N8**
Agricolastraat, Rudolf	27	**J3**
Akbarstraat	29	**G6-H6**
Akerpolderstraat	38	**N2**
Akersingel	38	**M1**
Akersluis	38	**N2**
Akerwateringstraat	38	**L1**
Akkerstraat	46	**N14-P14**
Akkerwindeweg	20	**E12**
Akoleienstraat	30	**J9**
Albardagracht	14	**G2-G3**
Alberdingk Thijmstraat	30	**K9**
Alblasstraat	44	**N11**
Aldebaranplein	9	**C10**
Aldebaranstraat	9	**C10**
Aldendriel	55	**S9**
Aldengoor	55	**S9**
Alexanderkade	33	**K12-K13**

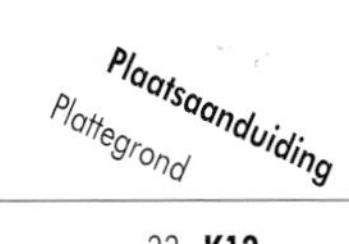

Naam	Plattegrond	Plaatsaanduiding
Alexanderplein	33	**K12**
Alexanderstraat	33	**K12**
Algolstraat	9	**C10**
Algrastraat, H.J.	14	**G2**
Alhambralaan	28	**J5**
Alkemadestraat, Cornelis van	28	**K5-L5**
Alkmaarstraat	22	**E15-F15**
Allard Piersonstraat = 57	30	**J8-J9**
Allebéplein, August	28	**K5-K6**
Allenstraat	38	**M1**
Alma Tademastraat	28	**J6**
Almondestraat, Filips van	29	**J7**
Almstraat	44	**N11**
Alpen, De	38	**M1**
Alphenstraat, Van	30	**J8**
Alpihof, Delle	46	**N15**
Althoffstraat, Lex	28	**H5**
Amaliastraat	30	**H9**
Amandelstraat	9	**C10**
Amazonenstraat	42	**N7-N8**
Ambonplein	46	**L14**
Ambonstraat	46	**L14**
Amelandstraat	21	**F13**
Amerbos	12	**D14**
Amerikahavenweg	4	**D2-D3**
Ammanhof, Johann	39	**L3**
Amoebastraat	10	**B11**
Ampèrestraat	46	**L14-M14**
Amstel	32	**K10-L11**
Amstelboulevard	44	**N12**
Amsteldijk	44	**L11-S11**
Amstelkade	43	**M10-M11**
Amstelpark	55	**P10-S10**
Amstelplein	44	**N12**
Amstelstraat	31	**K10-K11**
Amstelveenseweg	41	**L7-R7**
Amstelveld	31	**K10**
Amundsenweg	29	**H6**
Amundsenweg	29	**H6**
Analogstraat	9	**C9**
Anderiesenhof	26	**H2-H3**
Anderlechtlaan	39	**N3-P4**
Andijkstraat	22	**F14**
Andoornstraat	20	**F12**
Andringastraat, Joris van	29	**H7**
Andromedastraat	9	**C9**
Anemoonstraat	20	**G11**
Anfieldroad	46	**N14-N15**
Anjeliersstraat	31	**H9**
Ank van der Moerstraat	39	**M4**
Ankersmitstraat, J.F.	39	**L4**
Ankerweg	6	**B5**
Anrooystraat, Peter van	42	**N8**
Anselmushof	27	**J3**
Anske Lammingastraat	39	**L4**
Anslijnstraat, Nicolaas	39	**L3**
Anslostraat, Reyer	41	**L7**
Antarusstraat	9	**C10**

Naam	Plattegrond	Plaatsaanduiding
Anthoniszstraat, Cornelis	43	**M9-L9**
Antillenstraat	41	**L6-L7**
Antwerpenbaan	38	**N2-N4**
Apollolaan	42	**M8-M9**
Apolstraat, Louis	28	**K6-J6**
Appeldoornstraat, Dina	42	**N8**
Appelweg	9	**B10-C11**
Aquinostraat, Thomas van	27	**J3**
Aragohof	46	**M14**
Arcellastraat	10	**B11**
Archangelkade	18	**E8**
Archangelweg	18	**E8-F8**
Archimedeslaan	46	**L14-M14**
Archimedesplantsoen	46	**L14-M14**
Archimedesweg	46	**L14**
Ardennenlaan	39	**N3-N4**
Arenborg	55	**S9**
Arendonksingel	39	**M4-N4**
Argonautenstraat	42	**N7-N8**
Argostraat	9	**B10-C10**
Arij Prinsstraat	28	**H5**
Aristotelesstraat	27	**J4-H4**
Arlandaweg	16	**G5-G6**
Armstrongstraat, Louis	39	**N4**
Arondeusstraat	16	**G5**
Arteveldestraat, Jacob van	29	**H6**
Arubastraat	41	**L7**
Asingaborg	54	**P8-R8**
Asscherpad, Isaäc	56	**P12-R12**
Assendelftstraat	18	**F9**
Asserstraat, Tobias M.C.	15	**G4**
Assumburg	54	**R8**
Astasiastraat	10	**B11**
Asterdwarsweg	20	**F11**
Asterweg	20	**F11**
Atatürk	9	**D10-D11**
Aurikelstraat	20	**E12**
Australiëhavenweg	4	**C3-G3**
Avenhornstraat	22	**F14**
Avercampstraat	43	**M10**
Avogadrostraat	46	**M14**
Azaleastraat	20	**E12**
Azartplein	34	**H14**
Aziëhavenweg	14	**E1-E2**

B

Naam	Plattegrond	Plaatsaanduiding
Baanakkerspad	22	**E14-E15**
Baanbrugsteeg	19	**G9**
Baanderskade, H.A.J.	34	**J14**
Baarsjesweg	41	**L7-J8**
Baarsstraat	41	**M7**
Baas Gansendonckstraat	28	**H6**
Bachplein	43	**M9**
Bachstraat	43	**M9**
Backershagen	54	**R9-S9**
Back-upstraat	8	**B8**
Baden Powellweg	26	**K1-M2**
Badhuisweg	20	**G11-F11**
Badrianhof	28	**H5**
Baerlestraat, Van	43	**L9-M9**
Baetostraat	29	**H6**
Baffinstraat	29	**J7**
Bakhuizen van den Brinkhof	28	**K4**
Bakhuys Roozeboomstraat	45	**N13**
Bakhuyzenlaan, Lies	38	**N2**
Bakkersstraat	3	**K10***N*
Bakkerswaal	12	**D14**
Bakkumstraat	22	**E15**
Balatonmeerlaan	38	**M1**
Balboastraat	29	**J7**
Balgerskamp	38	**L1-M1**
Balgzandstraat	23	**F15-E15**
Balistraat	33	**K13-K14**
Balk in't Oogsteeg	3	**K10***N*
Bamberghof = 84	39	**L3**
Bananenstraat	9	**C10**
Banckersweg, Joos	29	**H7**
Bandijkstraat	38	**L1**
Bankastraat	33	**K13**
Bankwerkerij	20	**G12**
Banne Buikslootlaan	10	**D12-C12**
Banneplein	10	**D12**
Banstraat	42	**L8-M9**
Barbusselaan	58	**S14-T14**
Barcelonaplein	34	**H14**
Barentszplein	19	**F10**
Barentszstraat	19	**F10**
Barkpad	10	**D11-D12**
Barndesteeg	3	**J11***N*
Baron de Coubertinlaan	21	**E12-D12**
Baron G.A. Tindalplein	34	**J14**
Baroniepad	56	**P11**
Baroniestraat	56	**P10-P11**
Bartjenshof, Willem = 90	39	**M3**
Bartonstraat, Clara	21	**F13**
Basisweg	15	**E3-F6**
Basiushof, Johan	15	**G3**
Bastenakenstraat	39	**N3-N4**
Bastiaansestraat, Franz.	27	**H4**
Bastingstraat	21	**F13-E13**
Baststraat, Pieter	43	**L9-M9**
Bataviastraat	34	**K14**
Batjanstraat	46	**L14**
Bauerplantsoen, Marius	28	**K6**
Bauerstraat, Marius	28	**K5-K6**
Baweanstraat	34	**K14**
Bazelhof, De	26	**H2**
Beatrixpark	43	**N9**
Beckmanstrat, Wiardi	28	**H5-G5**
Becquerelstraat	45	**M13**

Naam	Plattegrond	Plaatsaanduiding
Beeckenstein	54	**S8**
Beek en Hoff	26	**K2-K3**
Beelstraat, L.J.M.	14	**G2**
Beemsterstraat	22	**F14-E15**
Beersstraat, Jan van	27	**H4**
Beethovenstraat	42	**M9-P9**
Beetsplantsoen, Nicolaas	30	**K8**
Beetsstraat, Nicolaas	30	**K8**
Begijnensteeg = 35	2	**J10***S*
Begijnhof	31	**J10**
Begoniastraat	20	**G11-F11**
Beijerlandstraat	21	**F13**
Beijersweg	45	**L13**
Beinumstraat, Eduard van	42	**N8-P8**
Beitelkade	21	**G13**
Bekahof, Johannes de	28	**K4-K5**
Belgiëplein	39	**N3**
Bellamydwarsstraat	30	**J8-K8**
Bellamyplein	30	**J8**
Bellamystraat	30	**K8-J8**
Bellstraat, Graham	45	**M13**
Beloegastraat	9	**A10**
Belvedereweg	45	**N12**
Ben Viljoenstraat	44	**M12**
Ben Websterstraat	39	**N4**
Benedenlangs	21	**E13-E14**
Benkoelenstraat	34	**K14**
Bennebroekstraat	41	**M6**
Bentinckstraat	18	**G8**
Benzolweg	6	**C5-C6**
Bep van Klaverenboulevard	10	**D12**
Berberisstraat	20	**F12**
Berchemstraat, Nicolaas	44	**L11**
Berend Boeijingastraat	11	**D13**
Berenstraat	31	**J9**
Bergenstraat, Adriaan van	30	**J8**
Berghoefplantsoen, J.F = 159	27	**H4**
Berghweg, Joris van den	26	**H1-G1**
Bergmolen	9	**B10**
Bergsonstraat, Henri	27	**H3**
Bergstraat	31	**H10**
Beringenstraat	39	**M4-N4**
Berkeleystraat, George	27	**H4**
Berkelstraat	44	**M11**
Berkhouthof	22	**F14**
Berlaarstraat	38	**N2-M3**
Berlagebrug	44	**M12-N12**
Berlagehof	26	**H2**
Bernabeuhof	46	**N15**
Bernardusstraat, Jan	44	**M12**
Bernissestraat	43	**N10**
Bertelmanplein	41	**M7**
Bertelmanstraat	41	**M7**
Berthelotstraat	46	**M14**
Berzeliusstraat	45	**M13**
Bessemerstraat	45	**M12-M13**
Bessenpad	9	**C10**
Bestevâerstraat	29	**G7-J7**
Betelgeuzestraat	9	**C10**
Bethaniëndwarsstraat	3	**J10***N*
Bethaniënstraat	2	**J10***N***-J11***N*
Betuwestraat	55	**P10**
Beukelsstraat, Willem	45	**M13**
Beukenplein	44	**L12**
Beukenweg	45	**L12**
Beulingstraat	2	**J10***S*
Beuningenplein, Van	18	**G8**
Beuningenstraat, Van	18	**G8-G9**
Beurspassage	2	**H10***S*
Beursplein	3	**H10***S***-J10***N*
Beurspoortje = 31	2	**J10***N*
Beursstraat	31	**H10**
Beurtschipstraat	10	**D12**
Beverenstraat	39	**N3**
Beverwijkstraat	22	**F15**
Beysterveld	55	**R10**
Bezaanjachtplein	10	**C12-D12**
Bezembinderspad	9	**B9**
Bickersgracht	19	**G10**
Biemondstraat, Arie	30	**K8**
Bierbeekhof	39	**N4**
Bierens de Haanstraat	27	**H3-J3**
Biesboschstraat	43	**N10-N11**
Bieslookpad	20	**E12**
Bijleveldtstraat, W.J.	16	**G5**
Bijltjespad	32	**J12**
Bijnsstraat, Anna	27	**H3**
Bikilalaan, Abebe	10	**D12**
Bikoplein, Steve	44	**L12-L13**
Bilderdijkkade	30	**J8-K8**
Bilderdijkpark	30	**J8**
Bilderdijkstraat	30	**J8-K8**
Bilhamerstraat, Joost	14	**G2**
Biljoen	54	**R8**
Billitonstraat	34	**K14**
Binairstraat	9	**C9**
Binnen Bantammerstraat	3	**J11***N*
Binnen Dommersstraat = 71	19	**G9**
Binnen Oranjestraat	19	**G10**
Binnen Vissersstraat	2	**H10***N*
Binnendraaierij	20	**G12**
Binnengasthuisstraat	2	**J10***S*
Binnenhofstraat	20	**E12**
Binnenkant	32	**J11**
Binnenvaart	11	**C12**
Binnenzagerij	20	**G12**
Biothof	46	**M14**
Bitterzoetstraat	21	**E12**
Bladergroenstraat, Wilhelmina	39	**L3**
Blaeu Erf = 27	2	**H10***S*
Blaeustraat = 26	3	**H10***S*
Blancefloorstraat	29	**H7**
Blankenbergestraat	38	**N2-M3**
Blankenstraat	33	**J13**
Blasiusstraat	44	**L11-L12**
Blauwbrug	32	**K11**
Blauwburgwal	31	**H10**
Blauwpijpstraat	34	**J14**
Blauwvoetstraat	28	**H6**
Blazerpad	10	**D11-D12**
Bleijenbeek	55	**S10**

Naam	Plattegrond	Plaatsaanduiding
Bleiswijkstraat, Van = 143	18	**G8**
Blesstraat, David	44	**M11**
Blindemansteeg	2	**K10***N*
Bloedstraat	3	**J11***N*
Bloemendalergouw	25	**E19-E20**
Bloemgartensingel, Rudi	38	**L1-M1**
Bloemgracht	30	**J9-H9**
Bloemstraat	31	**J9-H9**
Blokhof, Petrus	28	**K5**
Blokkerstraat	22	**F15**
Blokmakerstraat	19	**G10**
Blombergplein, Wilhelmina	33	**K12-K13**
Blomwijckerpad	26	**K2-K3**
Blookerweg, Johannes	57	**P13**
Bloys van Treslongstraat	30	**H7-H8**
Blusséstraat	26	**H2**
Boas en Judelshof = 85	39	**L3-L4**
Bocholtstraat	39	**N3-N4**
Bockstraat, Theophile de	41	**L6-L7**
Boddaertstraat, Elisabeth	40	**M5**
Bodenheimstraat, Nellie	27	**H3**
Bodenseehof	38	**M1**
Boechorststraat, Van der	53	**P7-S7**
Boeckenburg	54	**S9**
Boeierspad	53	**R6-R7**
Boekestraat, Kees	45	**N12-M12**
Boelelaan, De	53	**P7-P10**
Boendalestraat, Jan van	27	**H3**
Boer van Rijkstraat, Esther de	40	**L5-M5**
Boerensteeg	2	**J10***N***-J11***N*
Boerenweteringpad	43	**N9**
Boerhaaveplein	44	**L12**
Boerlaan, F. de	34	**J14**
Boeroestraat	34	**K14**
Boersstraat, Alexander	42	**L9**
Boetonstraat	34	**K14**
Boetzelaerstraat, Van	18	**G8-G9**
Bogortuin	33	**H13-H14**
Böhlerpad = 76	16	**G5**
Boisotstraat, Lodewijk	29	**J7**
Boissevainstraat, Charles	39	**L3-L4**
Bok de Korverweg	26	**H1-G1**
Bokkinghangen	19	**F10**
Bolestein	53	**S7-R7**
Bolkstraat	45	**N13-N14**
Bolstoen	14	**F1-F2**
Bolstraat, Ferdinand	43	**M10-L10**
Bombraak	9	**A10**
Bommel van Dampad, Van	28	**K5**
Bonaireplein	29	**K7**
Bonairestraat	41	**L7-K7**
Bongart	54	**S8**
Bongastraat, Jan	27	**H3**
Bonhoeffersingel	38	**L1**
Boniplein	45	**L13-L14**
Bonistraat	45	**L13-L14**
Bonnefantenstraat	28	**K5**
Bonnstraat, Andreas = 164	44	**L11-L12**
Bonpad, Herman	26	**J2**
Bonsstraat, Dirk	28	**H5**
Bontekoeplantsoen, Arend	28	**H4-H5**
Bontekoestraat	19	**F9**
Boomklokstraat = 33	2	**H10***N*
Boomsteeg	3	**H11***S*
Boomstraat	31	**H9**
Boorderstraat	9	**C10**
Boorstraat	21	**G12**
Boothstraat, William	40	**M5**
Bootsmanstraat	34	**J15**
Bootstraat	33	**J12**
Borcht, De	55	**S10**
Borelstraat, Henri	28	**H5**
Borgerstraat	30	**K7-K8**
Borggraaf	55	**S9**
Borgloonstraat	39	**N4**
Borneokade	34	**J14-J15**
Borneolaan	33	**J13-J14**
Borneosteiger	34	**J14**
Borneostraat	33	**K13-K14**
Bornhout	14	**E1-E2**
Borrendammehof	38	**L2**
Borssenburgplein	44	**M11**
Borssenburgstraat	44	**M11**
Borstraat, Pieter	28	**K4-L4**
Bos en Lommerplantsoen	29	**H6**
Bos en Lommerplein	29	**H6**
Bos en Lommerweg	29	**H6-G7**
Bosboom Toussaintstraat	30	**K9**
Boschpad, Gerrit van den	70	**W18**
Boshuizenstraat, Van	54	**S8-S10**
Bosmansstraat, Henriëtte	42	**N8**
Bosplaat	22	**E14-E15**
Bossepad, Van	30	**H8**
Bossestraat, Van	30	**G8-H8**
Boterdiepstraat	44	**N11**
Boterenbroodstraat, Jan	34	**J14**
Botskade, Gerard	30	**K8**
Bottelierplein	34	**J15**
Bottemastraat, Jan	16	**G5**
Botterstraat	10	**D11-D12**
Botteskerksingel	38	**L2**
Botticellistraat	42	**M8**
Boudewijnshof, Catharina	27	**H3**
Boulevardpad	33	**J13**
Bourbonstraat, Charlotte de	29	**H7-G7**
Boutenburg	26	**K3**
Boutensstraat	27	**H4**
Bouvigne	55	**R9-S9**
Bouwdijk-Bastiaansestraat, Marius van	30	**K8**
Bouwen Ewoutszstraat	27	**H3**
Bouwhuispad, Willem	10	**A11**
Bouwmeesterstraat, Louis	40	**L4-M5**
Bovenkarspelstraat	22	**G15**

Naam	Plattegrond	Plaatsaanduiding
Bovenkruier	9	**B10**
Bovenover	21	**E13-E14**
Boy Edgarstraat	40	**N4-N5**
Boylestraat	46	**M14**
Boymansweg	28	**K5**
Braak en Bosch	26	**K2**
Braakensiekhof, Johan	39	**M4**
Brachthuyzerstraat	42	**L8-M8**
Brahmsstraat	42	**M9**
Braillehof	39	**L3**
Brakelstraat, Van	29	**K7**
Bramzeil	11	**C12-D13**
Bramzeilhof	11	**C12-C13**
Brandewijnsteeg	3	**J11***N*
Brandts Buysstraat	42	**N8**
Brandtstraat, Gerard	30	**K8-L8**
Brantasgracht	33	**H13**
Brautigamstraat, Gerda	26	**H1-H2**
Brede Kerkepad	22	**F14**
Brede Vogelstraat	21	**G13-F13**
Brederodestraat	30	**L7-K8**
Bredeweg	45	**L13**
Brediusstraat	26	**H2**
Breedveld	21	**E13-E14**
Breehornstraat	23	**F15-F16**
Breekstraat, De	22	**F15**
Breemenstraat, Dr. Jan van	29	**J6**
Breenstraat, J.C.	45	**L13**
Breestraat, Van	42	**L8-L9**
Breezandpad	23	**E15**
Breitnerstraat	42	**M8**
Bremstraat	20	**F11**
Brettenpad	15	**F3-F4**
Breughelstraat	42	**M9**
Brienzerstraat	38	**M1**
Brink	58	**P14**
Brinkstraat	46	**N14**
Brisselkerkstraat	38	**L2**
Brittenburg	54	**S8**
Broedeletstraat, Johan	28	**H5**
Broekergouw	13	**C16-B17**
Broekhuysenweg, Nico	26	**H1-H2**
Bronckhorststraat	43	**M9**
Brouwerpad, Johan	16	**G4-G5**
Brouwersgracht	19	**G9-H10**
Bruggenstraat, Carry van	27	**H4**
Bruins Slotstraat	26	**H2**
Bruinvisstraat	9	**A9-A10**
Brüningsstraat, Christiaan	40	**L5**
Brusselsingel	39	**N3**
Bruynstraat, Hendrik de	40	**L5**
Bufferstraat	34	**H14-J14**
Buiksloterbreek	10	**D11**
Buiksloterdijk	10	**C11-E13**
Buiksloterkerkpad	10	**D12**
Buiksloterrneerdijk	21	**E13-D15**
Buikslotermeerplein	21	**E13-E14**
Buiksloterweg	20	**G11-E12**
Buiten Bantammerstraat	3	**J11***N*-**H11***S*
Buiten Brouwersstraat	31	**H10-G10**
Buiten Dommersstraat = 72	19	**G10**
Buiten Kadijken	32	**J12**
Buiten Oranjestraat	19	**G10**
Buiten Vissersstraat	2	**H10***N*
Buiten Wieringerstraat = 30	2	**H10***N*
Buitendijk	9	**A10**
Buitendraaierij	20	**G12**
Buitengouw	23	**F16**
Buitenkerkerweg	47	**L17**
Buitenrustpad	45	**N12**
Buitenveldertselaan	54	**S8-P8**
Buitenzagerij	20	**G12**
Bulgerstein	55	**R9**
Bullepad	26	**K2**
Bulthuisstraat, Hendrik	26	**H2**
Bultrugpad	9	**A9**
Bunsenstraat	46	**M14**
Burenstraat, Anna van	29	**H7**
Burgemeester Cramergracht	28	**J5-H5**
Burgemeester de Vlugtlaan	16	**G4-G5**
Burgemeester Eliasstraat	28	**H4-G5**
Burgemeester Fockstraat	28	**H5-G5**
Burgemeester Hogguerstraat	28	**H5-J5**
Burgemeester Rendorpstraat	28	**J5-H5**
Burgemeester Röellstraat	27	**H3-J5**
Burgemeester Tellegenstraat	43	**M10-M11**
Burgemeester van de Pollstraat	28	**J5-H5**
Burgemeester van Leeuwenlaan	27	**H3-G4**
Burgemeester van Tienhovengracht	28	**H5**
Burgemeester Vening Meineszlaan	16	**G4-G5**
Burgerhartstraat, Sara	17	**G6-G7**
Burgersdijkstraat	28	**K4-K5**
Burgersweerhof	38	**L1**
Burgerweeshuispad	41	**N7-P7**
Burggraafstraat, Jacob	33	**J12**
Burmandwarsstraat	44	**L11**
Burmanstraat	44	**L11**
Busken Huetstraat	41	**L7**
Buskenblaserstraat	29	**H6**
Bussumstraat	23	**F15**
Butaanweg	7	**C7**
Butskopweg	9	**A10**
Buys Ballotstraat	46	**M14**
Buyskade	30	**H8**
Buyskensstraat, Pieter = 61	27	**H3**
Buziaustraat	39	**L3-M3**

C

Naam	Plattegrond	Plaatsaanduiding
Cabeliaustraat, Jacob	15	**G3**
Cabotstraat	29	**J7**
Cabralstraat	29	**J7**
Cahnsingel, Ernst	38	**M1**
Calandlaan, Pieter	38	**M1-L5**
Calandplantsoen, Pieter	39	**L3-M3**
Callantsoogstraat	22	**E15**
Callenburgstraat, Gerard	29	**H7**
Calsstraat, J.	14	**G2**
Campanulapad	20	**E12**
Campanulastraat	20	**E12**
Camperstraat	44	**L12**
Cannenburg	54	**R8**
Carillonstraat	44	**M11**
Carnapstraat	40	**L6-M6**
Carrascoplein	17	**G6**
Castorplein	9	**C10**
Castorstraat	9	**C10**
Catskade, Jacob	18	**G9**
Ceintuurbaan	43	**M10-L11**
Celebesstraat	33	**K13-L14**
Celestraat, Jan	39	**L3**
Cellebroerssteeg	2	**J10***S*
Celsiusstraat	45	**N13**
Centaurusstraat	9	**C9-B9**
Centavoshof	38	**N1**
Centimehof	38	**M1**
Ceramplein	34	**K14**
Chaloen	54	**S8**
Changiweg	16	**F6**
Chasséstraat	30	**J7-J8**
Chet Bakerstraat	40	**N4-N5**
Chopinstraat	42	**M9**
Chrispijnstraat, Louis	40	**L4-L5**
Chrysantenstraat	20	**F11**
Churchilllaan	43	**M10-N11**
Cijferstraat, Robbert	16	**G5**
Cilinderstraat	10	**C11**
Cilliersstraat	45	**L13**
Circusplein	9	**B9**
Cissy van Marxveldtstraat	27	**H3**
Citroenenstraat	9	**C10**
Claessenstraat, Franciscus	16	**G5**
Claeszenplein, Reinier	30	**H7-H8**
Claeszenstraat, Reinier	30	**J8**
Clauskinderweg	38	**L2**
Clematisstraat	20	**F12**
Clercqstraat, De	30	**J8-J9**
Cleyndertweg, H.	12	**D14**
Cliffordstraat	18	**G8**
Cliostraat	42	**M8-M9**
Coenenstraat, Joh. M.	43	**M9**
Coenhavenweg	7	**D7-D8**
Coenradistraat, Hermanus	28	**H5**
Coentunnel	8	**C8-B8**
Coentunnelcircuit	8	**B8-B9**
Coentunnelweg	8	**B8-A9**
Colenbranderhof	39	**L4**
Colensostraat	45	**M12**
Colignystraat, Louise de	29	**H7-G7**
Colnot en Poonshof = 86	39	**L4**
Coltermanstraat, Johan	27	**H3**
Coltranestraat, John	40	**N4-N5**
Columbusplein	29	**K7**
Columbusstraat	29	**K7**
Comeniusstraat	40	**L4-L5**
Commelinstraat	33	**K13**
Compagniestraat	33	**J13**
Compressorstraat	10	**D11**
Computerstraat	9	**C10-D10**
Concertgebouwplein	42	**L9**
Condensatorweg	17	**F6-F7**
Confuciusplein	27	**H3**
Conijnstraat, Fritz	16	**G5-G6**
Conradstraat	33	**J13**
Constandsestraat, Anton	45	**N12**
Contactweg	17	**E7-F7**
Cookstraat, James	29	**J7**
Coöperatiehof	43	**M10-M11**
Cooperpad, Charlotte = 99	11	**D12**
Coornhertstraat	27	**H3**
Copernicusstraat	45	**M13-L14**
Coppelstockstraat	29	**H7**
Cor Hermusstraat	39	**M4**
Cor Ruyshof	39	**M4**
Corantijnstraat	29	**K7**
Corellistraat	42	**M9**
Cornelisstraat, Evert	42	**N9**
Coronelstraat	16	**G5**
Corsicaweg	15	**E3-D3**
Cort van der Lindenkade	26	**H2**
Cortenbach	54	**S9**
Corverhof, Marten	40	**L5**
Corvesbosstraat	23	**F16**
Cosmariumstraat	10	**B11**
Couhornerhoek	10	**A10-A11**
Count Basiestraat	40	**N4-N5**
Couperusstraat, Louis	28	**H4-H5**
Courbetstraat	42	**N8**
Crack-State	54	**P9**
Cremerplein, J.J.	41	**L7**
Cremerstraat, J.J.	41	**L7**
Cromme Camp	26	**K2-L3**
Cronenburg	53	**R7**
Cronjéstraat	45	**M12**
Cruquiuskade	33	**J13-K13**
Cruquiusstraat	33	**J13**
Cruquiusweg	34	**J13-J15**
Cruuskerkstraat	38	**L2**
Crynssenstraat	29	**K7**

Naam	Plattegrond	Plaatsaanduiding
Cupidohof, Jan	27	**H4**
Curaçaostraat	29	**K7-L7**
Curièrekade, Henk	19	**F9**
Curiestraat	46	**M14**
Cuserstraat, De	53	**S7-S8**
Cuypershof, Pierre	26	**H2**
Cuypstraat, Albert	43	**L10-L11**
Cyclamenstraat	20	**E12**
Cyprusweg	15	**E3**
Czaar Peterstraat	33	**J13**

D

Naam	Plattegrond	Plaatsaanduiding
Da Costakade	30	**J8-K9**
Da Costaplein	30	**J8**
Da Costastraat	30	**J8-K9**
Da Gamastraat, Vasco	29	**J7-K7**
Daam van Harenstraat	27	**J3-H3**
Dadelstraat	10	**C11**
Daelenbroek	54	**S9**
Daltonstraat	45	**M13**
Dam	31	**J10**
Damerhof	39	**N4**
Damrak	31	**J10-H11**
Damraksteeg	2	**J10***N*
Damstraat	31	**J10**
Danzigerbocht	18	**E9**
Danzigerkade	18	**E9**
Dapperplein	33	**K13**
Dapperstraat	33	**K13**
Darwinplantsoen	45	**N13**
Daveren	14	**F1-F2**
Davidsstraat, Louis	39	**L3-M3**
Davisstraat	29	**K7**
Deccaweg	16	**E5-D6**
Dekamaweg, De Roos van	17	**G6**
Dekenstraat, Agatha	30	**J8**
Dekschuitstraat	10	**D12**
Del Court van Krimpenstraat	26	**H2**
Delflandlaan	40	**L6-M6**
Delflandplein	40	**M6**
Delistraat	33	**K13**
Deltastraat	44	**N11**
Den Brielstraat	17	**G7**
Den Burgstraat	23	**F16**
Den Helderstraat	23	**E15-E16**
Den Texstraat	43	**L10**
Denderhof	39	**N3**
Derde Egelantiers-dwarsstraat	31	**H9**
Derde Goudsbloem-dwarsstraat = 22	2	**H9***N*
Derde Helmersstraat	30	**K9**
Derde Hugo de Grootstraat	30	**H8-J8**
Derde Kostverlorenkade	41	**L7-K7**
Derde Leliedwarsstraat	30	**H9**
Derde Looiersdwarsstraat	30	**J9**
Derde Marnixdwarsstraat	30	**J9**
Derde Oosterparkstraat	44	**L12-L13**
Derde Schinkelstraat	41	**M7**
Derde Vogelstraat	21	**G13-F13**
Derde Weteringdwarsstraat = 53	31	**K10**
Derde Wittenburgerdwarsstraat	33	**J13**
Derkinderenstraat	28	**J6-L6**
Des Présstraat	41	**M7**
Descartesstraat	27	**H3-H4**
Desselstraat	39	**M4**
Deurloostraat	43	**N10**
Dever	54	**S8**
Deymanstraat	44	**L11**
Deysselstraat, Lodewijk van	27	**H3-H4**
Diamantstraat	44	**M11**
Diatomastraat	10	**B11**
Diazstraat, Bartholomeus	29	**J7**
Diderotstraat	27	**H3**
Diemenstraat, Van	19	**F9-F10**
Diemer Zeedijk	35	**K16-N20**
Dienskestraat, Hendrik	16	**G5**
Diepenbeekplantsoen	39	**M4**
Diepenbrockstraat	43	**N9**
Dierenriem	9	**B9**
Dieselstraat, Rudolf	45	**M12**
Diesveldsingel, H.	38	**M1-M2**
Diezestraat	43	**N10**
Digitaalstraat	9	**C9**
Dijckstraat, Anthonie van	42	**M8-M9**
Dijkbraak	9	**A10**
Dijkdwarsstraat = 43	3	**J11***N*
Dijkgraafplein	38	**L1**
Dijkhof, Hilbert van	16	**G5**
Dijkmanpad = 74	15	**G4**
Dijkmanshuizenstraat	23	**E15-E16**
Dijkpad, Daan van = 108	11	**D12**
Dijksterhuisstraat, Cornelis = 132	38	**M1**
Dijkstraat	3	**J11***N*
Dijkstraplein, P.	34	**J15**
Dijkwater	22	**D14-E14**
Dijkwegpad	39	**L3-M3**
Dijlehof	39	**N3**
Dijsselhofplantsoen	42	**M8-M9**
Dikninge	55	**R9**
Dilbeekpad	39	**N3**
Dilsenstraat	39	**M4**
Dinar Promenade = 139	38	**M1-N1**
Dintelstraat	43	**N10**
Diopter	11	**C13-D13**

Naam	Plattegrond	Plaatsaanduiding
Dirkshornplantsoen	22	**F14**
Dirkszstraat, Cornelis	29	**J7**
Discusstraat	41	**N7**
Disketteweg	9	**C9**
Displaystraat	9	**D10**
Distelachterstraat	20	**F11**
Distelkade	20	**F11-F12**
Distelkruisstraat	20	**F11**
Distelplein	20	**F11**
Distelvoorstraat	20	**F11**
Distelweg	20	**E10-F12**
Ditlaar	38	**N2**
Djambistraat	34	**K14**
Dobbestraat, Theodorus	28	**H5**
Doddendaal	54	**R8-R9**
Doesburgstraat, Theo van	26	**H2**
Doesstraat, Pieter van der	29	**J7**
Doggersbankstraat	17	**G7**
Dokter Meurerlaan	27	**J3**
Dolfijnhof	9	**B9**
Dolhaantjestraat	15	**G3**
Dollebegijnensteeg = 14	3	**J10***N*
Dom H. v. d. Laanstraat = 158	27	**H4**
Domselaerstraat	45	**L13**
Don Boscostraat	39	**L3**
Donarstraat	42	**N8**
Donauweg	16	**F5-E6**
Dondersstraat, F.C.	45	**M13-N13**
Dongestraat	43	**N10**
Donker Curtiusstraat	30	**H8**
Doormanplein, Karel	29	**H7**
Doormanstraat, Karel	29	**H7**
Doornburg	53	**S7**
Doornstraat, Johan Herman	16	**G5**
Dopperkade, Cornelis	42	**N8-N9**
Dopplerstraat	45	**N13**
Dorpsplein	38	**N2**
Dorpstraat, Frederik van	15	**G3**
Dorpsweg Ransdorp	24	**E18-F18**
Dors	9	**A10**
Dorsmanstraat, Adriaan	14	**G2**
Dotterbloemstraat	20	**E12**
Doumastraat, Robert	15	**G4**
Douplein, Gerard	43	**L10**
Doustraat, Gerard	43	**L10**
Douwes Dekkerstraat	30	**J8**
Douwesweg, Cornelis	9	**B9-C10**
Dovenetelstraat	20	**F11**
Dozyhof, Reinhard	28	**K5**
Dr. D.M. Sluyspad	3	**K11***N*
Dr. E. Boekmanstraat	38	**M2**
Dr. H. Colijnstraat	27	**H3-G3**
Dr. Jan van den Tempelstraat	38	**M2**
Draaierweg	20	**E11-D11**
Dragonstraat	10	**D12**
Drakenstein	55	**R10**
Drebbelstraat, Cornelis	45	**L13-M13**
Dreesplantsoen, Willem	26	**G2-H2**
Drentestraat	55	**P9-P10**
Drie Burgpad	45	**N13-P13**
Driehoekstraat	19	**G9**
Driekoningenstraat	31	**J10**
Drijfhoutstraat, Bartholomeus	14	**G2**
Drijverweg, J.	22	**E14-D14**
Droogbak	31	**H10**
Druckerstraat, Wilhelmina	40	**M5**
Druivenstraat	10	**C11**
Drusiushof	40	**L5**
Du Jardinstraat, Karel	43	**M10**
Du Perronstraat	27	**H4**
Dubbeleworststeeg	2	**J10***S*
Dubbelmondehof	38	**L2**
Dudok van Heelstraat, Abram	57	**P12-R12**
Dufaystraat	42	**L8-M8**
Duffelhof	39	**N3**
Duifjessteeg	2	**J10***S*
Duijnstraat, Van der	18	**G9**
Duikerstraat, De	38	**L1**
Duinbeek	54	**S9**
Duindoornplein	20	**E12**
Duindoornstraat	20	**F12-E12**
Duinluststraat	22	**E15**
Duivelandstraat	21	**F13**
Duivendrechtsekade	45	**N12-P14**
Duivendrechtselaan	58	**P14**
Duivenvoordestraat, Jan van	27	**H3**
Duizendschoonstraat	20	**F12**
Dukdalfweg	6	**B4-B5**
Duke Ellingtonstraat	40	**N5**
Dulci Septemberpad	45	**L13**
Dulongstraat	45	**N13**
Dunantstraat, Henri	40	**M5**
Durackstraat, Fanny	11	**D12**
Dürerstraat, Albrecht	42	**M9**
Durgerdammerdijk	35	**G17-H19**
Durgerdammergouw	25	**F19-G19**
Dusartstraat	43	**M10**
Duurenstraat, Lodewijk van = 95	38	**M1**
Duwaerstraat, Frans	16	**G5**
Dwars Spinhuissteeg = 6	2	**J10***S*
Dwarswatering	38	**M1-M2**
Dwaze Moedersplein	39	**L3**
Dwergvinvisstraat	9	**A9-A10**
Dynamostraat	17	**E6-E7**

E

Naam	Plattegrond	Plaatsaanduiding
Eastonstraat	39	**L3-L4**
Eckeharthof	27	**H3-J3**
Eclipshof	8	**B9**
Ecuplein	38	**M1**
Edammerpad	22	**F15**
Edammerstraat	22	**F14-F15**
Edenstraat, Frederik van	28	**H5**
Edenstraat, Jaap	26	**H2**
Edisonstraat	46	**M14**
Eeghenlaan, Van	42	**L8-L9**
Eeghenstraat, Van	42	**L8-L9**
Eemsstraat	44	**N11**
Eendenstraat	21	**F12**
Eendrachtspark	27	**G3-J3**
Eendrachtstraat	43	**N10**
Eenhoornhof	8	**B9**
Eerste Anjeliersdwarsstraat	2	**H9***N*
Eerste Atjehstraat	33	**K13-K14**
Eerste Bloemdwarsstraat	31	**H9-J9**
Eerste Boerhaavestraat	44	**L11**
Eerste Boomdwarsstraat	2	**H9***N*
Eerste Breeuwersstraat = 47	19	**G9**
Eerste Ceramstraat	34	**K14**
Eerste Coehoornstraat	33	**J13**
Eerste Constantijn Huygensstraat	30	**K8-L9**
Eerste Disteldwarsstraat = 79	20	**F12**
Eerste Egelantiersdwarsstraat	2	**H9***S*
Eerste Goudsbloemdwarsstraat	19	**G9-H9**
Eerste Helmersstraat	30	**L7-K9**
Eerste Hugo de Grootstraat	30	**H8-H9**
Eerste Jacob van Campenstraat	43	**L10**
Eerste Jan Steenstraat	43	**M10-L10**
Eerste Jan van der Heijdenstraat	43	**M10**
Eerste Keucheniusstraat	18	**G8**
Eerste Kostverlorenkade	30	**H8-H9**
Eerste Laurierdwarsstraat	30	**J9**
Eerste Leeghwaterstraat	33	**J13**
Eerste Leliedwarsstraat	31	**H9**
Eerste Lindendwarsstraat	2	**H9***N*
Eerste Looiersdwarsstraat	30	**J9**
Eerste Marnixdwarsstraat = 68	19	**G9**
Eerste Marnixplantsoen	19	**G9**
Eerste Nassaustraat	19	**G9**
Eerste Oosterparkstraat	44	**L11-L12**
Eerste Passeerdersdwarsstraat	2	**J9***S*
Eerste Ringdijkstraat	45	**M12**
Eerste Rozendwarsstraat	30	**J9**
Eerste Schinkelstraat	41	**M7-L7**
Eerste Sweelinckstraat	43	**L10-L11**
Eerste Tuindwarsstraat	2	**H9***N*

Naam	Plattegrond	Plaatsaanduiding
Eerste van der Helststraat	43	**L10-M10**
Eerste van Swindenstraat	33	**K13**
Eerste Vogelstraat	21	**G13-F13**
Eerste Weteringdwarsstraat	31	**K10**
Eerste Weteringplantsoen	43	**L10**
Eesterenlaan, C. van	34	**J14**
Effenstraat, Van	30	**K8**
Egelantiersgracht	31	**H9**
Egelantiersstraat	31	**H9**
Egelenburg	54	**R8**
Eggertstraat = 24	2	**H10***S*
Egidiusstraat	29	**H7**
Egmondenstraat, De	22	**F14-E15**
Egstraat	46	**N14**
Ehrlichstraat	46	**M14**
Eierlandstraat	23	**E16-F16**
Eijckstraat, Jan van	42	**M8-M9**
Eijkmanstraat	45	**M13**
Eijlstraat, Joop	16	**G5**
Eikenplein	45	**L12**
Eikenweg	45	**L12**
Einsteinweg	7	**C7-N6**
Einthovenstraat	45	**M13-N13**
Eisdenstraat	39	**M4**
Eisenloeffelstraat, Jan	28	**K6**
Eisingastraat	46	**N14**
Ekingenstraat	38	**L2**
Eksterstraat	20	**G12**
Elandsgracht	31	**J9**
Elandsstraat	31	**J9**
Elbaweg	5	**B3**
Elckerlijcstraat	29	**H6**
Elegaststraat	29	**H7**
Elektronstraat	17	**F7-E7**
Elementenstraat	17	**F7-E7**
Elleboogsteeg	31	**H11**
Ellert Vlieropstraat	27	**H3**
Eloutstraat, C.K.	39	**L3**
Elpermeer	12	**D14-D15**
Elzenstraat	20	**F12**
Emantsstraat, Marcellus	28	**H5**
Emmalaan	42	**L8-M8**
Emmaplein	42	**L8**
Emmastraat	42	**L8-M8**
Emmikhovenstraat	38	**L2**
Engelmanstraat, Reinier	40	**L5**
Engelse Pelgrimsteeg = 46	3	**K10***N*
Engelsesteeg	2	**H10***N*
Enkhuizerplein	22	**F14**
Enkhuizerstraat	22	**F14**
Ennemaborg	54	**R8-P8**
Enthesstraat, Bartholt	26	**H3**
Entrepotbrug	34	**J14**
Entrepotdok	32	**J12-K12**
Entrepotdoksluis	33	**J12**
Entrepothof	34	**J14**
Entrepotkade	33	**J13-J14**
Enzerinck	54	**R8-R9**

F

G

H

Naam	Plattegrond	Plaatsaanduiding
Hegelhof	27	**H4**
Hegeraatstraat	39	**L3-M4**
Heggerankweg	20	**E12**
Heijermansweg, Herman	43	**N9-M9**
Heijestraat, Jan Pieter	30	**K8-L8**
Heijningestraat, Pieter A. van	10	**B11-A11**
Heiligeweg	31	**J10**
Heimansweg	20	**F11-F12**
Heimpontplein	6	**B5**
Heinekenplein, Marie	43	**L10**
Heinkade, Piet	32	**H12-J13**
Heinsiusstraat, Antonie	30	**H9**
Heintunnel, Piet	34	**J13-J15**
Heinzestraat	42	**M9**
Heisteeg	2	**J10***S*
Hekelveld	31	**H10**
Heldringstraat, Ottho	40	**M5**
Helicopterstraat	41	**N6**
Heliotroopstraat	20	**E12**
Hellenburg	54	**S9**
Hellendoornstraat, Eduard = 96	38	**M1**
Helmersplantsoen	30	**K8**
Helmholtzstraat	46	**M14**
Helstplein, Van der	43	**M10**
Helt Stocadestraat, Van	43	**M10**
Hembrugstraat	18	**F9**
Hembyzestraat, Willem van	27	**J3-H3**
Hemertstraat, Paulus van	27	**H3**
Hemonylaan	44	**L11**
Hemonystraat	44	**L11**
Hemsterhuisstraat	28	**L4-K5**
Hemweg	6	**B4**
Hendrikplantsoen, Frederik	30	**H9**
Hendrikstraat, Frederik	30	**J8-H9**
Hendrikus Rempestraat	16	**G5**
Henegouwenstraat	39	**N3**
Hengelstraat, J.F. van	34	**J14-H15**
Heniepad, Sonja = 97	11	**D12**
Henkenshage	55	**S9**
Henriëtstraat, Henk	28	**K5-J6**
Hensbroekerstraat	22	**F14**
Herculesstraat	42	**N7-M8**
Herderhof	27	**H4**
Herengracht	31	**H10-K11**
Herenmarkt	31	**H10**
Herenstraat	31	**H10**
Herentalsstraat	39	**M3**
Heringa-State	54	**P9**
Herinkhave	53	**R7**
Hermietenstraat = 32	2	**J10***N*
Hermitagelaan	28	**K5**
Herschelstraat	46	**L14**
Hertingenstraat	38	**L2**
Hertspiegelweg	29	**G7-H7**
Hertzogstraat	45	**L13**
Hertzstraat	46	**M14**
Herwijk	14	**E1**
Heselaarsstraat, Willem	38	**M2**
Het Breed	21	**E13-E14**
Het Hooght	22	**E14**
Het Laagt	22	**E14**
Heusdenstraat	39	**N4**
Heverleestraat	39	**N3-N4**
Hexaanweg	7	**C7**
Hichtumstraat, Nienke van	27	**H3**
Hienschstraat, Henk	16	**G5**
Hildebrandstraat = 55	30	**K8**
Hildsven	22	**E14**
Hillegomstraat	41	**M6**
Hillenraadt	55	**S9-S10**
Hilligaertstraat, Van	43	**M10**
Hilverbeekstraat	23	**F16**
Hilverdinkstraat, Johannes	28	**K5-K6**
Hilversumstraat	23	**F15-F16**
Hinderstein	55	**R9-R10**
Hirschpassage	31	**K9**
Hisgenpad, J.H.	21	**D13-E13**
Hissinkstraat, N. =155	38	**M1**
Hobbemakade	43	**L9-M9**
Hobbemastraat	43	**L9-L10**
Hodenpijlkade	41	**L6-M6**
Hoek van Hollandstraat	41	**M6**
Hoekenes	26	**K2-M3**
Hoekenespad	39	**L3**
Hoekschewaardplein	21	**F13**
Hoekschewaardweg	21	**F13**
Hoekslootstraat	38	**L1**
Hoekssteeg, Heintje	3	**H11***S*
Hoendiepstraat	44	**N11**
Hof van Groenen	55	**R9**
Hof van Versailles	28	**J5**
Hofflaan, Van 't	45	**N13-M14**
Hofmanstraat, Johan	38	**M2**
Hofmeesterstraat	34	**J14**
Hofmeyrstraat	44	**M12**
Hofwijck	29	**G7-H7**
Hofwijckstraat	29	**G7-H7**
Hogeboomspad	38	**L1-M2**
Hogendorpplein, Van	18	**G9**
Hogendorpstraat, Van	18	**G8-G9**
Hogesluis Brug	44	**L11**
Hogeweg	45	**M13-L14**
Hogewerf	55	**R9-P9**
Hol, 't = 45	2	**H10***S*
Holbeinstraat	42	**N9**
Holendrechtstraat	44	**M11**
Holidaystraat, Billie	39	**N4**
Hollandse Tuin	19	**G10**
Hollemanstraat	45	**M13**
Holstraat, Richard	42	**M9**
Holtmeulen	55	**S9**
Holwerdahof	28	**K5**
Holy	55	**R9**
Hölzelsingel, Anton	38	**M1**
Homme Hettingastraat	27	**J3-H3**
Hondecoeterstraat	42	**L9-M9**
Hondiusstraat	29	**H6**
Hondsdrafpad	20	**F11**

Naam	Plattegrond	Plaatsaanduiding

I

J

Naam	Plattegrond	Plaatsaanduiding
Jaagpad	52	**R5-M7**
Jachthavenweg	41	**N6-P6**
Jacobshof, Eduard	39	**M4**
Jacobslaan, Aletta	40	**N5-M5**
Jacobszdwarsstraat, Pieter = 18	2	**J10***N*
Jacobszstraat, Hendrik	41	**M7**
Jacobszstraat, Pieter = 15	2	**J10***N*
Jansenplein, Lou	15	**G4**
Janzenstraat, Jan	16	**G5**
Japiksestraat, Nicolaas	28	**K4-K5**
Jarasingel	38	**M1-L1**
Jarmuiden	14	**F2**
Jasmijnstraat	20	**F11**
Jasonstraat	41	**N7**
Javakade	33	**H13**
Javaplein	34	**K14**
Javastraat	33	**K13-K14**
Jekerstraat	43	**N10-N11**
Jelgerhuishof, Johannes	40	**L5**
Jelte Eelsmastraat	15	**G3**
Jeltje de Bosch-Kemperpad = 54	30	**K8**
Jennerstraat	46	**M14**
Jephtastraat	29	**G6-H6**
Jeroenensteeg	2	**H10***N*
Jisperveldstraat	22	**E15**
Jittastraat, Josephus	15	**G4**
Jodenbreestraat	32	**J11**
Johannapark	42	**L8**
Jollenpad	53	**P6-P7**
Jonge Roelensteeg	2	**J10***N*
Jonghstraat, Jan de	28	**H4-H5**
Jongkindstraat, Johan	40	**L5-L6**
Jongstraat, A.M. de	28	**H5**
Jonkerplein, Hendrik	19	**G10**
Jordaanplein, Johnny	31	**J9**
Joubertstraat	44	**M12**
Julianaplein	45	**M12-N12**
Jupiterstraat = 78	9	**B9**

K

Naam	Plattegrond	Plaatsaanduiding
Kabelgaststraat	9	**D10**
Kabelweg	17	**E7-F6**
Kadoelenpad	10	**C11-C12**
Kadoelenweg	10	**C11-B11**
Kajuitweg	6	**C5**
Kalfjeslaan	53	**S7-S10**
Kalfsvelsteeg	2	**J10***S*
Kalkmarkt	32	**J11**
Kalkoenstraat	21	**F13**
Kalmoesstraat	21	**E12**
Kalverstraat	31	**J10-K10**
Kamerlingh Onneslaan	45	**M12-M13**
Kamillestraat	21	**E12**
Kamp, De	54	**R8-R9**
Kamperfoelieweg	20	**D12-F12**
Kampina	12	**D14**
Kanaalstraat	30	**K7-K8**
Kanariestraat	21	**G12**
Kannstraat, Maurits	15	**G4**
Kanteel	55	**S9**
Kantemanplein, Iwan = 135	38	**M1-M2**
Kanthof, Immanuel	27	**H4**
Kapelsteeg, Enge	2	**J10***S*
Kapkarpad	9	**B9-B10**
Kapoeasweg	16	**F5**
Kapteynstraat	45	**M13-N13**
Karimatastraat	34	**K14**
Karnebeekstraat, Van	26	**H2-H3**
Karnemelksteeg	3	**H10***S*
Karnstraat	46	***N14-P14***
Karperstraat	41	**M7**
Karperweg	41	**M7**
Karthuizersdwarsstraat = 19	2	**H9***N*
Karthuizersplantsoen	2	**H9***N*
Karthuizersstraat	31	**H9**
Karveelstraat	10	**D12**
Kastanjeplein	45	**L12-L13**
Kastanjeweg	45	**L12-L13**
Kastelenstraat	54	**S8-S9**
Kasterleepark	39	**M3-N3**
Kastrupstraat	16	**F5**
Katanhof, Hans	28	**G5-H5**
Katerstraat, Klaas	38	**M2**
Katrijpstraat	22	**F15**
Kattenburgergracht	32	**J12**
Kattenburgerkade	33	**J12-J13**
Kattenburgerkruisstraat	32	**J12**
Kattenburgerplein	32	**J12**
Kattenburgerstraat	33	**H12-J12**
Kattengat	2	**H10***N*
Kattenlaan	42	**L8**
Katwijkstraat	41	**M6**
Kazernestraat	33	**K12**
Keerkringpark	9	**C9**
Keerpunt	19	**G10**
Keerweer	30	**J8**
Keijserplein, Henrick de	43	**M10-M11**
Keijserstraat, Henrick de	43	**M10**
Keizerrijk	31	**J10**
Keizersgracht	31	**H10-K11**

Naam	Plattegrond	Plaatsaanduiding
Keizersstraat	3	**J11***N*
Keldermansstraat, Antoon	14	**G2**
Kellypad, John = 103	11	**D12**
Kempenaerstraat, De	30	**G8-H8**
Kempenlaan	39	**N3**
Kemperstraat, Joan Melchior	18	**G8-G9**
Kempisstraat, Thomas à	27	**J3-H3**
Kennemerduinstraat	22	**E15**
Keplerstraat, Johann	46	**L14**
Keratellastraat	10	**B11**
Kerklaan Zunderdorp	13	**D16**
Kerksteeg, Enge = 21	3	**H10***S*
Kerkstraat	31	**K9-K11**
Kermispad	9	**B9**
Kernstraat, Johan	28	**K5-L5**
Kersenstraat	9	**C10-C11**
Kesstraat, Willem	42	**N9**
Ketelhuisplein	30	**K8**
Ketelmakerij	21	**G12**
Ketelmakerstraat	19	**G10**
Ketelstraat	21	**G12-G13**
Keurenplein	26	**K1**
Keverberg	54	**S8**
Kiefskamp	54	**R8**
Kierkegaardstraat	27	**H3**
Kievitstraat	20	**G12**
Kijkduinstraat	17	**G7**
Kimpoweg	17	**G6**
Kinderdijkstraat	44	**N11**
Kingpark, Martin Luther	44	**P11-N12**
Kingsfordweg	17	**G6-F6**
Kinkerstraat	30	**K8-J9**
Kinrooistraat	39	**M3**
Kinsbergenstraat, Van	30	**J7-J8**
Klaprozenweg	9	**D10-E12**
Klarenburg	26	**K3**
Klarenstraat, U.J.	40	**M5**
Klaverweg	20	**F11-E11**
Kleersloot = 38	3	**J11***N*
Kleine Beerstraat	9	**B10-C10**
Kleine Diestraat	22	**F14**
Kleine Houtstraat	19	**G9**
Kleine Loopveld, 't	54	**S8-S10**
Kleine Wittenburgerstraat	33	**J12-J13**
Kleine Zooneplein	9	**C10**
Kleine-Gartmanplantsoen	31	**K9**
Kleinpad, Roelof = 101	11	**D12**
Klencke, De	55	**R9-R10**
Klerkhof, Michel de	26	**H2**
Klimopstraatje	2	**H10***S*
Klimopweg	20	**E11**
Klinkenbergstraat, Karel	28	**K5-J5**
Klinkerweg	9	**C10-D11**
Klipperstraat	10	**D12**
Klompélaan, Marga	26	**G2-H2**
Kloosstraat, Willem	27	**H4**
Klooster	2	**K10***N***-J10***S*
Kloveniersburgwal	31	**J10-J11**
Kloveniersteeg	3	**J11***N*
Kluitstraat, Adriaan	28	**K5**
Knappertstraat, Emilie	40	**M5**
Kneppelhoutstraat = 56	30	**K8**
Knokkestraat	39	**N3**
Knollendamstraat	18	**F9**
Knoopstraat, W.J.	21	**E13**
K.N.S.M.-laan	34	**H14**
Kochplantsoen, Robert	46	**M14-N14**
Kochstraat, Bernard	41	**M7**
Koedijkpad	22	**F14-F15**
Koejemansstraat, A.J.	38	**M1**
Koekoeksplein	21	**G12**
Koekoeksstraat	21	**G12**
Koelmantelstraat	10	**D11**
Koenenkade	52	**S4-R7**
Koeriestersplein	3	**J11***S*
Koestraat	2	**J10***N***-J11***N*
Koetsveldstraat, Van	27	**H4**
Kofschipstraat	10	**D12**
Koggestraat	2	**H10***S*
Kolibristraat	21	**F12-F13**
Kolksteeg	3	**H10***S*
Kölpinstraat	38	**M1**
Kometensingel	9	**C9-C10**
Kompasweg	6	**C5-D5**
Konijnenstraat	31	**J9**
Koningin Wilhelminaplein	40	**L5-M6**
Koninginneweg	42	**M7-L8**
Koningsbergerstraat, Harry	28	**H5-G6**
Koningslaan	42	**L7-L8**
Koningsplein	31	**K10-J10**
Koningsstraat	3	**J11***N*
Koogstraat	18	**F8-F9**
Koopvaardersplantsoen	10	**D12**
Koostraat, J. de	39	**L3**
Kop van Jut	30	**H8-J8**
Koperslagerij	20	**G12**
Kopjachtstraat	10	**D12**
Koppelingpad	10	**D11**
Korenbloemstraat	20	**E12**
Korsjespoortsteeg = 164	2	**H10***N*
Korte 's-Gravesandestraat	32	**K12**
Korte Blekersstraat	30	**J8**
Korte De Wittenstraat = 154	18	**G9**
Korte Dijkstraat	3	**J11***N*
Korte Distelstraat	20	**F11**
Korte Eilandsgracht	19	**G10**
Korte Geuzenstraat	30	**J8**
Korte Keizersdwarsstraat = 2	3	**J11***N*
Korte Keizersstraat	3	**J11***N*
Korte Kolksteeg = 34	2	**H10***S*
Korte Koningsdwarsstraat = 3	3	**J11***N*
Korte Koningsstraat	3	**J11***N*
Korte Korsjespoortsteeg	2	**H10***S*
Korte Leidsedwarsstraat	31	**K9-K10**
Korte Lepelstraat	32	**K11**
Korte Lijnbaanssteeg	2	**H10***S*
Korte Marnixkade	19	**G9**
Korte Marnixstraat = 69	19	**G9**
Korte Meerhuizenstraat	44	**M11**
Korte Niezel	3	**H11***S*
Korte Ouderkerkerdijk	45	**N12-P12**
Korte Papaverweg	20	**F12-E12**
Korte Prinsengracht	31	**H10-G10**

L

Naam	Plattegrond	Plaatsaanduiding
Loosduinenstraat	41	**M6**
Loosjesstraat, Adriaan	10	**B11**
Lootsstraat	29	**K7**
Loowaard	54	**R9**
Looystraat, Jacobus van	28	**H5**
Lord Kelvinstraat	46	**M14**
Lorentzlaan	45	**N13-M13**
Lorreinenstraat	29	**H7**
Louterstraat, Jan de	27	**G4-H4**
Louvrelaan	28	**J5**
Louweshoek	39	**N4**
Louwesweg	40	**N4-M5**
Lucellestraat	29	**G6-H7**
Luchtvaartstraat	41	**N6**
Luijkenstraat, Jan	43	**L9-K9**
Luiksingel	39	**N4**
Lumeijstraat	29	**J7**
Lupineplein	20	**F11**
Lupinestraat	20	**F11**
Luthulistraat, Albert	45	**M12**
Lutmastraat	43	**M10-M11**
Luvernes	15	**F3**
Luyendijke	10	**A11**
Luzacstraat	30	**H8**

M

Naam	Plattegrond	Plaatsaanduiding
Ma Braunpad	26	**H2-K2**
Maanstraat	9	**C10-B10**
Maarkedalpad	39	**N3**
Maaseikpad	39	**M4**
Maaseikstraat	39	**M3-M4**
Maassluisstraat	40	**M5**
Maasstraat	43	**N10-M10**
Madelievenstraat	31	**H9**
Madisonstraat, Hélène	10	**D12**
Madurastraat	33	**K13-K14**
Maerlantstraat, Jacob van	27	**H3**
Maesstraat, Nicolaas	42	**M9-L9**
Magalhaensplein	29	**J7**
Magalhaensstraat	29	**K7**
Magere Brug	32	**K11**
Magerhorst	54	**R8-R9**
Magersfonteinstraat	45	**L12**
Magneetstraat	17	**F7**
Magnoliastraat	20	**F11**
Magnushof, Albertus	27	**J3**
Mahlerlaan, Gustav	54	**P7-P9**
Maijenstraat, Jan	29	**J7**
Mainhavenweg	16	**F5-E5**
Majanggracht	33	**H13**
Majofskistraat, Theodorus	40	**L5-M5**
Majoor Fransweg	17	**G6**
Majubastraat	45	**M12-L12**
Makassarplein	34	**K14**
Makassarstraat	34	**K14**
Maliebaan	45	**M12**
Mallorcaweg	5	**D3**
Maltaweg	5	**D3**
Malvastraat	20	**F12**
Mandarijnenstraat	9	**C10-C11**
Mandenmakerspad	9	**B9**
Mandenmakerssteeg = 23	3	**H10***S*
Manegestraat	32	**K11**
Manenburgstraat	45	**N12**
Mankesstraat, Jan	28	**K5-K6**
Mann-Bouwmeesterhof, Theo	39	**M4**
Manna de Vijs- Montonhof = 87	39	**L4**
Mannourystraat, Gerrit	40	**L5-L6**
Manstraat, Herman de	28	**H5**
Manusstraat, Rosa	38	**L2-M2**
Marathonweg	42	**M7-N8**
Marcantilaan	30	**H8**
Marchanthof	26	**H2**
Marconistraat	46	**M14**
Marcusstraat	44	**M12**
Mariëndaal	22	**D14**
Marinierskade	33	**H12-J13**
Mariotteplein	46	**M14**
Mariottestraat	46	**M14**
Marisplein, Jacob	41	**L7**
Marisstraat, Jacob	41	**M7-L7**
Maritzstraat	44	**L12**
Marjoleinstraat	10	**D12**
Markengouw	23	**E15-F16**
Markenplein	3	**J11***S*
Markiespad	9	**B10**
Marksingel = 138	38	**M1**
Marnixkade	30	**H9-G9**
Marnixplein	30	**H9**
Marnixstraat	30	**G9-K9**
Marowijnestraat	29	**K7**
Marquette	54	**S8**
Marskramerstraat	9	**B9**
Marsmanstraat	28	**H5**
Marsstraat	9	**B9**
Martelaarsgracht	3	**H10***N*
Marumstraat, Van	46	**M14**
Mastbos	12	**D14**
Masthof	11	**C13**
Matenessehof	55	**P9**
Matrozenhof	32	**J12**
Maurikstraat, Justus van = 63	27	**H4**
Mauritskade	44	**L11-K13**
Mauritsstraat	44	**L11**
Mauvestraat	44	**M11**
Maxwellstraat	45	**M13-N13**
Mechelensingel	39	**M3-N3**
Medemblikstraat	22	**F14**

Naam	Plattegrond	Plaatsaanduiding
Meentstraat	38	**L1**
Meer en Vaart	27	**K3-L3**
Meerhuizenplein	44	**M11**
Meerhuizenstraat	44	**M11**
Meerpad	21	**F13-F14**
Meerum Terwogtweg, Hans	11	**D13**
Meerwaldtpad, Arthur	16	**G5**
Meesterstraat, Johan de	27	**H4**
Meeuwenlaan	20	**G11-F13**
Meeuwenplein	21	**F12-F13**
Meewisstraat, Johannes	16	**G5**
Meidoornplein	20	**F12**
Meidoornweg	20	**G11-G12**
Meijerplein, Jonas Daniël	3	**K11***N*
Meijerstraat, Eduard	26	**H2**
Mekongweg	15	**F4**
Melis Stokehof	27	**H3**
Melkmanstraat, Jacob	15	**G4**
Melkweg	9	**B9**
Meloenenstraat	9	**C10**
Melsbroekhof	39	**N4**
Memlingstraat	42	**M9**
Menadostraat	34	**K14**
Mendelhof	46	**M14**
Mendes da Costahof	26	**H2**
Menno ter Braakstraat	28	**H5**
Mensinge	55	**R10**
Mensplein, Jan	19	**F10-G10**
Mercatorplein	29	**J7**
Mercatorstraat	29	**H6-J7**
Mercierstraat, Helena	40	**M5**
Merckenburg	54	**S8**
Mercuriusplein	9	**B9-C9**
Mercuriusstraat	9	**C9-B9**
Merelstraat	21	**F13**
Merlijnstraat	29	**H7**
Merwedeplein	44	**N11**
Mesdagstraat	43	**M10**
Messchaertstraat	43	**N9**
Messinastraat	34	**H14**
Metaalbewerkerweg	20	**D11-E11**
Meteorensingel	9	**C10**
Meteorenweg	8	**B8-C10**
Meterenstraat, Emanuel van	28	**K4-L5**
Methaanweg	6	**D6-C6**
Metrowerkplaast	59	**R16-R17**
Metsusstraat, Gabriël	43	**L9**
Metzhof, Alpert van	40	**L4-L5**
Meurshof, Johannes van	28	**K4**
Meyer-Wichmannstraat, Clara	45	**M12-N13**
Meylaan, J.M. van der	34	**J14**
Mezenstraat	21	**G12**
Mezquitalaan	28	**J5**
Michelangelostraat	42	**M8-N8**
Middelhoffstraat	45	**N12-N13**
Middeliestraat	22	**F14**
Middellandtstraat, Van	29	**K7**
Middelveldstraat	38	**L1**
Middenlaan	13	**C16-D16**
Middenmeerpad	46	**N14-M15**
Middenweg	45	**L13-N15**
Midscheeps	11	**C12**
Mien Labbertonstraat	27	**H3**
Miereveldstraat, Van	43	**L9**
Mierisstraat, Frans van	42	**M9-L9**
Milletstraat	42	**N8**
Minahassastraat	45	**L13**
Minckelersstraat	45	**M13**
Minervahavenweg	18	**E9**
Minervalaan	42	**M8-N8**
Minervapad	42	**N8**
Minervaplein	42	**N8**
Minnemoersstraat	19	**G10**
Mirandalaan, De	56	**P11**
Miraplein	9	**B9**
Moddermanstraat, Antony	15	**G3-G4**
Moddermolenstraat	3	**J11***S*
Moddermolenstraat	3	**J11***S*
Modelmakerstraat	9	**D10**
Modemstraat	9	**D10**
Moerbeienstraat	10	**C11**
Moerbeke	38	**N3**
Moerdijkstraat	44	**N11**
Moerkerkenstraat, Van	27	**H4**
Moermond	54	**S9**
Moersbergen	55	**R9-R10**
Moezelhavenweg	15	**F4-E4**
Mokerstraat	21	**G13**
Molenaarsweg	9	**B9-B10**
Molenbeekstraat	43	**N10**
Molengouw	22	**F14**
Molengraaffstraat, Willem	15	**G3-G4**
Molenpad	31	**K9**
Molenslootpad	24	**F18**
Molensteeg	3	**J11***N*
Molenwerf	17	**G6**
Mollhof, Willem	28	**K4-K5**
Molsteeg	2	**H10***S*
Molukkenstraat	46	**K14-L14**
Mondriaanstraat, Piet	28	**K5-K6**
Monitorstraat	9	**C10-D10**
Monnikendammerplantsoen	22	**F15**
Monnikendammerweg	22	**F15-G15**
Monnikendwarsstraat = 42	3	**J11***N*
Monnikenstraat	32	**J11**
Montelbaanstraat	3	**J11***N*
Montessoristraat, Maria	39	**M3**
Montferlandstraat	55	**P10**
Moorhof, Louis	39	**M4**
Moorstraat, Joos de	29	**J7**
Moreelsestraat	43	**L9**
Morellenstraat	10	**C11**
Morsestraat	45	**M13**
Mosplein	20	**F12**
Mosstraat	20	**F12**
Mosterdpotsteeg = 44	2	**H10***S*
Mosveld	20	**F12**
Motleyhof, John	28	**K5**
Motorkade	21	**G12**
Motorwal	20	**G12**
Mourik Broekmanstraat, Van	40	**L4-L5**
Moustafapad, Ibrahim = 111	11	**D12**

Naam	Plattegrond	Plaatsaanduiding
Mouthaansteeg	19	**G9-G10**
Mouwstraat, J.A. der	27	**H4**
Mozartkade	43	**M9**
Mozes en Aäronstraat	2	**J10***N*
Mr. P.N. Arntzeniusweg	45	**L13-M14**
Mr. Treublaan	44	**M12**
Mr. Visserplein	32	**J11**
ms. Oslofjordweg	9	**D10**
ms. van Riemsdijkweg	19	**E10-D10**
mt. Lincolnweg	9	**D10**
mt. Ondinaweg	19	**D10-E10**
Muiderstraat	32	**J11-K11**
Mulderplein, Ir. Jakoba	33	**K13**
Mulierhof, Willem	26	**H2**
Muntendamstraat	44	**L12**
Muntplein	31	**K10**
Murillostraat	42	**N8-N9**
Muschstraat, Jan	39	**L4**
Museumplein	43	**L9**
Musschenbroekstraat, Van	44	**L12**
Mussenstraat	20	**G12**
Muurbloemstraat = 58	20	**F12**
Muyskenweg, Joan	56	**P12-S12**
Muzenplein	43	**M9**

N

Naam	Plattegrond	Plaatsaanduiding
Naaldwijkstraat	41	**M6-N6**
Naardermeerstraat	23	**F15**
Naarstigstraat, Louis	16	**G5**
Nachtegaalstraat	20	**G12**
Nachtwachtlaan	29	**K6-L6**
Nadirstraat	9	**B9**
Nadorststeeg	2	**J10***N*
Naeffstraat, Top	27	**H4**
Naerebouthof, Frans	28	**H5-J5**
Nageljongenstraat	10	**D11-C11**
Nakkenstraat, Willem	28	**K6**
Nakstraat, Pieter = 134	38	**M1**
Namenhof	39	**N4**
Nannostraat	28	**H6**
Naritaweg	16	**F4-F5**
Narwalstraat	9	**A10**
Nassaukade	30	**G9-K9**
Nassauplein	19	**G9**
Nassaustraat, Adolf van	17	**G7**
Neckstraat, Van	19	**F10**
Nederhoven	55	**S9**
Nedersticht	55	**R9-R10**
Neerkanne	54	**S8**
Neptunusplein	9	**B9**
Neptunusstraat	9	**B9**
Nepveustraat	29	**K7**
Nes	31	**J10**
Nesserhoek	9	**A10**
Nesserland	9	**A10**
Nesserton	9	**A10**
Netwerkweg	9	**C9**
Neuhuysstraat, Albert	41	**L6-L7**
Newtonstraat	46	**L14**
Niasstraat	34	**K14**
Nibbixwoudstraat	22	**F14**
Nickeriestraat	29	**K7**
Nierkerkestraat	38	**L2**
Niersstraat	43	**N10**
Nieuw Herlaer	55	**S10**
Nieuwe Achtergracht	32	**K11-K12**
Nieuwe Akerweg	38	**N2**
Nieuwe Amstelbrug	44	**L11**
Nieuwe Amstelstraat	3	**K11***N*
Nieuwe Batavierstraat	3	**J11***S*
Nieuwe Doelenstraat	31	**J10**
Nieuwe Egelantiersstraat = 66	30	**H9**
Nieuwe Foeliestraat	32	**J11-J12**
Nieuwe Gietersstraat	30	**H9**
Nieuwe Gouw	13	**D16-E18**
Nieuwe Grachtje	32	**J11**
Nieuwe Haagseweg	51	**R3-P5**
Nieuwe Hemweg	6	**B5-E8**
Nieuwe Herengracht	32	**K11-J11**
Nieuwe Hoogstraat	32	**J11**
Nieuwe Houttuinen	19	**G9-G10**
Nieuwe Jonkerstraat	3	**J11***N*
Nieuwe Keizersgracht	32	**K11**
Nieuwe Kerkstraat	32	**K11**
Nieuwe Laan	26	**K2-K3**
Nieuwe Leeuwarderweg	21	**F12-C14**
Nieuwe Leliestraat	30	**H9**
Nieuwe Looiersdwarsstraat = 52	31	**K10**
Nieuwe Looiersstraat	31	**K10-L10**
Nieuwe Maanstraat	9	**C10**
Nieuwe Nieuwstraat	2	**H10***S*
Nieuwe Oostenburgerdwarsstraat	33	**J13**
Nieuwe Oostenburgerstraat	33	**J13**
Nieuwe Passeerdersstraat	30	**K9**
Nieuwe Prinsengracht	32	**K11-K12**
Nieuwe Purmerweg	21	**E13-F14**
Nieuwe Ridderstraat	3	**J11***N*
Nieuwe Schermerstraat	22	**F14**
Nieuwe Spaarpotsteeg	2	**H10***S*
Nieuwe Spiegelstraat	31	**K10**
Nieuwe Teertuinen	19	**G9**
Nieuwe Tuinstraat = 65	30	**H9**
Nieuwe Uilenburgerstraat	32	**J11**
Nieuwe Utrechtseweg	56	**P11-R12**
Nieuwe Wagenstraat	19	**G9**
Nieuwe Westerdokstraat	19	**G10-H10**
Nieuwe Weteringstraat	31	**K10-L10**
Nieuwe Zonneweg	9	**C10**
Nieuwebrugsteeg	31	**H11**
Nieuwegrachtje	3	**J11***N*

Naam	Plattegrond	Plaatsaanduiding
Oostenburgervoorstraat	33	**J12-J13**
Oosterdokskade	31	**H11**
Oosterendstraat	23	**F16**
Oosterleehof, Pieter = 91	39	**M3**
Oosterlengte	11	**D13-C13**
Oosterpark	45	**L12-K13**
Oosterringdijk	46	**L14-L16**
Oostersekade	3	**J11**_N_
Oosterspoorplein	45	**L13**
Oosthuizenstraat	22	**F15**
Oostoever	28	**K5-J5**
Oostzaanstraat	18	**F8-F9**
Oostzanerdijk	9	**A9-B11**
Oostzeeweg	14	**E2-D2**
Opdijkstraat	38	**L1**
Openhartsteeg	2	**K10**_N_
Opmerkzaam	39	**L3**
Oppenheimstraat, Jacques	27	**H4-G4**
Opveld	55	**S9**
Opzoomerstraat, Adèle	27	**H4**
Oranje Nassaulaan	42	**L7-L8**
Oranje Vrijstaatkade	45	**L13**
Orcastraat	9	**A10**
Orehof	38	**M2**
Orgeldraaierspad	9	**B9**
Orionplantsoen	9	**C10**
Orionstraat	9	**C10**
Orlyplein	16	**F5-F6**
Ornsteinstraat	45	**M13**
Orteliuskade	29	**J6-K7**
Orteliusstraat	29	**H6-K7**
Ortonpad, George = 104	11	**D12**
Osdorper Ban	38	**L1-K3**
Osdorperweg	26	**K1-N2**
Osdorpplein	39	**L3**
Ossenspooksteeg	2	**H10**_N_
Ossstraat, S.F. van	39	**L3-L4**
Ostadestraat, Van	43	**M10-L11**
Ostwaldstraat	45	**M13-M14**
Oterleekstraat	22	**F15**
Otopeniweg	16	**G5**
Ouborg	55	**S9-S10**
Oud-Ehrenstein	54	**S9**
Oudaen	54	**S8**
Oude Braak = 122	3	**H10**_S_
Oude Doelenstraat = 118	31	**J10**
Oude Haagseweg	51	**R3-P5**
Oude Hoogstraat	31	**J10-J11**
Oude Leliestraat	31	**H10**
Oude Looiersstraat	31	**J9**
Oude Meerhof	38	**L1**
Oude Muiderstraatweg	61	**R19-R20**
Oude Nieuwstraat	2	**H10**_N_
Oude Spiegelstraat	2	**J10**_S_
Oude Turfmarkt	31	**J10**
Oude Waal	32	**J11**
Oude-IJselstraat	44	**M11**
Oudebrugsteeg	3	**H10**_S_
Oudegeeststraat, Jan	38	**M2-L2**
Oudekennissteeg	3	**J11**_N_
Oudekerksplein	3	**H10**_S_**-J11**_N_
Oudemanhuispoort	3	**J10**_S_
Oudemanshof	45	**N13**
Oudenaardeplantsoen	38	**M3-N3**
Ouderkerkerdijk	55	**R10-T11**
Oudeschans	3	**J11**_N_
Oudezijds Achterburgwal	31	**J10-H11**
Oudezijds Armsteeg	3	**H11**_S_
Oudezijds Kolk	3	**H11**_S_
Oudezijds Voorburgwal	31	**J10-H11**
Oudorperstraat	22	**F15**
Oudstraat, P.J.	14	**G1**
Outshoornstraat, Cornelis	14	**G2-G3**
Ouwerdingenpad	26	**K2**
Overamstelstraat	44	**M12**
Overbrakerpad	18	**F8**
Overdam	53	**S7**
Overflakkeestraat	21	**F13**
Overhaalsgang	33	**J12**
Overhaalstraat	38	**L1**
Overijsselweg	53	**R7**
Overleg	39	**L3**
Overpeltstraat	39	**M3**
Overschiestraat	40	**N5-N6**
Oversinge	55	**R9-R10**
Overslag	11	**C12**
Overslaghof	11	**C12**
Overtoom	30	**L7-K9**
Overveenstraat	22	**F15**
Overvoorde	54	**S8**
Overzichtweg	45	**N12**
Owenshof, Jesse	10	**D12**

P

Naam	Plattegrond	Plaatsaanduiding
Paaltjenspad, Piet	29	**H6**
Paaphof, Willem	28	**H5**
Paardekraalstraat	45	**L13**
Paardenstraat	3	**K10**_N_**-K11**_N_
Paavo Nurmipad = 100	11	**D12**
Padangstraat	34	**K14**
Paffstraat, Jacob	38	**M1**
Pakingehof	38	**L2**
Palamedesstraat	30	**K9**
Paleisstraat	31	**J10**
Palembangstraat	45	**L13-L14**
Palestrinastraat	42	**L9**
Paletstraat	43	**M10**
Palmeplein, Olof	22	**E14**
Palmgracht	19	**G9**
Palmstraat	19	**G9**

Q

R

Naam	Plattegrond	Plaatsaanduiding
Reestraat	31	**J9**
Reggestraat	44	**N11-M11**
Regulateurstraat	10	**C11**
Reguliersbreestraat	2	**K10***N*
Reguliersdwarsstraat	31	**K10**
Reguliersgracht	31	**K10-L10**
Regulierssteeg	2	**K10***N*
Reigersbergenstraat, Van	30	**J8-H8**
Reigerweg	20	**G12**
Reijdhof, Everard van	39	**L4**
Reijnier Vinkeleskade	42	**M8-M9**
Reijstraat, De la	45	**M12**
Reimersbeek	54	**S9**
Reimerswaalstraat	26	**K2**
Reina Prinsen-Geerligsstraat	28	**H5**
Reinaert de Vosstraat	29	**H7**
Reinveen	26	**K2**
Reinwardtstraat	33	**K13-L13**
Reitdiepstraat	44	**N11-N12**
Reitsmakade, A.	38	**M1**
Reitzstraat	45	**L12-M12**
Reizigersweg	9	**B9**
Reling	11	**C13**
Rembrandtpark	29	**K6-L6**
Rembrandtplein	31	**K10**
Remijden	27	**K3**
Rengerskerkestraat	38	**L2**
Rennesstraat, Catharina van	42	**N9**
Rensselaerstraat, Van	29	**K7**
Resedastraat = 131	20	**F12**
Retiefstraat	45	**L12-L13**
Reynvaanstraat, Johanna	40	**M5**
Rhijnestein	55	**R9**
Rhodosweg	15	**E3**
Rhoneweg	16	**F4-F5**
Ribesstraat	20	**F12**
Riebeeckhavenweg, Van	7	**C7-D7**
Riebeekstraat, Jan van	29	**J7**
Riekerweg	52	**R5-P6**
Rietlandterras	33	**J13-J14**
Rietnesse	54	**S9**
Rietveld Schröderpad	28	**K5**
Rietwijkerstraat	41	**M6-M7**
Rietzangerweg	20	**G12**
Rigakade	18	**E8-E9**
Rigelstraat	9	**C10**
Rijgersborgh	38	**L2**
Rijkershof, Dorus	28	**H4-J4**
Rijkhof, Jacob de	27	**H3**
Rijnjastraat, Johan	11	**C13**
Rijnloodspad	34	**H14-H15**
Rijnsburgstraat	41	**N6-M7**
Rijnstraat	44	**M11-N11**
Rijpgracht, De	30	**H7-H8**
Rijpstraat, De	29	**H7**
Rijsdrechthof	38	**L1**
Rijssenburghof	38	**L1**
Rijswijkstraat	40	**M5-M6**
Rijtuigenhof	42	**L8**
Rinckerstraat, Top	26	**H2**
Ringdijk	45	**M12-L13**
Ringelstraat, Jan	9	**B10**
Ringvaartdijk	38	**N2-P3**
Ringweg-Noord	9	**A9-E16**
Ringweg-Oost	23	**F16-M16**
Ringweg-Zuid	53	**P6-R10**
Riouwstraat	33	**K13-K14**
Ripperdastraat, Wigbolt	15	**G3**
Ritzema Bosstraat	45	**N13-M14**
Robbersstraat, Herman	28	**H5**
Robertsonstraat, Suze	28	**K6**
Robijnstraat	44	**M11**
Rochussenstraat	18	**G8**
Rocketstraat	44	**M12**
Rode Kruisstraat	21	**E13-F13**
Rodenbachhof, Albrecht = 64	27	**H4**
Rodenburghplein, Daan	11	**C13-D13**
Rodenrijsstraat	40	**M6**
Roelantstraat	29	**H7**
Roelofsstraat, Willem	28	**K5**
Roemer	9	**A10**
Roemer Visscherstraat	30	**K9**
Roerstraat	43	**N10-N11**
Roeselarestraat	39	**M3-N3**
Roeskestraat, Frederik	42	**N7-N8**
Roetersstraat	32	**K12**
Roeverstraat, Nicolaas de	45	**L13**
Roffart	55	**S9**
Roggeveenstraat	19	**F9-F10**
Rokin	31	**J10**
Roland Holststraat, Henriëtte	27	**H4**
Rollemanstraat	9	**B10**
Rombout Hogerbeetsstraat	30	**H8-H9**
Romeinsarmsteeg	2	**J10***N*
Rommeplantsoen, C.P.M.	26	**H2**
Rondeel	55	**R9-S9**
Ronnerplein, Henriëtte	44	**M11**
Ronnerstraat, Henriëtte	44	**M11**
Röntgenstraat	46	**M14**
Roobolstraat, Cornelis	15	**G3**
Roodestraat, Erik de	29	**J6-H6**
Rooijpad, Cornelis de	16	**G5**
Roomolenstraat	2	**H10***N*
Roompotstraat	43	**N10**
Roomtuintjes	33	**K13**
Rooseveltlaan	43	**N10-N11**
Roosje Vospad	38	**M2-L2**
Roosje Vosstraat	38	**L2**
Roosstraat, Cornelis	9	**B10**
Rooswijck	54	**S8**
Rosendaalstraat	45	**N12-N13**
Roskamsteeg = 9	2	**J10***S*
Rosmarijnsteeg	2	**J10***S*
Rosmolen	9	**B10**
Rossinistraat	42	**N9**
Rosskade, James	29	**J6-H6**
Rotterdamsepad	55	**R9-P9**
Roubelkade	38	**M1-M2**
Rousseaustraat	27	**H3**
Rouwetjeskade	48	**L17-L18**
Royaardsstraat, Willem	43	**N9**
Rozenboomsteeg = 36	2	**J10***S*
Rozenburglaan	45	**N13-P14**
Rozengracht	31	**J9**

S

Naam	Plattegrond	Plaatsaanduiding
Scholtenstraat, Paul	15	**G4**
Schoolmeesterstraat	30	**K8**
Schoolstraat	42	**L7-L8**
Schoonboomstraat	26	**K2**
Schoorlstraat	22	**F14-E14**
Schoorsteenvegerspad	9	**B9**
Schoorsteenvegerssteeg = 120	2	**J10***N*
Schopenhauerhof	27	**H4**
Schorpioenstraat	9	**B9**
Schotse Huizenpad	28	**K5**
Schottingstraat, Louis	39	**L3**
Schoutensteeg	3	**J10***N*
Schoutenstraat, Willem	29	**K7-J7**
Schouwstraat	22	**G15**
Schovenstraat	58	**P14**
Schreursweg, Tom	14	**G1**
Schröderstraat, J.C.	39	**L4**
Schubertstraat	42	**N9-M9**
Schuitenhuisstraat	38	**L1**
Schultenshof, Albert = 82	28	**K5**
Schutterweg	8	**B9**
Schuytstraat, Cornelis	42	**L8-M8**
Schwartzeplein, Thérèse	43	**M10**
Schwartzestraat, Thérèse	43	**M10**
Schweigmannstraat	16	**G5**
Scottstraat, Robert	29	**H6-J6**
Seghersstraat, Hercules	43	**L10-M10**
Seineweg	15	**G4-F4**
Seinwachterstraat	34	**J14-H15**
Semarangstraat	34	**K14**
Senecastraat	27	**J4-H4**
Senefelderstraat	45	**M13**
Seranggracht	33	**H13**
Servaes Noutsstraat	44	**L11**
Servetsteeg	3	**J10***N*
Sextantweg	6	**D5**
Shackletonstraat	29	**J7**
Sibogastraat	46	**L14**
Siebbeleshof, J.W.	3	**J11***N*
Sieg Vaz Diasstraat	16	**G4-G5**
Sierplein	40	**L5**
Sijlhof	54	**S8**
Sijpestein	55	**R9**
Sijsjesstraat	20	**G12**
Sikkelstraat	46	**P15-N15**
Silenestraat	20	**F12**
Simons Hasselaarstraat, Kenau	15	**G3**
Simonskerkestraat	38	**L2**
Simsonstraat	41	**M7**
Sinaasappelstraat	10	**C11**
Singel	31	**H10-K10**
Singerstraat	28	**K5**
Sinjeur Semeynsstraat	29	**H6-G6**
Sint Agnietenstraat	2	**J10***S*
Sint Annendwarsstraat = 16	3	**J10***N*
Sint Annenstraat	3	**J10***N*
Sint Antoniebreestraat	32	**J11**
Sint Antoniesluis	3	**J11***S*
Sint Barberenstraat = 10	2	**J10***S*
Sint Geertruidensteeg = 28	2	**H10***S*
Sint Gilleshof	39	**N3**
Sint Hubertpad	39	**N4**
Sint Jacobsdwarsstraat = 121	3	**H10***S*
Sint Jacobsstraat = 125	3	**H10***S*
Sint Jansstraat	3	**J10***N*
Sint Jorisstraat	2	**K10***N*
Sint Luciënsteeg	2	**J10***N*
Sint Nicolaasstraat	2	**H10***S*
Sint Olofspoort	3	**H11***S*
Sint Olofssteeg	3	**H11***S*
Sint Pieters Halsteeg	2	**J10***N*
Sint Pieterspoort = 11	2	**J10***N*
Sint Pieterspoortsteeg	2	**J10***N*
Sint Pieterssteeg = 39	2	**K10***N*
Sint Truidenstraat	39	**N3**
Sint Willibrordusdwarsstraat	44	**L11**
Sint Willibrordusstrat	44	**M11-L11**
Siriusstraat	9	**C10**
Sitterstraat, De	45	**M13**
Slaakstraat	43	**M10**
Sladushof, Mattheus = 83	28	**K5**
Slangenburg	54	**R8**
Slatuinenweg	30	**J8**
Slauerhoffstraat	27	**H4**
Sleepbootstraat	10	**D12**
Sleutelbloemstraat	20	**F11-F12**
Slijkstraat	3	**J10***S*
Slijperweg	20	**E11**
Slimmeweg	38	**N2**
Slingelandtplein, Van = 142	18	**G8**
Slingelandtstraat, Van	18	**G8**
Slingerbeekstraat	43	**M10-N10**
Slochterweg	12	**B14-A15**
Sloestraat	43	**M10**
Slootdorpstraat	23	**F15-F16**
Slootstraat	31	**H9**
Sloterdijkerweg	17	**G6-F7**
Sloterdijkstraat	19	**G9**
Sloterkade	41	**M7-L7**
Slotermeerlaan = 162	27	**G4-J4**
Sloterpark	27	**J3-K4**
Sloterweg	38	**N2-N5**
Slufter	22	**E14**
Sluijtersstraat, Jan	40	**L5-L6**
Sluisstraat	41	**M7**
Sluiterstraat, Willy	28	**K6**
Smaksteeg	2	**H10***N*
Smaragdplein	44	**M11**
Smaragdstraat	44	**M11**
Smederij	20	**G12**
Smidssteegje	3	**H11***S*
Smitstraat	45	**L12-M12**
Smitstraat, Jan	38	**M2**
Sneeuwbalstraat	20	**E12**
Sneeuwbalweg	21	**E12**
Sneevlietweg, Henk	40	**N5-N6**
Snelliusstraat	45	**N13**
Snijdersstraat, Nico	16	**G5**
Snoekjesgracht	3	**J11***S*
Snoekjessteeg = 1	3	**J11***S*
Snoekstraat, Andries	40	**M5**
Snouck Hurgronjehof, Christiaan	28	**K5**
Socratesstraat	27	**H3-H4**

Naam	Plattegrond	Plaatsaanduiding
Suchtelen vd Haarestraat van	38	**L2-L3**
Suchtelenhof, Nico van	28	**H5**
Suikerbakkerssteeg = 29	2	**H10**_S_
Suikerplein	19	**F9**
Sumatrakade	33	**H12-H14**
Sumatraplantsoen	46	**L14**
Sumatrastraat	33	**K13-L14**
Surinamekade	34	**H14-H15**
Surinameplein	41	**L6-L7**
Surinamestraat	41	**L7**
Suurhoffstraat, J.G.	26	**G2-H2**
Swaefhof, Joannes de = 89	39	**M3**
Swalmstraat	43	**N10-N11**
Swammerdamstraat	44	**L11**
Swarthstraat, Hélène	27	**H4**
Swedenrijkpad	45	**N12**
Swietenhof, Adriaan van	27	**H3**
Swindendwarsstraat, Van	33	**K13**

T

Naam	Plattegrond	Plaatsaanduiding
Taandwarsstraat	19	**F10-G10**
Taanstraat	19	**F10**
Taksteeg	2	**J10**_S_
Takstraat, Pieter Lodewijk	44	**M11**
Talmastraat	44	**M11**
Taman Sapituin	33	**H13**
Tamanaplein, Dora	44	**M11**
Tartaud Kleinhof	39	**L4**
Tasmanstraat	19	**F9**
Teerketelsteeg	2	**H10**_S_
Tegelbergplein, P.E.	34	**H15-J15**
Tegenhouderstraat	9	**D10-C11**
Teilingen	54	**R8-S8**
Teixeira de Mattosstraat	26	**H2**
Teleportboulevard	16	**F6**
Telescoophof	9	**B9**
Tematestraat	34	**K14**
Tempelhofstraat	17	**G6**
Ten Kateplein	30	**K8**
Ten Katestraat	30	**J8-K8**
Tenderstraat	34	**J14**
Teniersstraat	43	**L9**
Ter Boede	54	**S9**
Ter Gouwstraat	45	**L13**
Ter Haarstraat	30	**J8**
Ter Hooge	54	**R9-S9**
Ter Kleef	54	**S8**
Terborgstraat, Gerard	43	**M9**
Terheijdeweg	41	**L6-M6**
Termietergouw	12	**C15-C16**
Termieterweg	12	**C15-B15**
Ternatestraat	34	**K14**
Terpstraat	38	**L1**
Terschellingstraat	21	**F13**
Tervurenpad	39	**N3**
Teslastraat	46	**M14-N14**
Tesselschadestraat	30	**K9**
Tetterodestraat, Nicolaas	57	**P12-R12**
Texelplein	21	**F13**
Texelweg	21	**E13-F13**
Teylerplein	28	**K5**
Theemsweg	15	**F3-F4**
Theophilusstraat = 129	29	**H7**
Theronstraat, Danie	44	**M12**
Theseusstraat	42	**M7-M8**
Theuniszhof, Jan	28	**K5**
Thijssenhof, Theo = 93	39	**M3**
Thijsseplein, Jac. P.	20	**F12**
Tholenstraat	21	**F13**
Thomasstraat, Frederik	40	**L4-M4**
Thoméepad, Jan	10	**D12-D13**
Thorbeckeplein	31	**K10**
Thorpepad, Jim = 102	10	**D12**
Tichelstraat	31	**H9**
Tidorestraat	46	**L14**
Tienenpad	39	**N3**
Tiengemetenstraat	21	**F13**
Tijl Uilenspiegelstraat	29	**H6-H7**
Tijnmuiden	14	**F1**
Tilanusstraat	44	**L11-L12**
Tilstraat, Jacob	27	**J3**
Timorplein	33	**K13**
Timorstraat	34	**K14**
Tintorettostraat	42	**M8**
Titiaanstraat	42	**M8**
Tjalkstraat	10	**D12**
Tjasker	9	**B10**
Tjerk Hiddes de Vriesstraat	29	**H7**
Tjeukemeerhof	38	**M1**
Tjotterspad	53	**R6-R7**
Toetsenbordweg	9	**C8-C9**
Tolbrugstraat	30	**J8**
Toldwarsstraat	44	**M11**
Tolhuisweg	20	**G11**
Tollensstraat	30	**K8**
Tolsendestraat	26	**K1-K2**
Tolstraat	44	**M11**
Tomatenstraat	9	**C10**
Tominstraat = 112	33	**K13-L13**
Tongelaer	55	**S9**
Tooropstraat, Jan	40	**L5-H6**
Topaasstraat	44	**M11**
Topkapipad	28	**K5-J5**
Torenmolen	9	**B10**
Torensteeg	2	**H10**_S_
Torenven	13	**D16**
Torontobrug	44	**L11**
Torresstraat	29	**J7**
Torricellistraat	45	**N12-N13**
Tosarituin	33	**H13**

V

Naam	Plattegrond	Plaatsaanduiding
Vaalrivierstraat	45	**M12**
Vaartstraat	41	**M7**
Valckenierstraat	32	**K11-K12**
Valentijnkade	46	**L14**
Valeriusplein	42	**M8**
Valeriusstraat	42	**M7-L8**
Valeriusterras	42	**M8**
Valkenburgerstraat	32	**J11**
Valkenisseweg = 156	26	**K2**
Valkensteeg	2	**J10***N*
Valkenstein	54	**R8-S8**
Valkenweg	20	**G12**
Valkhof	54	**R8**
Valreep	16	**E5**
Valschermkade	41	**P6-N6**
Valstarhof, Leendert	28	**H5**
Valutaboulevard	38	**M1-M2**
Vancouverstraat	29	**J7**
Varenweg	20	**F12**
Vastenhoudpad, Karel F.	10	**A11**
Vätternkade	38	**M1**
Vechtstraat	44	**M11-N11**
Veelaan	34	**J14-K14**
Veemarkt	34	**J14**
Veemkade	33	**H13-J14**
Veenstraat, Gerrit van der	42	**M8-M9**
Veerstraat	41	**M7**
Veeteeltstraat	46	**P14-N15**
Vegastraat	9	**B9-C10**
Vegterstraat, J. J. M. = 161	27	**H4**
Velazquezstraat	42	**N8-N9**
Veldbiesstraat	20	**E11-F11**
Veldekehof, Henric van	27	**H3**
Veldestraat, Van de	43	**L9**
Veldzicht	26	**K2**
Velserweg	17	**G6**
Veltmanstraat, Jacques	40	**L5-M5**
Veluwelaan	55	**P10**
Vendelstraat	3	**J10***S*
Venetiëhof	34	**H14-H15**
Venetiëstraat	34	**H14**
Venhuizenstraat	22	**F15**
Vennecoolstraat, Steven	14	**G2**
Venterspad	9	**B9**
Verbindingsdam	34	**H14-J14**
Verbindingstraat	44	**M11**
Verdenhofweg	18	**G8**
Verdistraat	43	**M9**
Verdraagzaam	39	**L3**
Verheijstraat, Anton	42	**N9**
Verhulststraat, Johannes	42	**M8-L9**
Verlaatstraat	38	**L1**
Verlengde Stellingweg	9	**A9**
Verleunstraat	16	**G5**
Vermeerplein, Johannes	43	**L9**
Vermeerstraat, Johannes	43	**L9**
Vermeulenpad, Mathijs	54	**P8-P9**
Vermeylenstraat, August	28	**J5**
Veronesestraat	42	**M8**
Verriesthof, Hugo	27	**H4**
Versluysstraat, Annette	40	**M5**
Versteegstraat, Gerrit	11	**C13**
Versterstraat, Floris	41	**L7**
Verstuiverstraat	10	**D11-C11**
Vertrouwen	38	**L3**
Verversstraat	3	**J11***S*
Vervoorenstraat	16	**G5**
Verweystraat, Albert	27	**H4**
Vespuccistraat	29	**J7**
Vetermanstraat, Eduard	28	**H5**
Vethstraat, Jan	28	**K6**
Victorieplein	44	**N11**
Vier Heemskinderenstraat	29	**H7**
Vierde Vogelstraat	21	**G13**
Vierlinghstraat, Andries	40	**L5**
Viermasterstraat	10	**D12**
Vierwindendwarsstraat	19	**G10**
Vierwindenstraat	19	**F10**
Vijfde Vogelstraat	21	**G13**
Vijverhoef	54	**S8-R8**
Vijverstraat, Van der	45	**L13**
Vijzelgracht	43	**L10-K10**
Vijzelstraat	31	**K10**
Vikingpad	10	**D11**
Vilvoordestraat	39	**N3**
Vingboonstraat, Philip	14	**G2**
Vinkenstraat	19	**G9-G10**
Violettenstraat	2	**H9***N*
Viottakade, Henri	42	**N8**
Viottastraat, J.J.	42	**M8-M9**
Vishoekerpad	10	**D11-D12**
Visseringstraat	30	**H8**
Visserstraat, Louis de	38	**L2-M2**
Viveportenstraat	26	**K2**
Vlaardingenlaan	40	**M5-N6**
Vlaarkade, Martin	18	**F9**
Vlaggemast	11	**C12**
Vlakkerweg	10	**D11**
Vlamingstraat, Pieter	33	**K13**
Vliegenbos, W.H.	21	**F13-G14**
Vliegendesteeg	2	**J10***S*
Vliegtuigstraat	53	**P6**
Vlielandstraat	21	**F13**
Vlierweg	20	**E11-E12**
Vlietstraat	41	**M7**
Vlimmerenstraat	38	**M3**
Vlothavenweg	7	**D7**
Voermanstraat, Jan	28	**J5-J6**
Voetboogstraat	2	**J10***S*
Vogelenzangstraat	41	**L6**
Vogelkade	21	**F13-G13**
Vogelplein	21	**F13**
Volendammerweg	22	**F15-F16**
Volewijkspark	21	**F12-F13**
Volharding	39	**L3**
Volkerakstraat	43	**N10**

Naam	Plattegrond	Plaatsaanduiding
Vollenhovenstraat, Cornelis van	27	**H4-G4**
Voltaplein	46	**M14**
Voltastraat	46	**M14**
Von Guerickestraat	45	**N13**
Von Humboldtstraat	45	**N13**
Von Liebigweg	45	**N13**
Von Zesenstraat	33	**K13**
Vondelkerkstraat	41	**L7**
Vondelpark	42	**L7-K9**
Vondelstraat	30	**L8-K9**
Vondelstraat, Anna van den	30	**K8-L8**
Voorburgstraat	40	**M5-M6**
Voordek	10	**C12**
Voordewind	11	**C13**
Voorlandpad	46	**N15**
Voormalige Stadstimmertuin	32	**K11**
Voornestraat	21	**F13**
Voorsteven	10	**C12**
Voorwerf, 't	13	**C16**
Vorrinkweg, Koos	38	**L2-M2**
Vorselaarstraat	39	**M3**
Vorticellaweg	10	**B11-B12**
Voshof, Jan C. de	39	**L4**
Vosmaerstraat	41	**L7**
Vossenhofje	2	**J9***N*
Vossiusstraat	42	**L9-K9**
Vosstraat, David	15	**G4**
Vrankendijkestraat	26	**K2**
Vredeman de Vriesstraat	14	**G2**
Vredenburgersteeg	3	**H11***S*
Vredenhofpad	18	**G7-G8**
Vredestraat, Enny	39	**L4**
Vreedenhaven	26	**K2**
Vreekenstraat, Dirk	34	**J14**
Vrengpad, Frans de = 105	10	**D12**
Vriendtstraat, Cornelis	14	**G2**
Vrieslaan, Hugo de	45	**N12-M13**
Vrijburg	26	**K2-K3**
Vrije Geer	38	**M2-N2**
Vrijheidslaan	44	**N11-N12**
Vrijheit Blijheitpad	45	**N12**
Vrijzicht	27	**K3**
Vroegopsingel, Jan	56	**P11-R11**
Vrolikstraat	44	**L12-L13**

W

Naam	Plattegrond	Plaatsaanduiding
Waaigat	33	**J12**
Waalenburgsingel	23	**E16-F16**
Waalsstraat, Johannes van der	46	**M14**
Waalsteeg	3	**H11***S***-J11***N*
Waalstraat	44	**M11-N11**
Wachterliedplantsoen	29	**H7**
Waddendijk	21	**E13-F13**
Waddenweg	21	**F13-E14**
Waertweg, Adrianus van	10	**B11**
Wagenaarstraat	33	**K13**
Wagenstraat	3	**K11***N*
Wagnerstraat, Richard	43	**N9-M9**
Wakkerstraat	45	**M13-L13**
Walbeeckstraat, Van	29	**K7-L7**
Walborg	54	**S8**
Walcherenstraat	21	**F13**
Waldeck Pyrmontlaan	41	**L7-M7**
Waldorpstraat, Anton	28	**K6**
Walenkampstraat, H.J.M.	34	**J14**
Walenpleintje	2	**J10***N*
Wallestein	54	**S8**
Wally Moespad	40	**L5**
Walmolen	9	**B10**
Walraven van Hallweg	16	**G5**
Wamberg	55	**R9-R10**
Wannen, Klaas	9	**A10**
Wannepad	39	**N4**
Wanningstraat	42	**L9**
Ward Bingleystraat	40	**L5**
Waregemstraat	38	**N2-N3**
Warmelo	53	**R7**
Warmoesstraat	31	**J10-H11**
Warmondstraat	41	**L6-M6**
Warnerhof, Jasper	26	**H3**
Warnsborn	22	**D14**
Wassenaar Obdamstraat, Jacob van	30	**J7-J8**
Waterbaan = 150	18	**G8**
Watergangseweg	22	**F14-F15**
Waterkeringweg = 144	18	**G8**
Waterkersweg = 153	18	**G8**
Waterlandplein	23	**F15**
Waterleliegracht = 148	18	**G8**
Waterloop = 149	18	**G8**
Waterlooplein	32	**J11-K11**
Watermaalpad	39	**N3**
Watermanstraat	9	**B9**
Watermolen	9	**B10**
Waterpoortsteeg	3	**H11***S*
Waterpoortweg = 145	18	**G8**
Waterrijkweg = 151	18	**G8**
Waterschapstraat	38	**L1**
Waterspiegelplein = 147	18	**G8**
Watersteeg	2	**J10***N*
Watertorenplein = 146	18	**G8**
Watervalplein = 152	18	**G8**
Watteaustraat	42	**N8**
Wattstraat, James	45	**M12-M13**
Waverstraat	44	**N11-N12**
Wedderborg	54	**P8-R8**
Wederikpad	20	**E12**
Weegbreestraat	20	**E12**
Weegschaalhof	8	**B9**
Weenahof	55	**P9**

Naam	Plattegrond	Plaatsaanduiding
Weerdestein	55	**R10**
Weerslootpad	24	**F17-F18**
Weesenbekestraat, Jacob van	27	**H3**
Weesperplein	32	**K11**
Weesperstraat	32	**K11**
Weesperzijde	44	**L11-P14**
Weeversweg, Th.	22	**E14-E15**
Weezelstraat, Joop van	27	**H4-G4**
Wehlstraat, Nannie van	27	**H3**
Weidestraat	46	**N14-P14**
Weissenbruchstraat	41	**M6-M7**
Weissmanstraat	26	**H2**
Weldam	53	**R7**
Weldammelaan, Willem van	54	**R9-P9**
Wembleylaan	46	**N14-N15**
Wenckebachweg, H.J.E.	45	**N12-P14**
Wenslauerstraat	30	**K8-J8**
Wentstraat, Louise	33	**K12-K13**
Werengouw	22	**E14-F15**
Werfpad, Pieter van der	27	**H3**
Werfstraat, Pieter van der	15	**G3**
Werktuigstraat	10	**C10-D11**
Wertheimpark	32	**J11**
Wervershoofstraat	22	**F14**
Wessel Gansfortstraat	27	**J3**
Wessel Ilckenstraat	39	**N4**
Wesselsstraat	45	**L13**
Westeinde	44	**L11**
Westerdijkstraat, Johanna	33	**K13**
Westerdoksdijk	19	**F10-G10**
Westerdokskade	19	**G10**
Westerduinenstraat	23	**F16**
Westerhoofd	7	**D7-C8**
Westerhovenstraat, Marie van	40	**M4-L5**
Westerkade	30	**H9**
Westerleestraat	40	**M6**
Westerlengte	11	**C12**
Westermarkt	31	**H9-J9**
Westerpark	18	**G9**
Westerstraat	31	**H9-H10**
Westerwoldestraat	55	**P10**
Westhavenweg	6	**B4-F7**
Westinghousestraat, George	45	**M12**
Westlandgracht	41	**L6-M6**
Westmallepad	39	**M3**
Westwouderstraat	22	**F15**
Westzaanstraat	19	**F9-G9**
Weteringlaan	43	**L10**
Weteringschans	31	**K9-L10**
Weteringstraat	31	**K10**
Wethouder Frankeweg	45	**M13-M14**
Wetstraat, Christiaan de	45	**M12-L12**
Wevelgemstraat	38	**N2-N3**
Wevelswalepad	26	**K2**
WG-plein	30	**K8**
Wibautstraat	44	**L11-M12**
Wieden, De	22	**E14-D14**
Wiedijkstraat, Piet	40	**L4-M4**
Wielewaalstraat	21	**G12**
Wielingenstraat	43	**N9-N10**
Wierdestraat	38	**L1**
Wieringerwaardstraat	23	**E15-E16**

Naam	Plattegrond	Plaatsaanduiding
Wijde Heisteeg	2	**J10***S*
Wijde Kapelsteeg	2	**J10***S*
Wijde Kerksteeg = 20	3	**H10***S*
Wijde Lombardsteeg = 12	2	**J10***S*
Wijdenesserstraat	22	**F15**
Wijdesteeg	2	**J10***N*
Wijenburg	54	**R8**
Wijkergouw	23	**G16**
Wijmarkthof	38	**L1**
Wijngaardsstraatje	3	**H11***S*
Wijnkoopstraat, David	38	**L2-M2**
Wijnstraat, Hendrik van	28	**K4-L4**
Wijsmullerstraat	41	**L7**
Wijttenbachstraat	45	**L13-K13**
Wilco Jiskootpad	16	**G5**
Wildeman	26	**K2**
Wildenborch	54	**R8**
Wildrijkstraat	22	**E15**
Wilgenweg	20	**F11**
Wilhelminastraat	30	**L7-K8**
Willaertstraat	41	**M7**
Willebroekstraat	39	**N3**
Willem Brouwersstraat, Jan	42	**L9**
Willemskerkestraat	26	**K2**
Willemspad, Jacobus = 109	10	**D12**
Willemsparkweg	42	**L8-L9**
Willemsstraat	19	**G9**
Willinklaan	27	**J3**
Wiltzanghlaan	17	**G6-G7**
Windroosplein	33	**J13**
Windtunnelkade	41	**N6**
Wingerdweg	20	**F12-E12**
Winkler Prinshof	28	**K5**
Winterdijkstraat	44	**N11**
Wipmolen	9	**B10**
Wisselstraat	34	**J14**
Witbolstraat	20	**E11**
Witheijnstraat, Jan	33	**J13**
Withof, Dudok de	26	**H2-J2**
Witsenkade, Nicolaas	43	**L10-L11**
Witsenstraat, Nicolaas	43	**L10**
Witsenstraat, Willem	42	**M8**
Witte de Withstraat	29	**J7-K7**
Witte Klok	26	**K3**
Wittehof, Dirk	40	**L4-M4**
Wittenburgergracht	33	**J12**
Wittenburgerkade	33	**J12**
Wittenkade, De	18	**G8-G9**
Wittenstraat, De	18	**G9**
Wittgensteinlaan	40	**M5-L5**
Wodanstraat	41	**N7**
Woestduinstraat	41	**L6-M6**
Woestijnestraat, Karel van de = 62	27	**H4**
Wognumerpad	22	**F14**
Wognumerplantsoen	22	**F15-G15**
Wognumerstraat	22	**F14-G15**
Wolbrantskerkweg	38	**L2**
Wolffstraat, Elisabeth	30	**J8**
Wolffstraat, Sam de	38	**M2**
Wolter Brandligtstraat	16	**G5**
Woltera van Reesstraat	45	**L13**

Naam	Plattegrond	Plaatsaanduiding
Wolvenstraat	31	**J9-J10**
Woortmanplein, Joop	38	**M1**
Wormerveerstraat	18	**F9**
Worpstraat, Johannes	42	**N8**
Woubruggestraat	41	**M6**
Woustraat, Van	44	**L11-M11**
Woutertje Pietersestraat	28	**H6**
Wouwermanstraat	42	**L9**

Z

Naam	Plattegrond	Plaatsaanduiding
Zaagmolenstraat	30	**H8-H9**
Zaaiersweg	46	**P14-N14**
Zaandammerplein	18	**F8-F9**
Zaandijkstraat	19	**F9**
Zaanhof	18	**F8**
Zaanstraat	18	**F8-F9**
Zacharias Jansestraat	45	**M13**
Zagwijnstraat, Henri	42	**N8**
Zakslootje	3	**J11**_N_
Zamenhofstraat	21	**F13-G14**
Zanddwarsstraat = 7	3	**J11**_S_
Zandhoek	19	**G10-F10**
Zandpad	30	**K9**
Zandstraat	3	**J11**_S_
Zandvoortstraat	22	**F15**
Zaventemweg	16	**F6-G6**
Zeebergweg	18	**G8**
Zeebruggeplein	39	**M3-N3**
Zeeburgebrug	47	**L16-J17**
Zeeburgerdijk	33	**K13-K15**
Zeeburgerpad	33	**K13-K15**
Zeeburgerstraat	33	**K13**
Zeedijk	32	**H11-J11**
Zeelandstraat	54	**R9-S9**
Zeemanlaan, Pieter	45	**M13**
Zeevaart	11	**C12**
Zeevaarthof	11	**C12**
Zeggelaarstraat, Van	10	**B11**
Zeilmakerstraat	19	**G10**
Zeilstraat	41	**M7**
Zekeringstraat	17	**E6-E7**
Zeldenruststraat, Mary	44	**L12**
Zelzatestraat	39	**M3**
Zennehof	39	**N3**
Zenostraat	27	**J4**
Zesde Vogelstraat	21	**G13**
Zichemplein	39	**N4**
Zieseniskade	31	**K9-K10**
Zijlplein, Lambertus	26	**H2-H3**
Zijvertszstraat, Jan	27	**H3**
Zilverberg	22	**E14**
Zilverschoonstraat	20	**F12**
Zlotylaan	38	**N1-M1**
Zocherstraat	41	**L7**
Zoelenkerkstraat	38	**L2**
Zomerdijkstraat	44	**N11**
Zonhovenstraat	39	**M3-M4**
Zonnebeke	38	**M3**
Zonneplein	9	**C10**
Zonneweg	9	**C10**
Zonzeelstraat	26	**K2**
Zoomstraat	43	**N10**
Zorgzaam	39	**L3**
Zoutberg	9	**A10-B10**
Zoutkeetsgracht	19	**F9-F10**
Zoutkeetsplein	19	**F9**
Zoutsteeg	2	**H10**_S_**-J10**_N_
Zuid-Bevelandstraat	21	**F13**
Zuid-Hollandstraat	54	**R8-S9**
Zuideinde	9	**A10-B10**
Zuidelijke Wandelweg	56	**P10-P11**
Zuider IJdijk	35	**H15-J15**
Zuiderakerweg	38	**N1-M2**
Zuiderkerkhof	3	**J11**_S_
Zuidermolenweg	38	**L1-K1**
Zuiderzeepark	22	**G15-F16**
Zuiderzeeweg	22	**G15-K15**
Zuidewijn	55	**S9**
Zuidplein	42	**N8-P8**
Zuivelplein	58	**P14**
Zunderdorpergouw	13	**D16**
Zus Braunstraat	10	**D12**
Zutendaalstraat	39	**M4**
Zutphenplantsoen, Jan van	38	**M2-M3**
Zutphenstraat, Jan van	38	**M2-M3**
Zwaagstraat	22	**F14**
Zwaansvliet	54	**S8**
Zwaardemakerstraat	45	**N13**
Zwaluwstraat	20	**G12**
Zwanenburghof, Jan	15	**G4**
Zwanenburgwal	3	**J11**_S_
Zwanenplein	21	**F12-G12**
Zwarte Handsteeg = 25	2	**H10**_S_
Zwartegouw	23	**D16-G17**
Zweerskade, Bernard	43	**N9-M9**
Zwijgerlaan, Willem de	29	**G7-J8**

Register met de genummerde straten op de plattegrond

Index des rues numérotées sur le plan

Index of streets numbered on plan

Durch Nummern gekennzeichnete Straßen

Indice delle strade numerate sulla pianta

Índice de calles numeradas en el plano

AALSMEER

Naam	Plattegrond	Plaatsaanduiding
Aalsmeerderweg	72	**U1**
Bosrandweg	72	**T1**
Kleine Noorddijk	72	**T1-S2**
Schinkeldijke	72	**U1**

ABCOUDE

Naam	Plattegrond	Plaatsaanduiding
Gein Noord	71	**V20-W20**
Gein Zuid	71	**V20-W20**

AMSTELVEEN

Naam	Plattegrond	Plaatsaanduiding
Aafjeslaan, Bertus	72	**W1**
Aagje Dekenlaan	72	**U2**
Aanloop	55	**S10**
Abelenlaan	73	**T3-U3**
Acacialaan	73	**U3**
Aïdastraat	64	**V9**
Alkemadelaan, Floris van	63	**U7**
Alpen Rondweg	74	**U4-U5**
Amberlaan	73	**U3**
Ambrosiuslaan	74	**U4**
Amelandstraat	64	**T8**
Amsteldijk-Noord	56	**S10-W10**
Amsteldijk-Zuid	65	**W10**
Amstelhoven	64	**U7-U8**
Amstellaan, Gijsbrecht van	63	**T7**
Amstellandlaan	63	**U6**
Amstelslag	65	**W10**
Amstelzijde	66	**W10-W11**
Amsterdamseweg	63	**V6-T7**
Andriessenlaan, Willem	72	**U2**
Ansinghhof, Lizzy	64	**T9**
Appellaan	73	**U3**
Ararat	74	**U5**
Arclaan, Jeanne d'	64	**T9**
Arno	74	**V4**
Asserring	72	**V1**
Augustinuspark	74	**T4-U4**
Avesneslaan, Jan van	63	**T7**
Backerstraat, Gerard	63	**U7**
Badlaan	63	**V6**
Bakboord	74	**W4**
Baken	74	**W5**
Baljuwenlaan	53	**S7**
Bankrashof	64	**V8-V9**
Bankraspad	65	**V10-W10**
Bankrasweg	65	**U9-W10**
Barend van Dorenweerdelaan	63	**T7**
Beeckestein	72	**U1**
Beerebijt, De	64	**U8**
Beetslaan, Nicolaas	72	**U2**
Beijerenlaan, Willem van	63	**T7**
Belcampoplantsoen	72	**W1**
Bella Donna	63	**T7**
Belle van Zuylenlaan	64	**T9**
Benderslaan	74	**T4, W7**
Beneluxbaan	72	**U2-S5**
Benninghstraat, Jan	63	**U7**
Bergenvaarderstraat	63	**U7**
Berkenrodelaan	54	**T8-S8**
Bernina	74	**U5**
Betje Wolfflaan	72	**U2**
Bevelandse Zijweg	64	**T8**
Bevelandselaan	64	**T8**
Biesbosch	64	**T8**
Bijdorp	64	**U8**
Bilderdijklaan	63	**U6**
Binderij	73	**U2-U3**
Binnenhof	63	**V7-V8**
Birkhoven	72	**V1**
Blamanlaan, Anna	72	**W1**
Bleekerskade	62	**T6-V6**
Blériotlaan	73	**T3**
Bloeyenden Wijngaerdt, Den	64	**U9**
Blumhardtstraat, Christoph	74	**U4**
Bodenheimhof, Nelly	64	**T9**
Boegspriet	74	**W4**
Boekenrodelaan	53	**S7-S8**
Boksdoornlaan	74	**T4**
Bolweg, Ferdinand	64	**V7-V8**
Bolwerk	63	**V6**
Bomanslaan, Godfried	72	**W1**
Boogschutter	74	**V4**
Boothlaan, William	74	**T4-U4**
Bors van Waverenstraat	63	**U7**
Borsselenkade, Hendrik van	53	**T7-S7**
Borsselenlaan, Margaretha van	64	**T7-T8**
Borssenburg	64	**U7-U8**
Bos en Vaartlaan	53	**S7-S8**
Bosboom Toussaintlaan	72	**U2**
Boschplaat	72	**V1**

Naam	Plattegrond	Plaatsaanduiding
Bosmanslaan, Henriëtte	72	**V2-U2**
Bosporus, De	64	**U9**
Boudier-Bakkerlaan, Ina	72	**W1**
Bourgondischelaan	64	**T8**
Bouwensland	63	**V6**
Bouwerij	72	**V2**
Bouwmeester	73	**V3**
Bovenkerkerkade	63	**V6-W7**
Bovenkerkerweg	72	**W2-U3**
Boy Edgarlaan	72	**U2-V2**
Branding	74	**W5**
Brantwijk	64	**U8**
Brink	73	**V3**
Broekelaan, Van den	73	**T3-S3,**
Broekhuizenlaan, Joan van	72	**U2**
Broersepark	63	**U6-V6**
Buitengaats	74	**W4**
Buitenplein	64	**V8**
Buitenzorg	64	**U7-U8**
Burgemeester A. Colijnweg	62	**U4-V6**
Burgemeester Boersweg	65	**W9-V9**
Burgemeester Haspelslaan	64	**V8-U8**
Burgemeester Rijnderslaan	64	**V7-W8**
Burgemeester van Sonweg	63	**V6-W10**
Burgemeester Wiegelweg	72	**W2**
Calvijnlaan, Johannes	74	**T4,**
Camera Obscuralaan	64	**V9**
Carmenlaan	74	**T5-S5**
Carmiggeltlaan, Simon	72	**W1**
Chirurgijn	73	**V3**
Cia van Boortlaan	72	**W1-W2**
Claes Persijnlaan	63	**U7**
Claeslaan, Ernest	72	**W1-W2**
Cleopatralaan	64	**T8-T9**
Clevelaan, Catharina van	63	**T7**
Clevelaan, Margriete van	53	**T7-S7**
Clevepark, Catharina van	64	**T7-T8**
Clingendael	72	**U1**
Coba Ritsemahof	64	**T9**
Colorado	74	**V5**
Cookstraat, Thomas	63	**V7**
Corneillelaan	63	**V7**
Cort van der Lindenplantsoen	63	**V7**
Couperussingel, Louis	72	**W1**
Da Costalaan	63	**U6**
Dalsumlaan, Albert van	72	**V1**
Deijsselhof, Lodewijk van	72	**W1-W2**
Dermoutlaan, Maria	72	**W1**
Dethlaan, Guido van	72	**W2**
Dianalaan	64	**T8-T9**
Dignahoeve	72	**V1**
Dijkgravenlaan	63	**U7**
Dijklaan, Ko van	72	**V1-V2**
Dolomieten	74	**U5**
Don Boscolaan	74	**T4**
Donau	74	**U5**
Donckerlaan, Ko	72	**W1-V1**
Doormanweg, Karel	64	**V8**
Doorweg	63	**V6**
Dorpsstraat	63	**V6**
Doulaan, Gerard	64	**V8**
Dr. Allard Piersonstraat	74	**U4**
Dr. Alphons Ariënsstraat	74	**U4**
Dr. C. Lelyplantsoen	63	**V7**
Dr. D. Boslaan	63	**V7**
Dr. de Visserlaan	63	**V7**
Dr. Eykmanstraat	64	**V8**
Dr. J. P. Thijssepark	63	**T6**
Dr. Kuyperlaan	63	**V7**
Dr. Plesmansingel	73	**T3-T4**
Dr. Schaepmanlaan	63	**V6**
Dr. Willem Dreesweg	73	**V3-V4**
Draaistroom	64	**V8**
Druckerlaan, Wilhelmina	72	**V2**
Ds. O.G. Heldringstraat	74	**T4**
Duin en Kruidberg	72	**V1**
Duinkerkenlaan, Anton van	72	**W1**
Duivelandse Zijweg	64	**T8**
Duivelandselaan	64	**V8-T8**
Duizendmeterweg, De	52	**S5**
Dukdalf	74	**W4**
Eendracht, De	73	**W3**
Eenhoorn	73	**V3-V4**
Eiger	74	**U4**
Eijckhof, Caro van	72	**V1-V2**
Eikenrodelaan	54	**T8-S8**
Eindhoeve, De	73	**V3**
Elegast	63	**V6**
Eline Verestraat	64	**V8-V9**
Elschotlaan, Willem	72	**W1-W2**
Else Mauhsstraat	64	**T8-T9**
Elswout	72	**U1**
Emmakade	63	**T6-T7**
Erasmuslaan	74	**T4**
Escapade	65	**V9**
Essenlaan	73	**T3**
Etna	74	**U5**
Eufraat	74	**V5**
Evenaar, De	64	**V9-U9**
Eyckenstein	72	**U1**
Fabritiuslaan, Carel	64	**V8-U8**
Farmanlaan	73	**T3-T4**
Faustlaan	64	**W8**
Ferrierlaan, Kathleen	64	**T9**
Fideliolaan	74	**T5**
Fie Carelsenlaan	72	**V1-V2**
Flakkeestraat	64	**T8**
Flevolaan	63	**T7**
Fluweelboomlaan	73	**U3-U4**
Fokkerlaan	63	**V7-W7**
Franciscus van Assisiëlaan	74	**T4**
Frankstraat, Anne	64	**T9**
Gaasterland	72	**V1**
Galerij	63	**V7**
Galjoen	74	**W4**
Ganges	74	**V5**
Gasterenlaan, Josephine van	72	**V1-V2**
Ghiessenstraat, Van der	63	**U7**
Gieterij	72	**U2**
Goeman Borgesiuslaan	63	**V7**
Goereesepad	63	**T7**
Goldschmedingplantsoen, Jan	74	**T4**
Gondel	73	**W3-V4**
Govert Flincklaan	64	**V8**

Naam	Plattegrond	Plaatsaanduiding
Logger	74	**V4**
Lohengrinstraat	74	**T5**
Looierij	72	**U2**
Lucebertlaan	63	**V7**
Lutherweg, Maarten	74	**U4-T4**
Luttickduin	72	**V1**
Maalderij	73	**U2-U3**
Maasdijklaan, Van	73	**T3-T4**
Machineweg, M.P.	65	**U9**
Machineweg in den Middelpolder	64	**U9-U11**
Magnolialaan	73	**T3**
Majella	74	**U5**
Majoor Fransstraat	64	**V9**
Malandolaan	72	**V2-U2**
Maluslaan	73	**T3**
Manus Peetstraat	64	**V9**
Marga Klompélaan	72	**V2**
Maritsa	74	**U4-U5**
Markerstraat	63	**T7**
Marketentster	73	**V3**
Marne	74	**V4**
Marshallsingel	72	**V1**
Marskramer	73	**V3**
Marthahoeve	72	**V1**
Matterhorn	74	**U4**
Mauritslaan	63	**T6-T7**
Meander	64	**V7-W8**
Meelbeslaan	73	**T3**
Meerhuysen	63	**U7**
Meerpaal	74	**W4**
Meidoornlaan	73	**T3**
Melkweg	73	**V3-V4**
Mercurius	73	**W3-V3**
Mgr. Dr. H. Poelslaan	72	**U2**
Mgr. Nolenslaan	63	**V7**
Middeldorpstraat	63	**V6**
Midscheeps	74	**W4**
Miereveldlaan, Michiel van	63	**U7-V7**
Mierlolaan, Jan van	65	**T9**
Mississippi	74	**U5**
Missouri	74	**V5**
Moldau	74	**U4-U5**
Molenweg	63	**U6**
Mont Blanc	74	**T4-U5**
Monte Rosa	74	**U5**
Montpensierlaan, Charlotte van	63	**U7**
Morgenstond, De	64	**U8**
Mortelmolen	72	**V2**
Mr. Bardeslaan	63	**U7**
Mr. F.A. van Hallweg	63	**V7**
Mr. G. Groen van Prinstererlaan	64	**V7-V8**
Mr. P.J.M. Aalberselaan	63	**V7**
Mr. Reijnstlaan	63	**U7**
Mr. Rendorplaan	63	**U7**
Mr. S. van Houtenlaan	63	**U7**
Mr. Sixlaan	63	**U7**
Mr. Troelstralaan	63	**U7-V7**
Mullerlaan, Frits	65	**T9-U9**
Naefflaan, Top	64	**T9**

Naam	Plattegrond	Plaatsaanduiding
Nassaulaan	63	**T7**
Nassaupark	63	**T7**
Nebo	74	**U5**
Nelissenlaan, Jan	72	**W1**
Nesserlaan	72	**W2-W4**
Nessermolen, De	73	**W3-V3**
Newa	74	**U5**
Niagara	74	**V5**
Nieuw Loopveld	63	**V7**
Nieuwe Kalfjeslaan	53	**S6-S7**
Nieuwe Karselaan	63	**U6**
Nieuwenhuijsenlaan	74	**T4**
Nightingalelaan, Florence	64	**T9-U9**
Nijl	74	**U5**
Nijverheidsstraat	72	**U2**
Nobelhof, Felix de	72	**V1**
Noorddammerlaan	72	**T2-U3**
Noorddammerweg	72	**W1-U2**
Noorderkroon	73	**V3-V4**
Noordlaan, Jan de	72	**W1**
Notenlaan	73	**U3-T3**
Oberonstraat	64	**V9-W9**
Ockenburgh	72	**U1**
Olmenlaan	73	**T3**
Olympiadelaan	65	**U9**
Olympus	74	**U5**
Onderuit	64	**U8**
Oostelijk Halfrond	64	**U9**
Oostemeer	65	**V10-V11**
Oosterhoutlaan	54	**T8-S8**
Oostermeerkade	65	**V10**
Oostermeerweg	65	**V10**
Oosthoekhof	72	**V1**
Oranjebaan	64	**V8-W10**
Orinoco	74	**V5**
Orion	74	**V4**
Ostadelaan, Adriaen van	64	**V8**
Ostayenlaan, Paul van	72	**W1**
Oud Mijl	64	**U7-U8**
Oude Karselaan	63	**U6**
Ouderkerkerlaan	63	**V6-W8**
Ouverture	74	**T5**
Overmijn	73	**V3**
Palfrenier	73	**V3**
Paljassolaan	74	**T5**
Pallas	73	**W3**
Pallieterstraat	64	**V9**
Pampus	64	**T7-T8**
Pandora	64	**V9**
Parel, De	73	**V3-W3**
Parelvisserslaan, De	74	**T5-S5**
Parklaan	63	**V6**
Parlevinker	74	**V4**
Parmentierlaan	74	**T4, W7**
Pastoor J.W. Brouwerslaan	72	**U2-T2**
Pastoor Meijnemalaan	74	**T4**
Pastoor Roozenlaan	72	**U2**
Patriaplein	63	**U6**
Patrijspoort	74	**W4**
Patrimoniumlaan	63	**U6**
Pauwentuin, De	64	**U8**
Pawlowastraat, Anna	64	**T8-T9**

Naam	Plattegrond	Plaatsaanduiding
Peppelerf	73	**T3**
Perklaan, Betsy	72	**V1-V2**
Petrus Coeberghlaan	65	**T9**
Philipslaan, Marianne	72	**W1**
Pieronlaan	74	**T4**
Pilatus	74	**U4-U5**
Plantsoen Laanhorn	53	**S7**
Pletterij	72	**V2**
Pluimessenlaan	73	**U3**
Polaklaan, Anna	72	**V2**
Poortwachter	73	**V3**
Populierenlaan	73	**U3-T3**
Potgieterlaan	72	**U2**
Praam	74	**V4-W4**
Princesselaan	63	**T7**
Prins Bernhardlaan	63	**T7**
Prinses Beatrixlaan	63	**T6**
Prinses Irenelaan	63	**T6**
Prinses Margrietlaan	63	**T6**
Prinses Marijkelaan	63	**T6**
Prof. E.M. Meijerslaan	64	**T8-T9**
Prof. J.H. Bavincklaan	64	**T8**
Prof. Junkerslaan	73	**T3**
Prof. Lorentzlaan	64	**V8-U8**
Prof. Paul Scholtenlaan	64	**U8**
Prof. W.H. Keesomlaan	55	**S9-T9**
Pruimenlaan	73	**U3**
Prunuslaan	73	**T3**
Punter	74	**V4**
Puttensestraat	64	**T8**
Rambaldolaan	63	**W7**
Randwijcklaan	63	**T7**
Regteren-Altenahof, Marie van	64	**T9**
Rembrandthof	63	**V7**
Rembrandtweg	64	**V7-T8**
Renneslaan, Catharina van	72	**U2**
Rentmeesterslaan	53	**T7-S7**
Rie Cramerstraat	64	**T8-T9**
Riek Blokland Paterlaan	65	**T9-U9**
Rigi	74	**U5**
Rigolettolaan	64	**V8-V9**
Rijnier Pauwlaan	63	**U7**
Rio Grande	74	**V5**
Robertsonlaan, Suze	72	**V1**
Rodenburghlaan	63	**U7**
Rodenkolaan, Paul	72	**W2**
Roemerdorpstraat	63	**V6**
Romplaan, Ir.	74	**T4**
Roos van Dekama, De	64	**V9**
Rooseveltlaan, Eleanor	64	**T8-U8**
Rottumerstraat	64	**T8**
Rozenoord	64	**U8**
Ruischenstein	64	**U8**
Runmoolen	64	**U8**
Rupel	74	**U4**
Ruwiellaan, De	63	**U7**
Ruys de Beerenbroucklaan	63	**V7**
Ruyschlaan, De	63	**U7**
Sacharovlaan	72	**V1-V2**
Sandbergplein	63	**V7**
Saskia van Uylenburgweg	64	**T8-T9**
Saturnus	73	**W3-V3**

Naam	Plattegrond	Plaatsaanduiding
Savornin Lohmanlaan, De	63	**V7**
Schaftstraat, Hannie	64	**T9**
Schanshoek	73	**V3**
Scheepsbrug	74	**W4**
Schendelsingel, Arthur van	72	**W1**
Schepenenlaan	53	**S7**
Scherpenhof	73	**V3**
Schiermonnikoogstraat	64	**T8**
Schipholdijk	51	**T4-S4**
Schoener	74	**W4**
Schokland	64	**T8**
Schouwense Zijweg	64	**T8**
Schouwenselaan	64	**T8**
Schulp, De	64	**U8**
Schutsluis	74	**W4-W5**
Schweitzerlaan	72	**V1**
Seine	74	**V4**
Selde Rust	64	**U8**
Sinjeur Semeynsstraat	64	**V8-V9**
Sint Gotthard	74	**U4-U5**
Sint Josephlaan	63	**U6**
Sint Philipsland	64	**T8**
Sint Urbanuspark	72	**U2**
Sint Urbanusstraat	72	**U2**
Slauerhoffsingel	72	**W1**
Sleedoornlaan	74	**T4**
Slingerduin	72	**V1**
Smedemanplein	63	**V6**
Smedemanstraat	63	**V6**
Smederij	72	**V2**
Smeenklaan	63	**U6**
Soerlaan	73	**T3**
Somerenlaan, Haya van	72	**V1-V2**
Spaanse Aaklaan	73	**T3**
Spaenstraat, Van	63	**T7**
Sparrendaal	72	**V1**
Spierlaan, Rosa	72	**V2**
Spinnerij	72	**V2**
Spoorlaan	63	**U6-U7**
Sportlaan	73	**U3-U5**
Spurgeonlaan	74	**T4**
Stadhouderslaan	63	**T7**
Stadsplein	63	**V7**
Startbaan	72	**U1-U4**
Stationsstraat	63	**V6**
Steenbok	73	**V3**
Stelvio	74	**U5**
Straat van Gibraltar	64	**U8-U9**
Straat van Magelhaens	64	**U8-U9**
Straat van Makasser	64	**U8-U9**
Straat van Messina	64	**U8-U9**
Straat van Mozambique	64	**U9**
Straat van Sicilië	64	**U9**
Strandvliet	64	**U8**
Stromboli	74	**U5**
Stroombaan	64	**V8**
Stuurboord	74	**W4**
Stuwdam	74	**W4-W5**
Surmontstraat, De	63	**U7**
Suttnerlaan, Bertha von	72	**V1-W2**
Taag	74	**V4-U4**
Talmastraat	63	**U6**

Naam	Plattegrond	Plaatsaanduiding
Tempelhof	63	**V6**
Ter Gastlaan, Frans	72	**W2**
Terschellingstraat	64	**T8**
Teulingslaan, Jan	72	**V2-W2**
Texelstraat	64	**T8**
Thalia	73	**W3**
Theems	74	**U4**
Thijssenhof, Theo	72	**W1**
Tholenseweg	64	**T8**
Thorbeckelaan	63	**V7-U7**
Thuishaven	74	**W4**
Tiber	74	**U5**
Tiengemeten	64	**T8**
Tigris	74	**V5**
Tolheksbos	72	**V1**
Tooroplaan, Jan	63	**T7**
Tooropplantsoen, Jan	53	**S7**
Touwslagerij	72	**V2**
Traviatastraat	64	**V8-V9**
Trompenburg	64	**U7-U8**
Troskerslaan	74	**T4**
Troubadour	73	**V3**
Tulpenburg	64	**U8**
Turfschip	74	**W4-V4**
Uilenstede	54	**S8-T9**
Uitvlugt, De	73	**V3**
Urkerstraat	63	**T7**
Valreep	74	**W4-W5**
Veenendaalplein	63	**V6**
Veenplaats	63	**V6**
Veerelaan, Van der	63	**U7**
Veldlust	73	**V3**
Vestdijklaan, Simon	72	**W1**
Vesuvius	74	**U5**
Vierlingsbeeklaan	72	**U1-U2**
Vijverlaan	63	**U6**
Vincentlaan, Jo	72	**U2**
Vlaschaard, De	64	**V9**
Vlielandstraat	64	**T8**
Voerman	74	**V4**
Vogelkerslaan	74	**T4**
Voor Anker	74	**W4**
Voor de Poort	64	**V9**
Voornsehoek	64	**T8**
Voorplecht	74	**W4**
Vreelaan, De	63	**V6**
Vriendschap, De	73	**W3**
Vriesweg, Hugo de	72	**W2**
Vuurdoornlaan	74	**T4**
Vuurtoren	74	**W4**
Warren, De	72	**V1**
Watercirkel	74	**V4-U4**
Weegschaal	74	**V4**
Weerden Poelmanlaan, Van	73	**T3**
Weilandlaan, Jan	72	**W1**
Welna	63	**U7**
Westduinen	72	**V1-U1**
Westelijk Halfrond	64	**U8-U9**
Wester Amstel	66	**U11-V11**
Westwijkplein	72	**V1**
Westwijkstraat	72	**V1**
Weteringsbrugmolen, De	73	**W3-V3**
Weverij	72	**U2**
Wezer	74	**U4**
Wibautlaan	63	**V7**
Wieringerstraat	64	**T7-T8**
Wijnmalenplantsoen	73	**T3**
Wilgenlaan	73	**T3**
Wilhelminaplein	63	**U6**
Wilhelminastraat	63	**U6**
Wim Meilinkhof	72	**W2**
Wimbledonpark	73	**U3**
Winterlaan, Piet de	65	**T9**
Wisselstroom	64	**V8**
Witlaan, Augusta de	72	**W1**
Wolfert van Borsselenweg	63	**U7**
Wolga	74	**U4-U5**
Wolken, In de	74	**U5**
Zagerij	72	**V2**
Zanderij	72	**V2**
Zeelandia Hoeve	72	**V1**
Zetveld	63	**V6**
Ziederij	72	**U2**
Zon, De	73	**W3**
Zonnestein	64	**U7-U8**
Zonnesteinhof	64	**U8**
Zuiderkruis	74	**V4**
Zwanenwater	72	**V1**
Zwartepad	72	**T2**
Zwingliweg	74	**T4**

DIEMEN

Naam	Plattegrond	Plaatsaanduiding
Aalschoverpad	58	**P15**
Acaciastede	58	**P15**
Agaatvlinder	48	**N17**
Akkerland	58	**P15**
Amberboomstede	58	**P15**
Apollovlinder	48	**M17-N17**
Arent Krijtsstraat	46	**P15-N15**
Argusvlinder	48	**M17**
Asserlaan, Tobias	47	**N15-N16**
Bastingstraat	47	**N16**
Beekstraat, P.J. ter	59	**P16**
Bergwijkdreef	59	**R15-S16**
Bergwijkpark	59	**R15**
Berkenstede	59	**P15**
Bertsstraat, Jan	46	**P15-N15**
Beukenhorst	59	**P15-P16**
Biesbosch	58	**R14**
Binnenpolder	58	**R15**
Boeier	48	**M17**
Boekweitdonk	58	**P15**

Naam	Plattegrond	Plaatsaanduiding
Prins Mauritslaan	47	**N16**
Prinses Beatrixlaan	47	**N16-P16**
Prinses Irenestraat	47	**P16-N16**
Prinses Margrietstraat	59	**P16**
Prinses Marijkestraat	59	**P16**
Prinsessepad	59	**P16**
Provincialeweg	60	**R17**
Raadhuisstraat	47	**P15-N15**
Randweg	58	**R14**
Reigerpad	58	**P15-S15**
Rietgors	48	**M17**
Rietzangerweg	48	**M17**
Ringkade	58	**R15**
Rode Kruislaan	47	**N16**
Roerdomppad	59	**R15-S16**
Roggekamp	58	**P15**
Rustenburgh	47	**M16-M17**
Schelpenhoek	59	**P15-P16**
Schepenweg	48	**N17**
Schoener	48	**N17-M17**
Schoolpad	47	**N15-P16**
Schoolstraat	47	**P15-N15**
Schouw	48	**M17**
Schweitzerstraat, Albert	47	**N16**
Sierkershof	58	**P15**
Sierpeerhof	58	**P15**
Sint Janskruid	58	**R15**
Slijkschelp	59	**P16**
Sniep	59	**P16-P17**
Soesdijkstraat, Johan van	46	**N15-P15**
Solferinostraat	47	**N16**
Speenkruid	58	**P15**
Spoorpad	47	**M16**
Sportlaan	60	**P17**
Stammerdijk	60	**R17-T18**
Stammerhove	60	**R18**
Stammerkamp	60	**R18**
Steenenkamer	47	**M16**
Stormmeeuwpad	59	**R16-S16**
Stresemannstraat, Gustave	47	**N16**
Tapijtschelp	59	**P15-R16**
Tarwekamp	58	**P15**
Tjalk	48	**M17**
Treubweg	59	**R16-R17**
Trompetboomhof	58	**P15**
Tureluurweg	48	**M17**
Venserkade	59	**P15**
Venserweg	59	**P16**
Venusschelp	59	**P16**
Vergulden Wagen	47	**M16**
Verrijn Stuartweg	59	**R16**
Vierhuysen	47	**L16-M16**
Vingerhoedskruid	59	**R15**
Visseringweg	59	**R16**
Vlasdonk	58	**P15**
Vliervlinder	48	**N17**
Vlinderweg	48	**N17**
Vogelkersoord	58	**P15**
Vogelweg	48	**M17**
Volmerstraat	59	**R16**
Vredelust	47	**M16-M17**
Waterhoenpad	58	**S15-R16**
Waterkant	58	**R15**
Weerribben	58	**R14**
Weesperstraat	59	**P16**
Weteringweg	60	**P18**
Wildemanskruid	58	**P15-R15**
Wildenborch	59	**R16**
Wilhelminaplantsoen	47	**N15-N16**
Wisselwerking	58	**S15**
Wulp	48	**M17**
Zeezigt	47	**M16-M17**
Zilvermeeuwpad	58	**S15-R16**
Zwanenpad	59	**P15-R16**
Zwijgerlaan, Willem de	47	**P16-N16**

HAARLEMMERMEER (BADHOEVEDORP)

Naam	Plattegrond	Plaatsaanduiding
Adelaarstraat	50	**P1**
Akerdijk	38	**N1**
Arendstraat	50	**P1**
Badhoevelaan	38	**N1-N2**
Blériotstraat	50	**R1**
Burgemeester Amersfoordtlaan	38	**P1-N2**
Dellaertlaan	50	**P2-R2**
Dijklaan, Hermina Maria	38	**N1-P1**
Eelderstraat	50	**P1**
Egelantierstraat	50	**R2-P2**
Farmanstraat	50	**P1-R1**
Fazantstraat	50	**P1-P2**
Fokkerstraat	50	**R1-P1**
Gaaistraat	50	**P1**
Generaal Snijdersplantsoen	50	**P2**
Generaal Snijdersstraat	50	**P1-P2**
Gentstraat, Jan van	50	**P2**
Gravesandestraat, 's-	38	**N1**
Groenezoom	50	**P1-P2**
Haamstedestraat	50	**R2-P2**
Havikstraat	38	**N1-P1**
Huygensstraat, Christiaan	38	**N1**
Ibisstraat	50	**P2**
Keizersweg	38	**N1**
Koekoekslaan	51	**R3-R4**
Kraayveld	50	**P1-P2**
Kwartelstraat	50	**P1**
Leeuwenhoekstraat, Van	38	**N1**
Leeuwerikstraat	50	**P1-N1**
Lindberghstraat	50	**R1**

Naam	Plattegrond	Plaatsaanduiding
Maraboestraat	50	**P1-P2**
Marconistraat	38	**N1**
Meidoornweg	50	**P2-R3**
Newtonstraat	38	**N1**
Nieuwemeerdijk	38	**N1-T4**
Olieslagersstraat	50	**P1**
Oudheusdenstraat	50	**R2**
Pa Verkuyllaan	50	**P1**
Papegaaistraat	50	**P1**
Parkietstraat	50	**P1**
Parmentierstraat	50	**P1-R1**
Pascalstraat	38	**N1**
Pelikaanstraat	38	**N1-P1**
Plesmanlaan	50	**R1-P1**
Reigerstraat	38	**P1-N1**
Rietwijckstraat	50	**P1**
Rijstvogelstraat	50	**P1-P2**
Roerdompstraat	50	**P1**
Schipholweg	50	**R1-T3**
Sloterweg	38	**P1-N1**
Snipstraat	50	**P1**
Spechtstraat	50	**P2**
Sperwerstraat	50	**P1**
Sportlaan	50	**R1-P1**
Stevinstraat	38	**N1**
Swammerdamstraat	38	**N1**
Thomsonstraat	38	**N1**
Toevluchtstraat	38	**P1-N2**
Uiverstraat	50	**P2**
Valkstraat	50	**P2**
Vlierstraat	50	**P2-R2**
Waalhavenstraat	50	**P1-P2**
Welschapstraat	50	**P2**
Wijnmalenstraat	50	**P1**
Windestraat	50	**R2**
Zernikehof	38	**N1**
Zilvermeeuwstraat	38	**P1-N1**
Zwaluwstraat	50	**P2**

LANDSMEER

Naam	Plattegrond	Plaatsaanduiding
Assumburg	10	**A12**
Dr. Martin Luther Kingstraat	10	**A12**
Giessenburg	11	**A12**
IJdoornlaan	10	**A11-B12**
Kanaaldijk	11	**C13-A15**
Nijenrode	10	**A12**
Radboud	10	**A12**
Van Beekstraat	12	**A14-A15**
Zuideinde	10	**B11-A12**

OUDER-AMSTEL (DUIVENDRECHT)

Naam	Plattegrond	Plaatsaanduiding
Abeelstraat	58	**R14**
Asscherpad, Isaac	56	**P12-R12**
Astronautenweg	57	**R13-R14**
Azaleahof	58	**R14**
Azaleastraat	58	**R14**
Basilicumhof	58	**R14**
Begoniastraat	58	**R14**
Berkenstraat	58	**P14**
Biesbosch	58	**R14**
Blookerweg, Johannes	57	**P13-R13**
Buitensingel	57	**S12-T13**
Burgemeester van Damstraat	58	**P14-R14**
Clarissenhof	58	**P14-R14**
Dorpsplein	58	**R14**
Dudok van Heelstraat, Abram	57	**P12-R12**
Ellermanstraat	57	**R13-S13**
Entrada	57	**R13**
Fenengastraat, Willem	57	**R12**
Flinesstraat, De	57	**S13**
Geesinkweg, Joop	57	**P13**
Gooiseweg	58	**P14-U16**
Hazelaar, De	58	**R14**
Hazelaarstraat	58	**R14**
Heusweg, De	57	**R12**
Holterbergweg	57	**S13-U13**
Houtzaagmolen, In de	58	**P14-R14**
Industrieweg	58	**P14-P15**
Jupiter	57	**R13**
Kastanjepad	58	**R14**
Kloosterstraat	58	**P14**
Korenbloemstraat	58	**R14**
Korenmolen, In de	58	**R14**
Kruidenommegang	57	**R13-R14**
Kruidenpoort	58	**R14**
Kruizemunthof	57	**R13**
Lunaweg	57	**R13-R14**
Madeweg, Van der	57	**S12-R14**
Marwijk Kooystraat, Van	57	**R12-P13**
Meidoornstraat	58	**S14**
Mercurius	57	**R13-R14**
Michaëlplein	58	**P14-R14**

Naam	Plattegrond	Plaatsaanduiding
Molenkade	58	**P14-P15**
Molweg, Johannes de	57	**R13**
Muyskenweg, Joan	56	**R12-S12**
Neptunus	57	**R13**
Nieuwe Utrechtseweg	56	**R12**
Omgang	58	**R14**
Papiermolen, In de	58	**R14**
Parnassiaveld	57	**R13-R14**
Pelmolen, In de	58	**R14**
Plataanstraat	58	**R14**
Poldermolen, In de	58	**R14**
Populierstraat	58	**R14-P14**
Randweg	58	**P14-R14**
Rijksstraatweg	58	**S14-P14**
Roosmarijnhof	57	**R13**
Rozenburglaan	58	**P14**
Satellietbaan	58	**R14**
Saturnus	57	**R13-R14**
Schoolpad	58	**R14**
Siegerstraat, Johann	57	**P12-R12**
Slinger, De	57	**R13-R14**
Spaklerweg	57	**P12-S13**
Stationsplein	58	**S14**
Stationsweg	57	**S13**
Tamarindestraat	58	**R14**
Telstarweg	58	**R14**
Tetterodestraat, Nicolaas	57	**P12-R12**
Trapperspad	67	**U13**
Uranus	57	**R13**
Ven, 't	58	**R14**
Venserpark	58	**R14**
Venus	57	**R13**
Verbindingsweg	57	**T12-S12**
Vlissingenstraat, Paul van	57	**R12-P12**
Waddenland	58	**R14**
Watermolen, In de	58	**R14**
Zonnehof	57	**R13-R14**
Zwarte Laantje	68	**T14**

(OUDERKERK A.D. AMSTEL)

Naam	Plattegrond	Plaatsaanduiding
Aart van der Neerweg	66	**W12-V12**
Achter het Kampje	66	**W11**
Achterdijk	65	**W10**
Aemstelstraat, Gijsbrecht van	66	**W11**
Amstellandlaan	66	**W11-W12**
Avercampweg, Hendrick van	66	**W12**
Badelochstraat	66	**W11**
Beijerhof, Jan de	66	**W12**
Binnenweg	66	**V11-T11**
Brugstraat	66	**W11**
Bulthuisstraat, Jan	66	**V12-W12**
Burgemeester Cordesweg	66	**W11**
Burgemeester Stramanweg	66	**W11-U13**
Burghzatenplein	66	**W11**
Diedrick van Haerlemstraat	66	**W11**
Dorpstraat	66	**W11**
Egmontlaan, Willem van	66	**W11**
Gedempte Sluiskom	66	**W12**
Gosewijnstraat	66	**W11**
Groeneveldweg	67	**V13-W13**
Hogendijk	67	**W12-W13**
Hoger Amstellaan	66	**W11-W12**
Hoger Einde-Noord	66	**V11**
Hoger Einde-Zuid	66	**W11**
Hogerlustlaan	66	**W11**
Holendrechterweg	66	**W12**
Hoofdenburg	67	**W12**
Hoofdenburgsingel	66	**W12**
Jonge Linde	67	**W12**
Kerkstraat	66	**W11**
Koningin Emmalaan	66	**W11-W12**
Koningin Julianalaan	66	**W11-W12**
Koningin Wilhelminalaan	66	**W11-W12**
Korendragerstraat	66	**W11**
Korte Dwarsweg	67	**V13-W13**
Leerspiegel	67	**W12**
Machineweg	67	**W12-V13**
Middenweg	67	**W13-W14**
Molenpad	66	**V11**
Noomsstraat, Reinier	66	**W12**
Overweg	67	**W12**
Paarl, De	67	**W12**
Porto Buenolaan	66	**W11**
Prins Bernhardlaan	66	**W11**
Prins Hendrikstraat	66	**W11**
Prinses Beatrixlaan	66	**W11**
Prinses Ireneplantsoen	66	**W11**
Prinses Margrietlaan	66	**W11**
Prinses Marijkelaan	66	**W11**
Raadhuislaan	66	**W11**
Rademakerstraat, Abraham	66	**W12**
Reijgershof	66	**W11-W12**
Rembrandt van Rijnweg	66	**V12-W12**
Ruisdaelweg, Jacob van	66	**W12**
Sluisplein	66	**W12**
Sluisvaart	66	**W12**
Sollenburg	66	**W12**
Strandvlietlaan	66	**W11**
Turfstekerspad	66	**W12**
Vondelstraat	66	**W11**
Wethouder Koolhaasweg	67	**V12**
Willebrordstraat	66	**W11**

WATERLAND

ZAANSTAD

ZUIDOOST

Register met de genummerde straten op de plattegrond

Index des rues numérotées sur le plan

Index of streets numbered on plan

Durch Nummern gekennzeichnete Straßen

Indice delle strade numerate sulla pianta

Índice de calles numeradas en el plano

(NL) Praktische inlichtingen
(F) *Renseignements pratiques*
(GB) Useful information
(D) *Praktische Hinweise*
(I) Consigli pratici
(E) *Informaciones prácticas*

Alarmnummers

Assistance **– Emergency services –** ***Notdienste***
Numeri d'emergenza – ***Servicios de asistencia***

Landelijk alarmnummer (politie, ambulance en brandweer) 112
Centrale doktersdienst
(dokters, tandartsen en apotheken)....................................020/592 34 34
Politie 0900/88 44
ANWB Wegenwacht 0800/08 88

Vervoer

Transports **– Transport –** ***Transporte***
Trasporti – ***Transportes***

Amsterdam Airport Schiphol (vluchtinfo e.a.) 0900/72 44 74 65
K.L.M. 020/474 77 47
Nederlandse Spoorwegen (trein) 0900/92 92
Gemeentevervoerbedrijf (tram, bus, metro) 020/460 60 60
Taxicentrale..020/677 77 77, 0900/07 24
Dienst Parkeerbeheer 020/553 03 00
Klemhulp 020/667 10 01

Ambassades

Ambassades **– Embassies –** ***Botschaften***
Ambasciate – ***Embajadas***

Australië...070/310 82 00
België 070/312 34 56
Canada 070/311 16 00
Denemarken 070/302 59 59
Duitsland...070/342 06 00
Finland 070/346 97 54
Frankrijk 070/312 58 00
Griekenland 070/363 87 00
Groot-Brittannië en Noord-Ierland...070/427 04 27
Hongarije 070/350 04 04

Ierland 070/363 09 93
Indonesië 070/310 81 00
Italië...070/302 10 30
Luxemburg 070/360 75 16
Noorwegen...070/311 76 11
Oostenrijk 070/324 54 70
Polen 070/360 28 06
Portugal 070/363 02 17
Spanje..070/302 49 99
Suriname 070/365 08 44
Verenigde Staten van Amerika 070/310 92 09
Zuid-Afrika...070/392 45 01
Zweden 070/412 02 00
Zwitserland...070/364 28 31

Andere
Divers – Others – *Verschiedenes*
Vari – *Varios*

PTT Post..058/233 33 33
KPN Telecom...0800/04 02
VVV...0900/400 40 40
Gemeente Amsterdam (inlichtingen) 020/624 11 11
Gevonden voorwerpen (openbaar vervoer) 020/460 58 58

MANUFACTURE FRANÇAISE DES PNEUMATIQUES MICHELIN
Société en commandite par actions au capital de 304 000 000 EUR
Place des Carmes-Déchaux – 63 Clermont-Ferrand (France)
R.C.S. Clermont-Fd B 855 200 507

Dépôt légal Février 2003 – 3e édition - ISBN 2-06-203600-0

Please help us to correct errors and omissions by writing to us at
MICHELIN Éditions des Voyages
46 avenue de Breteuil, 75324 PARIS cedex 07 -- FRANCE

Printed in France 01-03/3.1

Photocomposition: CARTOGRAPHIA, Budapest, NORD COMPO, Villeneuve d'Ascq
Impression: AUBIN Imprimeur, Ligugé
Brochage: SIRC, Marigny-le-Châtel

CARTE STRADALI E TURISTICHE PUBBLICAZIONE PERIODICA
Reg. Trib. Di Milano N° 80 del 24/02/1997 Dir. Resp. PAOLO RICCARDI